D0674270

Duistere vlam

Van Alyson Noël zijn verschenen:

Alyson Noël

Duistere vlam

DE ONSTERFELIJKEN – BOEK 4

Vertaald door Sandra C. Hessels

MOURIA

Uitgeverij Mouria en drukkerij Bariet vinden het belangrijk om op milieu-vriendelijke en verantwoorde wijze met natuurlijke bronnen om te gaan.

Duistere vlam is het vierde boek in de reeks De onsterfelijken

Eerste druk juni 2011
Tweede druk september 2011

Oorspronkelijke titel: *Dark Flame*
Vertaling: Sandra C. Hessels
Omslagontwerp: DPS/Davy van der Elsken
Omslagfotografie: Mark Rose en craftvision

ISBN 978 90 458 0230 5
NUR 285

Dit boek is ook als e-book verkrijgbaar

www.de-onsterfelijken.hyves.nl
www.watleesjij.nu

Voor Rose Hilliard –
omdat ik zo goed met haar kan samenwerken
en ik het zonder haar niet zou hebben gekund!

'Ik aanschouwde het schepsel – het ellendige monster
dat ik zelf had gecreëerd.'

MARY SHELLEY, *Frankenstein*

Een

'*What the fug?*'

Haven laat haar cakeje met de roze glazuurlaag, de rode spikkels en het zilveren papiertje uit haar hand vallen. Haar dik opgemaakte ogen kijken me vragend aan terwijl ik ineenkrimp en om me heen kijk naar de andere mensen op het drukke plein. Ik heb er spijt van dat ik deze plek heb gekozen. Het leek mij een goed idee om naar haar favoriete banketbakker te gaan op zo'n zonnige zomerdag, vooral met het nieuws dat ik heb. Ik had gehoopt dat het kleine aardbeiencakeje de boodschap wat zou verzachten. Als ik het opnieuw mocht doen, zouden we in de auto blijven zitten.

'Kan het wat zachter? Alsjeblieft.' Ik probeer het vrolijk te brengen, maar ik klink meer als een strenge, chagrijnige bibliothecaris. Ze leunt naar voren en veegt haar lange pony met de platina pluk achter haar oor. Vervolgens tuurt ze me aan.

'Sorry, hoor, maar meen je dat nou? Je overvalt me met onwijs heftig nieuws – en dan bedoel ik echt gigaheftig. Mijn oren suizen nog na en mijn hoofd tolt ervan. Het liefst wil ik dat je het nog een keer zegt, om er zeker van te zijn dat je zei wat ik denk dat je zei, maar jij maakt je er druk om dat ik te hard práát? Doe toch normaal!'

Ik schud mijn hoofd en kijk weer om me heen. Ik moet de schade zien te beperken en dus praat ik zelf een stuk zachter. 'Het zit zo: niemand mag het weten. Het moet een geheim blijven. Dat is uiterst belangrijk,' dring ik aan. Dan realiseer ik me tegen wie ik het zeg: iemand die van haar lang zal ze leven nog nooit een geheim heeft kunnen bewaren.

Ze rolt met haar ogen en laat zich weer op haar stoel vallen terwijl ze wat voor zich uit mompelt. Ik neem haar in me op en zie dat ze al genoeg symptomen vertoont: haar bleke huid lijkt te stralen en ziet er perfect uit. Er is al bijna geen porie meer te ontdekken. Haar golvende, bruine haar met de platina pluk vooraan glimt en glanst alsof ze uit een shampooreclame komt. Zelfs haar tanden lijken nu al witter en rechter te staan en ik vraag me af hoe dat zo snel heeft kunnen gebeuren – na een paar kleine slokjes van de onsterfelijkheidsdrank. Bij mij duurde het zoveel langer.

Ik blijf haar bestuderen voor ik diep zucht en me concentreer. Normaal gesproken blijf ik uit de gedachten van mijn vrienden, maar dit keer moet het maar. Ik probeer te 'zien' wat er in haar omgaat. Een glimp van haar energie of van de woorden die ze nu niet zegt, alles is prima. Ik weet zeker dat deze omstandigheden het kijkje in haar hoofd rechtvaardigen.

Waar haar gedachten normaal gesproken een open boek voor me zijn, loop ik nu tegen een muur van stilte op en ik kom niet verder. Zelfs als ik voorzichtig mijn hand over tafel laat glijden en haar met een vingertopje zachtjes aanraak – alsof ik opeens meer wil weten over de zilveren ring met de doodskop – gebeurt er niets.

Ik kan haar toekomst niet zien.

'Dit is allemaal zo...' Ze slikt en kijkt om zich heen, van de spetterende fontein naar de jonge moeder die met één hand een kinderwagen voor zich uit duwt en ondertussen in haar mobieltje schreeuwt en de groep meisjes die net uit een bikiniwinkel komt met armen vol plastic tassen. Alles liever dan dat ze mij aankijkt.

'Het is een hoop informatie tegelijk... maar ik meen het...' Ik haal mijn schouders op. Ik moet met een overtuigender argument komen, dat weet ik, maar ik weet niet hoe.

'Een hoop informatie?' herhaalt ze. 'Noem jij het zo?' Ze schudt haar hoofd en tikt ongeduldig met haar vingers op de armleuning van haar groene, metalen stoel. Dan laat ze haar blik rustig over me heen glijden.

Ik zucht. Ik kan wel wensen dat ik dit beter had aangepakt, dat ik het allemaal ongedaan zou kunnen maken, maar daar is het toch al te laat voor. Al moet ik wel iets doen met de situatie zoals die nu is. 'Ik hoopte vooral dat jij het zo zou zien, denk ik,' zeg ik. 'Geschift, ik weet het.'

Ze zuigt haar longen vol lucht zonder een spier te vertrekken. Haar gezicht is zo kalm dat ik er niets aan kan aflezen. Net als ik iets wil zeggen en haar wil smeken me te vergeven, zegt ze: 'Dus je meent het? Je hebt mij onsterfelijk gemaakt? Ik bedoel... het is dus echt waar?'

Ik knik en voel mijn maag samentrekken van de zenuwen. Ik ga rechterop zitten en trek mijn schouders naar achteren om me voor te bereiden op de klap die gaat komen. Of ze me die letterlijk geeft of alleen verbaal, maakt niet uit. Ik verdien niet beter na wat ik gedaan heb. Haar leven zal nooit meer hetzelfde zijn dankzij mij.

'Ik...' Ze knippert een paar keer en hapt nog eens naar lucht. Haar aura is onzichtbaar en ik kan dus niet zien in welke stemming ze is, niet sinds ze net als ik onsterfelijk werd. 'Ja, nou ja, ik ben gewoon geschokt. Nee, serieus, ik weet echt niet wat ik moet zeggen.'

Ik pers mijn lippen op elkaar en laat mijn handen op mijn schoot vallen, waarna ik begin te frunniken aan het armbandje met de paardenbitjes dat ik altijd draag. Ik schraap nerveus mijn keel. 'Haven, luister. Het spijt me echt heel erg. Heel, heel erg. Je hebt echt geen idee hoe erg. Maar ik...' Ik schud mijn hoofd en weet dat ik nu iets zinnigers moet zeggen. Maar toch wil ik graag mijn kant van het verhaal vertellen – de onmogelijke keuze waarvoor ik geplaatst werd, hoe het voelde haar zo bleek en hulpeloos, op het randje van de dood te zien, elke oppervlakkige ademhaling mogelijk haar laatste...

Maar voor ik kan beginnen aan mijn verhaal, leunt ze naar voren over de tafel en ze kijkt me met grote ogen aan. 'Ben je niet goed wijs?' Ze schudt haar hoofd. 'Ga je gewoon je verontschuldigingen aanbieden, terwijl ik hier zit zonder dat ik de woorden kan vinden om te zeggen hoe gaaf, hoe vet, hoe geweldig dit is? Ik heb geen idee hoe ik je hiervoor ooit moet bedanken!'

Watte?

'Ik bedoel, dit is gewoon zo ongelooflijk, zo *fugging* cool!' Ze grijnst breed en stuitert in haar stoel, haar gezicht straalt als een zonnetje. 'Dit is toch echt het coolste, het fugging gaafste dat me ooit is overkomen! En dat heb ik aan jou te danken!'

Ik slik en kijk zenuwachtig om me heen, onzeker wat ik moet doen. Het is niet de reactie die ik verwachtte. Niet waarop ik me heb voorbereid. Maar het is wel precies de reactie waarvoor Damen me waarschuwde.

Damen – mijn beste vriend, mijn zielsverwant, de grote liefde van mijn leven en al mijn voorgaande levens. Mijn onwaarschijnlijk sexy, knappe, aantrekkelijke, getalenteerde, geduldige en begripvolle vriend die wist dat dit zou gebeuren en die me smeekte hem mee te laten gaan voor het geval dat. Maar daar was ik te eigenwijs voor. Ik wilde het zelf doen, in mijn eentje. Ik heb haar onsterfelijk gemaakt – ik heb haar gedwongen het elixir, de onsterfelijkheidsdrank, te drinken – en dus moet ik haar uitleggen hoe dat kon gebeuren. Al verloopt het niet echt volgens plan. Helemaal niet, zelfs.

'Ik bedoel, het is net zoiets als een vampier worden, toch? Maar dan zonder bloed te hoeven drinken!' Haar glinsterende ogen kijken me opgewekt aan. 'O, en ik kan ook gewoon in de zon lopen en ik hoef niet in een doodskist te slapen!' Haar stem wordt hoger en harder nu ze er plezier in krijgt. 'Dit is zo ontzettend gaaf – het is net een droom die uitkomt! Alles wat ik ooit heb gewenst, komt nu eindelijk uit! Ik ben een vampier! Een schoonheid van een vampier en dat zonder al die akelige randvoorwaarden!'

'Je bent geen vampier,' zeg ik somber en met tegenzin. Hoe heeft het zover kunnen komen? 'Die bestaan niet.'

Nee, vampiers bestaan niet, evenmin als weerwolven, elfjes en feeën. Wat wel bestaat zijn onsterfelijken en dankzij Roman en mij worden dat er met de maand meer.

'Hoe weet je dat zo zeker?' vraagt Haven nieuwsgierig met een opgetrokken wenkbrauw.

'Omdat Damen al wat langer meegaat dan ik,' antwoord ik. 'En hij heeft er nooit eentje gezien – of iemand ontmoet die er ooit een gezien heeft. Volgens ons stammen de vampierlegendes wel af van onsterfelijken, maar met een paar afschrikwekkende toevoegingen. Het bloed zuigen, niet in de zon kunnen lopen en die knoflookallergie zijn er allemaal bij verzonnen.' Ik buig naar haar toe. 'Allemaal voor een extra dramatisch effect.'

'Interessant.' Ze knikt, maar haar gedachten zijn elders. 'Kan ik nog wel cakejes eten?' Ze gebaart naar het gedeukte aardbeientaartje, waarvan één kant is ingestort en geplet zit tegen het kartonnen doosje, terwijl de andere kant nog intact is en er smakelijk uitziet. 'Of moet ik vanaf nu soms iets anders...' Opeens worden haar ogen groot en voor ik kan ingrijpen, slaat ze met haar hand op tafel en piept: 'O mijn god – dat drankje! Dat is het, hè? Die rode zooi die jij en Damen altijd naar binnen klokken? Dat is het, hè? Nou, waar wacht je nog op? Geef me het spul maar, dan is het meteen officieel! O, ik kan niet wachten!'

'Ik heb niks bij me.' Haar gezicht verandert van blij naar teleurgesteld en ik haast me uit te leggen waarom. 'Luister, ik weet dat je het allemaal hartstikke gaaf vindt klinken, en dat is grotendeels ook terecht. Ik bedoel, je zult nooit ouder worden, nooit meer puisten krijgen, geen gespleten haarpunten. Je hoeft nooit naar de sportschool en je wordt misschien zelfs nog een stuk langer... alles is mogelijk. Maar er is nog meer – bepaalde dingen die je moet weten – dingen die ik moet uitleggen, zodat je...' Ik stop met praten als ik haar van haar stoel overeind zie springen, soepel als een kat. Dat is ook een van de bijwerkingen van onsterfelijkheid.

Ze springt van haar ene voet op haar andere. 'Toe, zeg. Wat valt er nou nog uit te leggen? Als ik hoger kan springen, sneller kan rennen, nooit meer ouder word of zwakker... Wat blijft er dan over? Volgens mij kan ik er de rest van de eeuwigheid wel tegenaan zo.'

Ik kijk nerveus om me heen, wetende dat ik haar enthousiasme moet zien te remmen voor ze echt gekke dingen gaat doen. Straks trekt ze te veel aandacht en dat risico kunnen we niet nemen. 'Haven, alsjeblieft, ga even zitten. Ik meen het. Er is nog meer. Een hele hoop meer,' fluister ik vrij kortaf en bevelend, maar zonder indruk te maken. Ze blijft staan, schudt haar hoofd en weigert mee te werken. Ze is nu al zo betoverd door haar nieuwe krachten dat ze van tegendraads meteen doorschiet naar strijdlustig.

'Je doet overal altijd zo ernstig en krampachtig over, Ever. Ik meen het. Al-les wat je zegt en doet is altijd zo ontzettend bloedserieus. Echt, hoor. Je geeft me de sleutels tot het paradijs en dan wil je dat ik braaf blijf zitten zodat je me kunt vertellen over alle negatieve dingen? Dat is toch geschift?' Ze rolt met haar ogen. 'Kom op, relax een beetje, ja? Laat me nou eerst even spelen en het uitproberen. Kijken wat ik allemaal kan. Zullen we een wedstrijdje rennen? Degene die vanaf de stoep als eerste bij de bieb is, wint!'

Ik schud mijn hoofd en zucht diep. Ik wil dit niet hoeven doen, maar ik kan niet anders dan telekinese gebruiken. Dat is het enige wat hier een eind aan maakt en haar laat merken wie de baas is. Ik knijp mijn ogen toe en concentreer me op haar stoel, die ik over de tegels laat schuiven tot hij tegen haar knieholtes botst en ze erin valt.

'Hé, dat deed zeer, hoor!' Ze wrijft over haar benen en kijkt me kwaad aan.

Ik haal mijn schouders op. Ze is onsterfelijk – blauwe plekken krijgt ze er niet van. Ik heb haar nog zoveel te vertellen, maar als ze zo doorgaat is er veel te weinig tijd voor. Dus buig ik over de tafel naar haar toe en wacht tot ik haar volledige aandacht heb. 'Neem één ding van mij aan: je kunt het spel niet spelen zonder de regels te kennen. En als je de regels niet kent, is de kans groot dat je iemand – of jezelf – kwetst of erger.'

Twee

Haven ploft neer in de passagiersstoel, leunt tegen het gesloten portier en vouwt haar benen onder zich op de zitting. Kwaad fronst ze haar wenkbrauwen en ik krijg allerlei binnensmondse verwensingen naar mijn hoofd terwijl ik de parkeerplaats af rijd.

'Regel nummer één,' ik kijk boos terug en negeer haar vijandige blik. Dan veeg ik mijn lange, blonde haren uit mijn gezicht. 'Je-mag-het-aan-niemand-vertellen.' Ik wacht even voor ik verderga om het goed te laten doordringen. 'Ik meen het. Niet aan je moeder, je vader, je broertje Austin...'

'Toe, zeg.' Ze wiebelt in haar stoel, kruist haar benen anders en frummelt aan haar kleding terwijl ze met haar voet schommelt. Ze vindt het blijkbaar afschuwelijk om met mij in deze kleine ruimte opgesloten te zitten. 'Ik praat toch al nauwelijks met ze,' zegt ze gefrustreerd. 'En trouwens, je valt in herhaling, want dat heb je al gezegd. Luid en duidelijk. Dus hup met de rest, dan kan ik weg en eindelijk beginnen aan mijn nieuwe leven.'

Ik slik, maar ik laat me niet opjagen of van de wijs brengen. Bij het stoplicht werp ik een zijdelingse blik op haar. Ik móét haar duidelijk zien te maken hoe belangrijk dit is. 'Dat geldt dus ook voor Miles. Je mag hem absoluut niets vertellen.'

Ze rolt met haar ogen en draait aan de ring rond haar middelvinger, die ze het liefst naar me zou opsteken. 'Oké. Niemand vertellen. Dat weet ik nou wel,' mompelt ze. 'Anders nog iets?'

'Je kunt gewoon blijven eten.' Ik rijd over een kruispunt en voer het tempo op. 'Maar je hebt er waarschijnlijk niet altijd trek in, omdat het elixir voldoende vult en alle voedingsstoffen bevat die je nodig hebt. Toch is het, zeker in het openbaar, belangrijk om zo normaal mogelijk over te komen en dus in elk geval te doen alsof je eet.'

'Wat, zoals jij zeker?' Met een opgetrokken wenkbrauw en een sarcastische grijns kijkt ze naar me. 'Elke lunchpauze scheur je je brood aan flarden en verkruimel je de chips. Denk je nou echt dat niemand dat merkte? Was dat jouw beste poging om normaal over te komen? Miles en ik dachten al dat je een eetstoornis had.'

Ik haal diep adem, concentreer me op de weg en mijn snelheid. Ik moet kalm blijven. Het werkt net als karma, waar Damen het altijd over heeft – op elke actie volgt een reactie – en dit is waar mijn acties toe hebben geleid. Maar als ik die keuze opnieuw moest maken, zou ik niets veranderen. Ik zou precies hetzelfde doen. Dit moment mag dan pijnlijk zijn, maar het is nog altijd beter dan naar Havens begrafenis te moeten gaan.

'O, mijn god!' Ze kijkt me aan met grote ogen en haar mond open. Met een piepend stemmetje roept ze uit: 'Volgens mij... volgens mij hoorde ik wat je dacht!'

Ik kijk naar haar. Het dak van de cabrio is naar beneden, de Zuid-Californische zon schijnt recht op ons neer en toch voel ik een koude rilling.

Dit is niet best. Helemaal niet best.

'Je gedachten! Je was blij dat je niet naar mijn begrafenis hoefde, of zoiets, toch? Ik bedoel, ik hoorde jouw woorden in mijn hoofd. Wat onwijs gaaf!'

Meteen scherm ik mijn gedachten, mijn energie en de rest af. Ik vind het griezelig dat ze dit nu al kan als ik haar gedachten niet kan lezen en haar nog niet eens heb geleerd hoe ze zich moet afschermen.

'Dus jullie meenden het echt? Dat hele telepathieverhaal? Jij en Damen kunnen elkaars gedachten lezen.'

Ik knik langzaam, met tegenzin. Haar ogen glinsteren feller dan ik ze ooit heb zien doen. Haar normaal onopvallende, bruine irissen – soms verborgen achter allerlei kleuren lenzen – tonen nu een glimmende mengeling van goud, topaas en brons. Weer zo'n bijwerking van onsterfelijkheid.

'Ik wist wel dat jullie raar waren, maar dit slaat alles. En nu kan ik het ook! Jezus, ik zou willen dat Miles er was!'

Even sluit ik mijn ogen en ik schud mijn hoofd om kalm te blijven. Hoe vaak moet ik het nou nog zeggen? Ik rem voor een voetganger en zeg: 'Maar je mag Miles niets vertellen, weet je wel? Dat heb ik je toch uitgelegd?'

Ze schudt de woorden van zich af en draait een pluk van haar glanzend bruine haren rond haar wijsvinger. Ze lacht naar een jongen van onze school die naast ons komt staan in zijn zwarte Bentley.

'Oké. Oké! Ik zeg niks tegen hem. Chil effe, ja?' Ze richt zich op onze klasgenoot, zwaaiend, lachend en flirtend, en ze blaast hem zelfs handkusjes toe. Ze lacht als hij nog een keer extra omkijkt. 'Het geheim is veilig. Ik ben gewoon gewend hem alle spannende dingen te vertellen, dat is alles. Maar dat leer ik wel weer af. Toch moet je toegeven dat het supercool is. Ik bedoel, hoe reageerde jij dan toen je erachter kwam? Ging jij niet compleet uit je dak?'

Ik trap het gas harder in dan ik eigenlijk wilde en de auto schiet vooruit terwijl ik terugdenk aan die allereerste dag – althans, die eerste keer dat Damen me het nieuws probeerde te vertellen op de parkeerplaats van school. Maar toen wilde ik niet luisteren. En nee, ik ging niet uit mijn dak. De tweede keer dat hij me vertelde over ons lange en gecompliceerde verleden, wist ik nog niet wat ik ermee aan moest. Ja, het leek me aan de ene kant wel gaaf na al die eeuwen eindelijk samen te kunnen zijn. Aan de andere kant viel het me zwaar. Ik moest er tenslotte een hoop voor opgeven.

Eerst dachten we ook dat ik zelf kon kiezen: het elixir drinken en mijn onsterfelijkheid accepteren, of het negeren, mijn leventje leiden en ergens in de verre toekomst sterven zoals iedereen. Maar nu weten we wel beter.

Nu weten we hoe het een onsterfelijke vergaat.

Nu weten we dat Schaduwland bestaat.

De oneindige leegte.

De eeuwige duisternis.

De plek waar onsterfelijken geïsoleerd en zielloos de rest van hun tijd moeten doorbrengen – de rest van de eeuwigheid.

Een plek die we moeten mijden.

'Hal-lo? Aarde aan Ever?' Haven lacht.

Ik trek mijn schouders op; met dat antwoord moet ze het maar doen.

Dan leunt ze naar me toe. 'Sorry, hoor, maar ik begrijp jou niet.' Ze kijkt me aandachtig aan. 'Dit is gewoon de beste dag van mijn hele leven en jij richt je alleen op de negatieve dingen. Ik bedoel, hal-lo? Gedachten lezen, sterker worden, eeuwig jong en knap zijn – doet dat je niks, of zo?'

'Haven, het is niet alleen maar leuk, het is...'

'Ja-haa.' Ze rolt met haar ogen en gaat met een ruk tegen de leuning van de stoel zitten, haar benen opgetrokken en haar armen stevig om haar knieën geslagen. 'Er zijn regels en minder leuke kanten. Dat heb ik nou wel begrepen, zeg.' Ze fronst, pakt haar haar vast en draait het tot een dikke, bruine staart. 'Maar jezus, word je er nou nooit doodmoe van? Altijd maar zo ernstig te zijn, rond te lopen met zo'n last op je schouders? Je leidt een luizenleventje. Je bent blond met blauwe ogen, je bent lang, fit, getalenteerd en o ja, de meest sexy gozer op de hele planeet is dolverliefd op je.' Ze zucht en vraagt zich af waarom ik dat allemaal niet zie. 'Ik bedoel, je hebt een leven waar andere mensen alleen van kunnen dromen, maar jij loopt rond met een lang gezicht. Echt hoor. Het spijt me dat ik dit moet zeggen, maar dat is gewoon gestoord. Want om eerlijk te zijn: ik voel me fantastisch! Hyper! Alsof er een elektrische lading door mijn aderen stroomt! Dat pessimistische gedoe van jou is niks voor mij. Ik sluip echt niet rond op school in een lelijke *hoody* met zonnebril en een iPod-implantaat in mijn hoofd zoals jij altijd deed. Ik bedoel, ik begrijp nu in elk geval waarom je dat deed – dat was om al die stemmen en gedachten buiten te sluiten, hè? Maar toch – *no way* dat ik dat ga doen. Ik ga ervan genieten zoveel ik kan. En als Stacia, Honor of Craig mij of mijn vrienden ook maar een beetje dwarszitten, dan staat ze wat te wachten!' Ze leunt naar voren, nu met haar ellebogen op haar knieën en tuurt naar me. 'Als ik denk aan alles wat zij je hebben aangedaan en hoe je dat allemaal maar slikte...' Ze tuit haar lippen. 'Daar snap ik dus echt geen moer van.'

Ik kijk haar aan. Als ik me niet afscherm, hoef ik het antwoord maar te denken en ze hoort het. Maar het komt harder aan als ik het hardop zeg. 'Het kwam denk ik doordat het mij zo'n vreselijke ruil leek. Ik raakte mijn familie kwijt – ik kan nooit meer...' De rest van de woorden houd ik tegen; ik wil nog niets verklappen over Zomerland, de prachtige dimensie tussen dimensies, of de brug die alle stervelingen naar het hiernamaals leidt. Althans, niet nu. Een ding tegelijk. 'Ik zal altijd híér zijn. Ik zal nooit doodgaan, maar ook nooit meer mijn familie zien...' Ik schud mijn hoofd. 'Nou ja, voor mij is dat in elk geval een behoorlijk hoge prijs.'

Ze steekt een hand naar me uit en kijkt me aan met grote ogen vol medelijden. Dan trekt ze die hand terug. 'Oeps, sorry. Je wilt natuurlijk liever niet aangeraakt worden.' Ze trekt haar neus omhoog en veegt een losgewaaide pluk haar achter een oor vol piercings.

'Dat is het niet,' zeg ik schouderophalend. 'Maar soms... soms is zo'n aanraking gewoon te onthullend, dat is alles.'

'Werkt dat bij mij ook zo?'

Ik kijk naar haar. Ik zou niet weten welke gaven zij ontwikkelt; ze is nu al zoveel verder dan ik destijds – en dat na één fles onsterfelijkheidsdrank – wie weet waar dat eindigt als ze een heel krat leegdrinkt?

'Ik heb geen idee. Een deel komt bij mij doordat ik stierf en eindigde in...'

Ze knijpt haar ogen toe en probeert mijn gedachten te lezen, wat gelukkig niet lukt dankzij mijn beschermende schild.

'Laten we zeggen dat ik een bijna-doodervaring had. Dan werkt het anders.' Ik rijd haar straat in.

Ze kijkt me strak en indringend aan terwijl haar vingers aan een scheur in haar legging plukken. 'Volgens mij is er nog heel veel wat je me niet vertelt,' zegt ze met een opgetrokken wenkbrauw, alsof ze me uitdaagt haar bewering te ontkennen.

Dat doe ik niet. Ik sluit slechts mijn ogen en knik. Ik heb genoeg van het liegen en smoesjes bedenken. Het voelt goed om eindelijk eens wat dingen toe te kunnen geven.

'En waarom is dat?'

Ik haal diep adem en trek mijn schouders op terwijl ik me dwing haar aan te kijken. 'Het is een hoop informatie die tegelijk op je afkomt. Sommige ervaringen moet je zelf meemaken om ze te begrijpen en andere... die kunnen wachten. Maar je moet nog een aantal dingen weten.'

Ik parkeer de auto op haar oprit en doorzoek mijn tas. Ik geef haar een klein, zijden buideltje, net zo eentje als ik van Damen heb gekregen.

'Wat is dit?' Ze maakt het open, stopt haar vingers erin en haalt een zwart, zijden koord tevoorschijn met daaraan een trosje kleurige kristallen die met dun gouddraad aan elkaar zijn verbonden.

'Een amulet. Het is belangrijk dat je hem altijd om hebt. Vanaf nu moet je hem serieus elke dag dragen.'

Ze knijpt haar ogen half dicht en kijkt hoe de stenen glinsteren en reflecteren in het zonlicht als ze de ketting omhooghoudt.

'Ik heb er ook een.' Ik trek mijn amulet onder mijn shirt vandaan en laat mijn stenen zien.

'Waarom ziet de mijne er zo anders uit?' Ze vergelijkt de een met de ander en vraagt zich af welke beter is.

'Omdat geen twee amuletten hetzelfde zijn. Iedereen heeft andere... kenmerken. Maar ze bieden ons extra veiligheid.'

Ze kijkt op.

'De stenen hebben een beschermende werking.' Ik haal mijn schouders op. Ik begeef me op glad ijs; dit is het onderwerp waarover Damen en ik het oneens zijn.

Ze houdt haar hoofd schuin en trekt haar neus op. Ze kan mijn gedachten niet lezen, maar weet dat ik iets achterhoud. 'Beschermen waartegen? Ik bedoel, we zijn toch onsterfelijk? Als ik me niet vergis, betekent dat dat we eeuwig leven en nu ga jij me vertellen dat ik me moet beschermen? Om veilig te zijn?' Ze schudt haar hoofd. 'Sorry, Ever, maar dat klinkt niet erg logisch. Tegen wie of wat moet ik me dan beschermen?'

Ik haal diep adem en verzeker me ervan dat dit het beste is, wat

Damen ook denkt. Het enige juiste. Ik hoop maar dat hij me vergeeft. 'Tegen Roman.'

Ze schudt haar hoofd, slaat haar armen over elkaar en weigert te luisteren. 'Roman? Dat is belachelijk. Roman zou me nooit kwaad doen.'

Na alles wat ik haar zojuist verteld heb, kan ik mijn oren bijna niet geloven.

'Ja, sorry, Ever, maar Roman is mijn vriend. Misschien zelfs veel meer dan dat binnenkort, niet dat het jou wat aangaat. Maar omdat ik weet dat je al vanaf de eerste dag een hekel aan hem hebt, verbaast het me niet dat je dit zegt. Het is teleurstellend, maar geen verrassing.'

'Ik verzin het niet zomaar.' Het kost me moeite kalm te blijven. Mijn stem verheffen of haar dwingen mijn kant van het verhaal te zien, heeft geen zin. Daar is ze te koppig voor. 'Misschien heb je gelijk en vind ik hem niet aardig. Maar gezien het feit dat hij je bijna vermoordde... Het kan aan mij liggen, maar dat lijkt mij een goede reden. Ik heb getuigen en alles – ik was er niet in mijn eentje, hoor!'

Ze tikt ongeduldig met haar nagels op de deurhendel. 'Oké, dus even voor de duidelijkheid: Roman probeert me te vergiftigen met een of andere thee...'

'Belladonna, ook bekend als doodkruid...'

'Doet er niet toe.' Ze wuift het weg. 'Hoor nou eens wat je zegt: jij beweert dat hij me wilde vermoorden, maar in plaats van het alarmnummer bellen, kwam je zelf een kijkje nemen? Dat is toch niet normaal? Als jij het al niet serieus neemt, wat verwacht je dan van mij?'

'Ik wilde ze wel bellen, maar... het ligt ingewikkeld.' Ik schud mijn hoofd. 'Ik had de keuze tussen iets wat ik hard nodig heb en jou. En zoals je ziet, koos ik voor jou.'

Ze kijkt naar me en haar hersenen kraken. Ze zegt geen woord.

'Roman beloofde me te geven wat ik wilde hebben als ik jou liet sterven. Maar dat kon ik niet en dus...' ik maak een handgebaar, 'ben je nu onsterfelijk.'

Ze kijkt hoofdschuddend om zich heen naar een groep kinderen die rondrijden in een opgevoerd golfkarretje. Ze blijft zo lang stil, dat ze me naar net voor is als ze verdergaat. 'Het spijt me dat je niet kreeg wat je wilde, Ever. Echt waar. Maar je hebt het mis wat Roman betreft. Hij zou me nooit laten sterven. Zo te horen had hij het elixir bij de hand voor het geval je keuze anders uitviel. Bovendien ken ik Roman een stuk beter dan jij. Hij weet hoe ongelukkig ik ben, na al dat gedoe met mijn familie...' Ze trekt haar schouders op. 'Hij wilde me vast onsterfelijk maken om me die ellende te besparen, maar dan zonder zelf mijn Maker te zijn, want dat brengt natuurlijk verantwoordelijkheden met zich mee. Als jij me het niet had laten drinken, had hij dat wel gedaan, dat weet ik zeker. Laten we eerlijk zijn, Ever, je hebt de verkeerde keuze gemaakt. Je had de uitdaging gewoon moeten aangaan.'

'Er is geen Maker,' mompel ik, kwaad op mezelf dat ik juist over die opmerking val uit die hele lijst. Ik schud mijn hoofd en begin opnieuw. 'Zo werkt het niet – het zit anders...' Mijn stem sterft weg als ze opzij kijkt, zo overtuigd van haar gelijk. Maar goed, ik héb haar gewaarschuwd voor de gevaren – en voor hém – dus Damen kan het me niet kwalijk nemen dat ik nu toevoeg: 'Fijn, geloof jij wat je wilt, maar doe me één plezier. Als je al blijft omgaan met Roman, draag dan in elk geval altijd je amulet. Ik meen het. Doe hem nooit af, om welke reden ook, en...'

Ze kijkt me aan met een opgetrokken wenkbrauw, het portier halfopen en ze wil wanhopig graag uitstappen.

'En als je echt iets terug wilt doen omdat ik je onsterfelijk gemaakt heb...'

Onze blikken kruisen elkaar.

'Dan heeft Roman iets wat ik erg graag wil hebben.'

Drie

'Hoe ging het?'

Damen opent de deur voor ik kan kloppen. Hij kijkt me indringend aan en volgt me naar de zitkamer waar ik me laat neerploffen op de zachte, fluwelen bank en mijn slippers uit schop. Ik vermijd zijn blik als hij naast me komt zitten, terwijl ik normaal gesproken eeuwig kan staren in die ogen en naar de lijnen van zijn gezicht, de strakke jukbeenderen, zijn zachte, uitnodigende lippen, de scheve lijn van zijn wenkbrauwen, het donkere, golvende haar en de dikke wimpers. Maar vandaag niet.

Vandaag kijk ik liever om me heen.

'En, heb je het haar verteld?' Zijn vingers strelen mijn wang, mijn oor en ik voel de warmte en de tinteling van zijn aanraking door het dunne, beschermende laagje energie heen dat zich altijd tussen ons in bevindt. 'Heeft het cakeje voor de nodige afleiding gezorgd, zoals je hoopte?' Zijn lippen happen zacht in mijn oorlelletje en glijden dan langs mijn nek omlaag.

Ik leun tegen de kussens, sluit mijn ogen en doe net alsof ik doodmoe ben. De waarheid is dat ik niet wil dat hij al te aandachtig naar me kijkt. Hij moet mijn gedachten, energie en levenskracht niet proberen te peilen – anders merkt hij misschien die vreemde prikkeling op die ik nu al dagen voel.

'Niet echt.' Ik zucht. 'Ze negeerde het gewoon. Ze is nu net als wij, op diverse manieren.' Ik voel zijn nauwlettende blik op me rusten.

'Leg dat eens uit.'

Ik duik dieper weg in de bank en leg mijn benen op zijn schoot. Mijn ademhaling wordt rustiger dankzij de warmte van zijn energie. 'Ze is al zo ver gevorderd. Haar uiterlijk alleen al, weet je? Ze heeft die enge, perfecte, onsterfelijke uitstraling. Ze kon mijn gedachten zelfs horen, tot ik ze afschermde.' Ik frons en schud mijn hoofd.

'Eng? Meen je dat, vind je ons eng?' Hij lijkt van streek door mijn woordkeuze.

'Nou, nee, niet eng.' Waarom zeg ik dat dan? 'Maar gewoon... niet normaal. Ik bedoel, zelfs supermodellen zien er niet altijd zo perfect uit. En wat doen we als ze net als ik van de ene op de andere dag een paar centimeter groeit? Hoe leggen we dat uit?'

'Net als bij jou,' zegt hij voorzichtig, meer geïnteresseerd in de woorden die ik niet zeg. 'Dat heet een groeispurt. Zo buitengewoon is dat niet bij mensen, hoor.' Hij probeert het luchtig te laten klinken, maar dat mislukt.

Ik kijk ondertussen naar de overvolle boekenplanken met in leer gebonden eerste edities, de abstracte olieverfschilderijen – bijna allemaal waardevolle originelen – en weet dat hij me doorheeft. Hij weet dat er iets is, maar hopelijk niet hoe ver het gaat. Hij hoeft niet te weten dat ik dit alleen maar zeg en doe alsof, maar dat het me stiekem weinig kan schelen.

'Heeft ze nu een bloedhekel aan je, zoals je vreesde?' Zijn toon is laag en hij vist voorzichtig.

Ik kijk naar hem, naar de geweldige jongen die al vierhonderd jaar van me houdt en dat blijft doen, hoeveel fouten ik ook maak en hoeveel levens ik verstoor. Ik zucht, manifesteer een rode tulp en geef die aan hem. Het is het symbool van onze oneindige liefde, maar ook de hoofdprijs van onze weddenschap.

'Je had gelijk, je hebt gewonnen.' Ik schud mijn hoofd; Haven reageerde net zoals hij voorspelde. 'Ze is er dolgelukkig mee en kan me niet genoeg bedanken. Ze voelt zich een rockster – nee, beter nog: ze voelt zich als een vampierrockster. Maar dan de moderne, verbeterde versie, zonder al dat akelige bloeddrinken en slapen in een doodskist.' Ik grijns even en schud opnieuw mijn hoofd.

'Een van de mythische ondoden?' Damen huivert; hij vindt de vergelijking vreselijk. 'Ik weet niet wat ik moet zeggen.'

'Ach, dat komt vast door haar recente goth-fase. Het verliest zijn glans vanzelf. Je weet wel, zodra de realiteit een keer doordringt.'

'Geldt dat ook voor jou?' Met een vinger tilt hij mijn kin op, zodat ik hem aankijk. 'Is de glans er al vanaf of zelfs helemaal weg?' Hij kijkt veelbetekenend en voelt mijn humeur goed aan. 'Kun je me daarom amper aankijken?'

'Nee!' Ik schud mijn hoofd, wetend dat ik betrapt ben en wanhopig probeer het te ontkennen. 'Ik ben gewoon... doodmoe. En ik voel me gespannen de laatste tijd, dat is alles.' Ik kruip tegen hem aan en leg mijn hoofd op zijn schouder tegen zijn nek, vlak naast het koord van zijn amulet. Het gespannen gevoel dat ik al dagen meedraag zwakt af als ik zijn warme, mannelijke geur opsnuif. 'Waarom kan het niet altijd zo zijn?' mompel ik. Wat ik bedoel is: waarom kan ík niet altijd zo zijn en me zo voelen?

Waarom verandert alles toch?

'Dat kan best,' antwoordt hij. 'Waarom niet?'

Ik maak me los en kijk hem aan. 'Ik kan minstens twee goede redenen bedenken.'

Ik knik naar Romy en Rayne die net de trap af stormen, het dynamische duo waarvoor we tegenwoordig verantwoordelijk zijn. De kaarsrechte pony's, bleke huid en de grote, donkere ogen van de tweeling zijn identiek, maar hun kledingstijl is dat niet meer. Romy draagt een zomers jurkje van roze badstof met bijpassende slippers; Rayne, met Luna, hun kleine katje, op haar schouder, heeft blote voeten en kleedt zich in het zwart. Ze schenken Damen een blije, warme glimlach en werpen een boze blik naar mij. Dat is heel normaal – een van de weinige dingen die niet veranderen.

'Ze draaien wel bij,' zegt Damen hoopvol, wensend dat ik het ook geloof.

'Nee, hoor,' zucht ik, op zoek naar mijn slippers. 'Maar daar hebben ze dan ook hun redenen voor.' Ik trek de slippers aan en kijk op.

'Ga je nu al weg?'

Ik knik en kijk opzij. 'Sabine kookt en Munoz komt eten. Ze wil dat we elkaar beter leren kennen. Je weet wel, niet als leerling en leraar, maar informeler, als toekomstige gezinsleden.' Zodra ik het gezegd heb, besef ik dat ik hem had moeten uitnodigen. Het is onbeschoft hem erbuiten te houden, maar zijn aanwezigheid komt heel slecht uit voor mijn andere plannen van vanavond. Hij vermoedt misschien al iets, maar hij mag me in geen geval bezig zien – vooral niet nadat hij zo duidelijk heeft laten weten wat hij van mijn eerste experiment met magie vond. Ongemakkelijk voeg ik toe: 'Dus... je weet wel...' en daar laat ik het maar bij, onafgemaakt, zonder enig idee wat ik verder kan zeggen.

'En Roman?'

Ik haal diep adem als ik hem aankijk. Dit is zo'n moment dat ik liever zou overslaan.

'Heb je Haven gewaarschuwd? Haar verteld wat hij gedaan heeft?'

Ik knik. Stilletjes herhaal ik de toespraak die ik onderweg heb voorbereid, over hoe Haven wel eens onze beste kans is te krijgen wat we van Roman nodig hebben. Ik hoop dat het tegenover hem beter klinkt dan in mijn hoofd.

'En?'

Ik schraap mijn keel, maar verder komt er niets.

Hij wacht tot ik verderga en het geduld van zeshonderd jaar straalt van zijn gezicht. Ik open mijn mond om te beginnen, maar het gaat niet. Hij kent me te goed. Dus haal ik slechts mijn schouders op, wetend dat ik niets hoef te zeggen. Hij ziet het antwoord in mijn ogen.

'Ah.' Het klinkt rustig, zonder enige vorm van oordeel, wat me eigenlijk teleurstelt. Ik bedoel, ik verwijt het mezelf, dus waarom hij niet?

'Maar... het is niet wat je denkt,' zeg ik. 'Ik heb echt geprobeerd haar te waarschuwen, maar ze wilde niet luisteren. Dus dacht ik: dan niet. Als zij zo graag met Roman wil blijven omgaan, dan kan het ook geen kwaad als zij het tegengif voor ons probeert te bemachtigen, toch? Geloof me, ik weet dat je het er niet mee eens bent, dat heb je wel laten merken, maar het lijkt mij niet zo'n drama.'

Rustig kijkt hij me aan zonder een spier te vertrekken.

'We hebben trouwens totaal geen bewijs dat hij haar had laten sterven. Ik bedoel, hij had het tegengif al die tijd al, hij wist wat ik zou doen. En bovendien, hoe weten we zeker dat hij haar het elixir niet toch had gegeven zodra ik weigerde?' Ik haal diep adem. Dat ik nu al Havens argument gebruik, waar ik eerder zelf nog tegen protesteerde! 'Misschien zou hij het hele verhaal dan ook nog hebben verdraaid – alsof wij haar juist wilden laten sterven. Dan had hij haar tegen ons gekeerd. Heb je daar al over nagedacht?'

'Nee, dat heb ik niet,' geeft hij bezorgd toe met halfdichte ogen.

'En ik hou de situatie heus wel goed in de gaten. Echt. Ik bescherm haar wel. Maar ze heeft een eigen wil en wij kunnen niet bepalen met wie ze mag omgaan en zo... Dus ik dacht... nou ja... eh...'

'En hoe zit het met de gevoelens die ze voor Roman heeft? Heb je daaraan gedacht?'

Ik haal mijn schouders op en zeg overtuigender dan ik me voel: 'Ze voelde toch ook iets voor jou in het begin? Daar was ze al snel overheen. En vergeet Josh niet, de zielsverwant die ze zomaar dumpte vanwege een katje. En nu ze zo'n beetje kan krijgen wie en wat ze maar wil...' Ik wacht even, maar niet lang genoeg voor een onderbreking. 'Ik weet zeker dat Roman zijn charme snel genoeg verliest. Ik weet wel dat ze kwetsbaar overkomt, maar ze is een stuk sterker dan je denkt.'

Ik sta op; het gesprek is wat mij betreft afgelopen. Gedane zaken en zo... Ik wil niet nog meer hoeven twijfelen aan de relatie tussen Haven en Roman dan ik al doe.

Damen aarzelt en bekijkt me van top tot teen. Met een vloeiende beweging komt hij overeind, pakt mijn hand vast en loopt mee naar de deur, waar hij zijn lippen op de mijne drukt. Onze lichamen smelten samen en we rekken de kus zo lang mogelijk. Geen van beiden wil zich als eerste losmaken.

Ik druk me tegen hem aan en de vorm van zijn lichaam voelt

nauwelijks anders door het altijd aanwezige laagje energie tussen ons in. Zijn brede borstkas en strakke bovenlijf – elke centimeter van zijn lijf past zo goed tegen mij aan dat het lastig is te voelen waar hij ophoudt en ik begin. Ik wilde dat deze kus het onmogelijke kon doen: mijn blunders en dat rare gevoel wissen... de donkere wolk verjagen die de laatste paar dagen constant boven mijn hoofd lijkt te hangen.

'Ik moet gaan.' Ik verbreek de betovering als eerste, ook al voel ik de hitte tussen ons, die warme aantrekkingskracht – een pijnlijke herinnering dat we het hier voorlopig mee moeten doen.

Net als ik in mijn auto zit en Damen weer binnen is, verschijnt Rayne, nog met Luna op haar schouder, en aan haar zijde haar tweelingzusje Romy.

'Vanavond is het zover. De maan begint aan een nieuwe fase.' Ze heeft haar ogen toegeknepen en haar lippen vormen een dun lijntje. Meer hoeft ze niet te zeggen; we weten alle drie wat ze bedoelt.

Als ik knik en schakel om achteruit te rijden, vraagt ze nog: 'Je weet wat je moet doen? Weet je het plan nog?'

Ik knik opnieuw, geïrriteerd dat ik me in deze positie bevind. Die twee zullen me dit nooit laten vergeten.

Ik rijd weg, de straat op en hoor hun gedachten nog in mijn hoofd, waar ze zich nestelen. Ze waarschuwen me: het is niet juist magie te gebruiken voor egoïstische, kwade bedoelingen. Karma achterhaalt je vanzelf, in drievoud.

Vier

Het eerste wat ik zie als ik de oprit nader, is Munoz' zilveren Prius. Het liefst wil ik omkeren en ergens anders naartoe rijden, de bestemming maakt niet uit. Maar dat doe ik niet; ik zucht en parkeer in de garage. Ik zal hierdoorheen moeten.

Ik moet onder ogen zien dat mijn tante en voogd verliefd is op mijn geschiedenisleraar.

En ik moet zeggen dat ik hem liever tijdens het avondeten zie dan bij het ontbijt. Maar als alles zo doorgaat in dit tempo, dan is het algauw: dag meneer Munoz, goedemorgen oom Paul! Ik heb het 'gezien'; het is zo goed als zeker. Nu nog wachten tot zij het beseffen.

Ik sluip op mijn tenen via de zijdeur naar binnen en hoop onopgemerkt mijn kamer te halen. Dan heb ik nog even wat tijd voor mezelf – die heb ik hard nodig om een en ander recht te zetten.

Net als ik de trap op wil sprinten, steekt Sabine haar hoofd om de hoek. 'O, mooi, ik dacht je auto al te horen in de garage. We kunnen over ongeveer een halfuurtje eten, maar kom er voor die tijd even gezellig bij zitten.'

Over haar schouder zoek ik naar Munoz, maar dankzij de muur tussen ons en de kamer zie ik slechts een paar leren herensandalen op de gestoffeerde voetenbank rusten. Het komt zo relaxed en nonchalant over, alsof ze hier al helemaal thuishoren. Ik richt me weer tot Sabine en kijk naar haar schouderlange, blonde haren, haar rode wangen en sprankelend blauwe ogen en neem me opnieuw voor blij te zijn met haar geluk – ook al voel ik me minder gemakkelijk bij de aanleiding ervoor.

'Ik eh... ik kom zo.' Ik forceer een lachje. 'Eerst even opfrissen en zo...' Opnieuw kijk ik naar Munoz. Het stoort me, maar ik kan niet wegkijken. Het mag dan zomer zijn, maar moet ik echt in mijn eigen huis naar de voeten van een leraar kijken?

'Oké. Blijf niet te lang boven.' Ze wil zich omdraaien en haar haar valt over haar schouder als ze zegt: 'O, dat was ik bijna vergeten. Dit kwam voor je binnen.'

Ze pakt een crèmekleurige envelop van een bijzettafeltje en overhandigt me die. De naam MYSTICS & MOONBEAMS prijkt in paars in de linkerbovenhoek en mijn naam en adres staan in Judes hoekige handschrift op de voorkant.

Ik staar ernaar en weet dat ik hem kan pakken, mijn hand erop leggen en de inhoud op die manier kan 'lezen' zonder hem te openen. Maar ik wil hem niet aanraken. Ik wil er niets mee te maken hebben, niet met de baan en niet met Jude – de baas die toevallig een zeer belangrijke rol speelde in al mijn eerdere incarnaties. Steeds weer wist hij me voor zich te winnen, tot het moment waarop Damen ten tonele verscheen en me verleidde. Een eeuwenoude driehoeksverhouding die in één klap eindigde toen ik donderdagavond zijn ouroborostatoeage ontdekte.

Damen beweert dat veel mensen die hebben en dat de betekenis oorspronkelijk niet kwaadaardig was, dat Roman en Drina dat verdraaid hebben. Maar wat als hij het mis heeft? Nee, ik waag het er maar niet op.

Ik weet zo goed als zeker dat Jude wel een van hen is en ik wil geen enkel risico nemen.

'Ever?' Sabine houdt haar hoofd schuin en kijkt me aan met een blik die zoveel wil zeggen als: tieners lijken wel buitenaardse wezens, hoeveel boeken ik ook lees. Die blik ken ik maar al te goed.

Daarom gris ik de envelop uit haar hand, voorzichtig bij de randjes, glimlach zwakjes en ren de trap op. Mijn handen beven, mijn lichaam trilt en ik 'zie' dat het een salarisstrookje is. Het geld heb ik op zich wel verdiend, maar ik ben niet van plan het te innen. Er zit ook een briefje bij met de vraag of ik hem kan laten weten of ik nog terugkom of dat hij een andere helderziende moet zoeken.

Dat is alles.

Geen: wat gebeurde er nou?

Of: waarom smeet je me door de tuin tegen de stoelen terwijl je op het punt stond me te kussen?

Nee, want dat weet hij natuurlijk al. Hij wist het al die tijd al. Ik heb geen idee wat hij van plan is, maar hij is met iets bezig. Hij mag me nu nog een paar stappen voor zijn, maar wat hij niet weet is dat ik hem doorheb.

Eenmaal in mijn kamer, gooi ik de envelop richting prullenbak; geen reactie is ook een antwoord, toch? Ik bedenk een ingewikkelde choreografie van cirkels en loopings en een perfect uitgevoerde acht voor ik hem met een zachte, nauwelijks hoorbare tik laat vallen. Ik loop mijn inloopkast in en pak de doos met al mijn magische voorwerpen van de bovenste plank. Hierin zit alles wat ik nodig heb om mijn spreuk ongedaan te maken. Ondertussen laat ik de badkuip alvast vollopen voor een reinigend bad.

Dit is het moment voor een nieuwe, frisse start; de perfecte kans (en volgens Romy en Rayne zelfs de enige kans) om de spreuk terug te draaien die ik per ongeluk heb opgezegd met hulp van de duistere machten. Vanavond is het wassende maan, wat betekent dat de godin weer opstaat. Hekate, die ik per ongeluk de vorige keer aanriep, keert nu terug naar de onderwereld, waar ze verblijft tot de hele cyclus over een maand van voren af aan begint.

Uit de doos pak ik alle kaarsen, kristallen, kruiden, oliën en wierook die ik nodig heb. Ik leg ze netjes neer, op volgorde van het ritueel, trek mijn kleren uit en ga in de gevulde badkuip liggen om te ontspannen. Ik heb een reukzakje met engelkruid voor bescherming en vloekverwijdering, jeneverbes om negatieve entiteiten te weren en wijnruit om me te helpen bij genezing, mentale krachten en het verbreken van een vloek. Verder nog een paar druppels citrusolie, die belooft kwaad te weren en negativiteit te verwijderen. Ik laat me diep in het water zakken, tot het mij overal omringt en ik met mijn voeten tegen de wand stoot. Ik pak een paar heldere kwartskristallen van de rand en leg ze in het water. Dan volgt een spreuk:

Zuiver en reinig mijn lichaam en geest,
Opdat mijn spreuk het gewenste effect heeft
Mijn ziel is herboren, dus wil ik u vragen:
Laat mijn magie vanavond slagen

De vorige keer dat ik me op deze manier zuiverde, zag ik Roman voor me. Dit keer wil ik dat pas doen als ik klaar ben en het echt nodig is. Pas als het tijd is mijn daad ongedaan te maken.

Eerder dan dat is te gevaarlijk.

Sinds die dromen begonnen, vertrouw ik mezelf niet meer.

De eerste nacht waarin ik wakker werd, badend in het zweet, met beelden van Roman nog in mijn hoofd, dacht ik dat het kwam door alle gebeurtenissen van die afschuwelijke avond – toen ik de waarheid over Jude leerde en Haven onsterfelijk heb gemaakt. Maar sindsdien keren de dromen terug – niet alleen elke nacht, maar ook overdag. En dan gaan die dromen ook nog eens gepaard met dat dringende, zinderende gevoel dat constant door mijn lichaam tintelt. Dus ja, ik ben ervan overtuigd dat Romy en Rayne gelijk hebben.

Ik voelde me prima nadat ik de spreuk had opgezegd, maar later, toen alles verkeerd liep, bleek dat ik inderdaad een kolossale fout had begaan.

In plaats van Roman aan mij te binden is het tegenovergestelde gebeurd.

Hij staat niet onder mijn invloed, waarbij hij doet wat ik hem opdraag – maar nu ben ik degene die steeds op zoek gaat naar hem, wanhopig en zonder schaamte.

Dat mag Damen dus nooit weten. Niemand mag het weten. Het bewijst namelijk wat hij zei: magie is geen spelletje en amateurs die te snel gaan experimenteren, raken vaak hopeloos verstrikt. Straks is hij echt al zijn geduld met me kwijt.

Dit kon wel eens de laatste druppel zijn.

Ik haal diep adem en glijd nog dieper weg in het water, dat rond mijn kin kietelt. Alle genezende krachten van de stenen en kruiden neem ik in me op. Het is een kwestie van tijd voor ik die ongezonde obsessie kwijt ben en alles weer goed is. Zodra het water afkoelt, scrub ik elke centimeter van mijn huid. Ik wil deze vervloekte versie van mij kwijt en mijn oude ik terug. Dan stap ik uit bad en sla de witte zijden badjas om me heen. Ik knoop hem dicht en loop naar mijn kast, waar ik mijn ceremoniële mes, mijn *athame*, pak. Dezelfde waarop de tweeling iets aan te merken had. Ze vonden hem te scherp en zeiden dat hij uitsluitend bedoeld is om energie te snijden, niet materie. Bovendien zou ik hem verkeerd gemaakt hebben. Ze wilden dat ik hem verbrandde, omsmolt tot een klompje metaal en bij hen inleverde om het vernietigingsritueel af te maken. Uiteraard vertrouwen ze die taak niet toe aan een oningewijde nieuweling als ik.

Ik heb ingestemd het mes in een vlam te reinigen waar ze bij waren, als een soort magische zuivering. De rest hield ik voor gezien – het was vast alleen bedoeld om me nog meer voor schut te zetten. Ik bedoel, als het probleem echt was dat ik mijn spreuk uitsprak tijdens een nieuwe maan, zoals zij beweren, wat maakt het dan uit welk mes ik gebruik?

Dit keer manifesteer ik een paar extra stenen in het handvat: Apache-traan voor bescherming en geluk (wat ik volgens de tweeling goed kan gebruiken), heliotroop voor moed, kracht en overwinning (altijd een goede combinatie) en turkoois voor genezing en versteviging van de chakra's (blijkbaar is mijn keelchakra, het centrum van inzicht, altijd al een zwakke plek van mij geweest). Vervolgens strooi ik een handvol zout over het lemmet voor ik het door de vlammen van drie kaarsen beweeg en de elementen vuur, lucht, water en aarde aanroep om alle duisternis te verdrijven en slechts licht toe te laten, om alle kwaad te verwijderen en het goede op te roepen. Ik herhaal de spreuk drie keer en roep dan de hoogste magische machten aan mij bij te staan. Dit keer weet ik zeker dat ik de juiste magische macht aanroep – de godin, niet Hekate, de godin met de drie gezichten, koningin van de onderwereld.

Ik zuiver de ruimte en loop driemaal in een cirkel, met wierook opgeheven in een hand en de athame in de andere. Ik visualiseer het witte licht dat door me heen stroomt, vanaf mijn kruin door mijn lichaam heen, door mijn arm, via de athame de grond in. Ik trek de magische cirkel omhoog en laat het witte licht om me heen kolken en draaien en zie de dunne stralen die in elkaar vlechten sterker worden, groeien en hoger reiken tot ze een geheel vormen. Ik ga door tot ik omringd ben door een zilverkleurige cocon, een ingewikkeld web van het felste, meest glinsterende licht, overal om me heen.

Ik kniel op de grond in de gezuiverde ruimte en houd mijn linkerhand voor me uit. Met het mes snijd ik in mijn huid langs de levenslijn – ik hap naar adem als ik de punt in mijn vlees voel prikken en mijn bloed begint te stromen. Dan sluit ik mijn ogen en manifesteer Roman in kleermakerszit voor me. Hij verleidt me met zijn onweerstaanbare blauwe ogen en brede, uitnodigende grijns. Het kost me moeite verder te kijken dan zijn knappe gezicht en de onweerstaanbare aantrekkingskracht, naar het roodgekleurde koord rond zijn nek.

Het koord is doordrenkt met mijn bloed.

Hetzelfde koord dat ik hem donderdagavond heb omgehangen tijdens een vergelijkbaar ritueel, dat leek te werken tot alles hopeloos verkeerd afliep. Maar dit keer is het anders. Ik heb andere bedoelingen. Ik wil mijn bloed terug. Ik wil me losmaken van hem.

Vlug haast ik me met de spreuk, voor hij kan verdwijnen:

Met het losmaken van deze knoop
Ontbind ik de magie onder uw toeziend oog
Hiermee maak ik weer ongedaan
De magie die met het koord is aangegaan
Niet langer heb je de macht over mij
Zodra de knoop los is, ben ik vrij
Deze spreuk doet niemand anders kwaad
Maar werkt met ingang van vandaag
Dit is mijn wil, mijn woord, mijn wens – en zo zal het zijn!

Ik knijp mijn ogen dicht als een hevige windvlaag opsteekt in de cirkel die de wanden van mijn cocon doet schudden en ze rekt tot breekpunt. Bliksemschichten en donderslagen klinken boven mijn hoofd. Met mijn rechterhand opgeheven, palm geopend naar boven en mijn blik strak op de zijne gericht, maak ik de knoop rond zijn nek los en ik beveel het bloed terug te keren naar mij.

Terug naar de bron.

Waar het thuishoort.

Mijn ogen worden groot als ik de rode druppels in een boogje naar de snee in mijn hand zie bewegen. Het koord rond zijn nek wordt lichter en witter tot het helemaal schoon is, zo goed als nieuw.

Net als ik hem wil laten verdwijnen en mezelf wil bevrijden van de ongezonde verbintenis, bekruipt dat vreemde, dwingende gevoel me weer. Het schiet door mijn lichaam heen met zo'n kracht en vastberadenheid dat ik het niet kan tegenhouden. Algauw heeft het alle touwtjes in handen.

Het monster in mij is gewekt en het rekt zich uit. Een hardnekkige, pulserende neiging maakt zich meester van mij. Mijn hart bonkt als een razende, mijn lijf beeft en hoezeer ik me ook verzet, het heeft geen zin. Zijn lusten en verlangens, zijn wensen voeren de boventoon – ik ben een onbelangrijk onderdeel geworden. Het is mijn taak ervoor te zorgen dat het monster krijgt wat het wil.

Hulpeloos kijk ik toe hoe het hele ritueel spontaan weer in gang wordt gezet. De druppels vloeien opnieuw uit mijn hand en doordrenken het koord rond Romans nek, dat steeds zwaarder hangt, volgezogen met mijn bloed. Een dikke stroom rood druipt langs zijn borstkas omlaag. Wat ik ook doe, wat ik ook probeer – ik kan het niet tegenhouden. Er is niets aan te doen.

Aan de onmiskenbare aantrekkingskracht van zijn ogen.

Aan hoe mijn ledematen naar hem toe bewegen.

De spreuk die me aan hem bindt is te sterk.

Zijn lichaam is net een sterke magneet die me aantrekt. Binnen een tel is de ruimte tussen ons verdwenen. Nu, met onze knieën en voorhoofden tegen elkaar, ben ik weerloos. Machteloos om mijn ondraaglijke verlangen naar hem te bedwingen.

Ik zie alleen hem.

Hij is alles wat ik wil.

Mijn wereld is gereduceerd tot de ruimte tussen zijn blik en mij. Zijn vochtige, uitnodigende lippen zijn zo dichtbij. Dat vastberaden, dwingende, vreemde, pulserende gevoel duwt me naar voren, doet me verlangen samen te smelten en één te worden met hem.

Net als ik me naar voren beweeg en mijn lippen steeds dichter bij hem in de buurt komen, kruipt er een herinnering aan Damen naar boven ergens in het binnenste van mijn bewustzijn. Zijn geur, zijn gezicht. Het is een korte lichtflits in dit moment van duisternis, maar het is genoeg om me te helpen herinneren wie ik ben, wat ik ben en waarom ik hier ben.

Het is genoeg om me te bevrijden van dit angstaanjagende visioen. Heel hard roep ik: 'Nee!'

Ik deins terug en maak me los van hem – van dit alles. Ik beweeg zo vlug en roekeloos dat het web van licht verdwijnt, de kaarsen doven en Romans beeltenis vervaagt.

Wat overblijft, zijn mijn bonkende hart, de badjas vol bloedspetters en de woorden die ik nog in mijn keel voel naklinken: 'Nee, nee, nee, mijn god, alsjeblieft, niet!'

'Ever?'

Ik kijk mijn inloopkast rond. Mijn vingers frunniken aan de witte zijden badjas die niet meer te redden valt. Ik hoop dat Sabine weggaat, mij met rust laat, of me in elk geval de tijd geeft te begrijpen wat er...

'Ever, is alles wel in orde? Het eten is bijna klaar, je mag wel eens naar beneden komen!'

'Ja, oké, ik...' Ik sluit mijn ogen, laat de badjas verdwijnen en vervang hem door een eenvoudig blauw jurkje. Ik weet niet wat ik nu moet doen, waar ik moet beginnen. Maar ik kan het Romy en Rayne in geen geval vertellen. Die hebben mijn laatste zielige poging gezien; dit zouden ze me voor altijd kwalijk nemen. Bovendien ligt hun loyaliteit bij Damen en dit vergeven ze me nooit.

'Ik kom zo, echt waar!' Ik voel dat Sabine voor mijn deur in tweestrijd staat: moet ze binnenstormen of niet?

'Vijf minuten!' waarschuwt ze me nog. 'Anders kom ik je persoonlijk halen!'

Ik sluit mijn ogen en schud mijn hoofd. Dan stap ik in mijn slippers, kam met mijn vingers mijn haar en controleer of mijn buitenkant er perfect uitziet. Want vanbinnen heb ik het gevoel dat er nu net iets dramatisch verkeerd is gegaan.

Vijf

Ik glip naar buiten door het hek, de straat op. De zangerige tonen van een lachende Sabine en Munoz die bij het zwembad genieten van het laatste beetje wijn laat ik achter me als ik begin te joggen. Ik houd het tempo rustig, niet te snel en niet te langzaam, want ik wil geen onnodige aandacht trekken van voorbijgangers.

Het was al lastig genoeg uit te leggen aan Sabine, vooral nadat ik me volgepropt had met driekwart van een gebarbecuede kippenborst, een berg aardappelsalade, een maïskolf en anderhalf glas frisdrank. Niet dat het eten me echt interesseerde. Trouwens, ze werd er alleen nog maar achterdochtiger van.

Met een hoge stem vol wantrouwen riep ze uit: 'Nu? Maar het is bijna donker en je hebt net gegeten!' Ze bekeek me aandachtig terwijl er een nieuwe ingeving in haar opkwam: misschien probeerde ik wel calorieën te verbranden door extra te sporten...

Anorexia en gewone boulimie zijn al afgevallen als verklaring voor mijn vreemde eetgewoonten en gedrag, maar deze variant – sportboulimie – had ze nog niet eerder bedacht. Een bezoek aan de zelfhulpboekenhoek in de plaatselijke boekwinkel staat nu ongetwijfeld op haar programma voor dit weekend.

Ik zou het haar graag uitleggen. Gewoon een keer zeggen: 'Relax. Het is niet wat je denkt. Ik ben onsterfelijk. De drank is alles wat ik nodig heb. Maar op dit moment moet ik even een mislukte toverspreuk rechtzetten – dus ga maar gewoon naar bed en wacht niet op mij!'

Maar dat gaat natuurlijk niet gebeuren – dat kan ook niet. Damen heeft duidelijk gezegd dat onze onsterfelijkheid geheim moet blijven. En nu ik weet wat er kan gebeuren als het in de verkeerde handen valt, ben ik het roerend met hem eens.

Toch is het een enorme uitdaging om het voor me te houden. Vandaar ook het joggen. Tegenwoordig ben ik (wat Sabine en Munoz betreft) iemand die een T-shirt, sneakers en een korte broek aantrekt en 's avonds nog even gaat rennen.

Het is een goed en sportief excuus om weg te gaan, ook bij Munoz vandaan, die ik dus best aardig vind als niet-leraar – ook al wilde ik hem nooit als zodanig leren kennen.

Een perfecte smoes om even niet bij de tante te zijn die zo aardig, behulpzaam en lief is dat ik me 's werelds slechtste nichtje voel na alle ellende die ik haar al heb bezorgd.

En het is een gezonde reden om me uit de voeten te maken bij twee aardige, geweldige mensen, zodat ik me kan richten op een donkere en compleet ongezonde obsessie.

Eentje die me in haar greep heeft.

Eentje die ik met alle geweld wil verslaan.

Vlug loop ik linksaf de volgende straat in. De auto's, de stoep, het asfalt en de ramen weerkaatsen allemaal de glanzend gouden vlekken van de zon zo tegen het einde van het gouden uur: het eerste en laatste uur daglicht, wanneer alles er zachter en warmer uitziet in de rode gloed van de zon. Mijn spieren spannen zich, ik ren sneller. Ik weet dat ik het niet moet doen en probeer af te remmen – het is te gevaarlijk, een te groot risico, stel dat iemand me ziet – maar toch ga ik door. Ik kan niet stoppen. Ik heb er niets over te zeggen.

Als de naald van een kompas ben ik gericht op mijn doel – mijn hele wezen is gefocust op één punt. Auto's, huizen, mensen... alles om me heen lijkt een oranje zweem terwijl ik verder hol. Mijn hart bonkt tegen mijn ribben, maar niet van het rennen of de inspanning. Eerlijk gezegd kost het rennen me helemaal geen moeite.

Nee, dit pulserende ritme in mij heeft met nabijheid te maken.

Het eenvoudige feit dat het nu niet ver meer is...

Ik ben alweer iets dichterbij...

Bijna...

Het gaat me niet snel genoeg; ik word aangetrokken door die ene plek zoals scheepslieden door het lied van een Sirene.

Als ik het zie, blijf ik staan en meteen krijg ik last van een soort tunnelvisie: alles om me heen houdt op te bestaan. Ik staar naar Romans deur en beveel het monster te verdwijnen. Weer neem ik me voor me tegen dit vreemde gevoel, dat zinderende ritme in mij, te verzetten. Ik wil gewoon naar binnen, nonchalant, zonder bijbedoelingen, hem confronteren en dit voor eens en voor altijd regelen.

Ik dwing mezelf tot een diepe ademhaling en roep de kracht op die ik nodig heb. Net als ik een stap wil zetten, klinkt mijn naam. Ik herken de stem die ik het liefst nooit meer had willen horen.

Hij slentert naar me toe met zijn hoofd schuin, cool en kalm als altijd. Zijn linkerarm zit in het gips en hangt in een marineblauwe mitella. Vlakbij, maar net buiten mijn bereik, blijft hij staan. 'Wat doe je hier?'

Tot mijn opluchting voel ik het ritme verzwakken en wegtrekken, maar het verbaast me wel dat ik niet automatisch wil wegrennen of hem nog verder in elkaar wil slaan tot hij helemaal in het gips moet. Nee, mijn eerste ingeving is liegen. Ik moet iets verzinnen wat verklaart waarom ik hier verhit, met open mond en half kwijlend voor Romans winkel sta.

'Wat doe jíj hier?' Ik tuur gemeen naar hem door halfdichte ogen. Zo'n toeval is het niet dat hij prompt hier opduikt. Ze zijn tenslotte goede maatjes, lid van dezelfde onsterfelijke rebellenclub. 'Je hebt oog voor details,' zeg ik, gebarend naar de zogenaamd gewonde arm en de mitella. Het is vast een goede show voor mensen die niet beter weten, maar daar hoor ik niet bij.

Hij kijkt me aan, schudt zijn hoofd en wrijft over zijn kin. Kalm en bíjna overtuigend antwoordt hij: 'Ever, is alles wel goed met je? Je ziet er niet bepaald geweldig uit...'

Ik rol met mijn ogen. 'Leuk geprobeerd, Jude, dat geef ik toe.' De waar-heb-je-het-over-blik negeer ik en ik ga verder: 'Nee, echt.

Doen alsof je bezorgd bent, alsof je gewond bent. Je neemt het wel erg serieus allemaal, hè?'

Hij fronst zijn voorhoofd en tilt zijn kin omhoog, waardoor een paar goudkleurige dreadlocks over zijn schouder vallen en net boven zijn middel eindigen. Zijn verraderlijk vriendelijke en knappe gezicht staat opeens ernstig. 'Geloof me, dit is niet alsof. Was het maar zo. Weet je nog hoe je mij optilde en als een frisbee door je tuin smeet?' Hij gebaart naar zijn arm. 'Nou, dit is dus het resultaat. Een zooi kneuzingen, een gebroken spaakbeen en verbrijzelde vingerkootjes, zegt de arts.'

Ik zucht en schud mijn hoofd; ik heb geen tijd voor spelletjes. Ik moet naar Roman toe, hem laten merken dat hij me niet in zijn macht heeft. Hij betekent niets voor me en ik moet hem laten weten dat hij niet de baas over me kan spelen. Wat er ook met mij aan de hand is, ik weet zeker dat het in elk geval deels zijn schuld is. Ik moet hem gewoon zien te overtuigen me het tegengif te geven en te stoppen met deze onzin.

'De meeste mensen vinden dat vast wel geloofwaardig, maar daar ben ik er niet een van. Ik weet wel beter. En jij weet ook dat ik het weet. Dus doe niet langer alsof, oké? Rebellen raken niet gewond. Althans, nooit lang. Hun wonden genezen direct, maar dat weet je natuurlijk allang.'

Met opgetrokken wenkbrauwen deinst hij achteruit. Ik moet toegeven dat hij echt onthutst lijkt.

'Waar heb je het over?' Hij kijkt om zich heen voor hij zich tot mij richt. 'Rebellen? Is dat een geintje?'

Tikkend met mijn vingers op mijn heup, zucht ik ongeduldig. 'Eh, hal-lo? Kwaadaardige leden van Romans vriendenkring? Zegt dat je iets?' Ik rol met mijn ogen. 'Doe nou niet alsof je er niet bij hoort. Ik heb je tatoeage gezien.'

Hij blijft staren met die verdwaasde, niet-begrijpende uitdrukking op zijn gezicht. Het is maar goed dat hij geen acteur is; hij heeft weinig variatie in huis.

'Eh... die ouroborostatoeage? Op je rug?' Ik sla mijn ogen ten hemel. 'Ik heb 'm gezien, dat weet je best. Misschien was dat wel je bedoeling – waarom zou je me anders meelokken het bubbelbad in...' Ik schud mijn hoofd. 'Ach, laat ook maar. Ik weet in elk geval meer dan genoeg. En daar was het je om te doen. Dus van mij mag je nu stoppen met dat toneelspel – ik heb je door.'

Hij staat voor me en wrijft over zijn kin terwijl hij rondkijkt alsof hij elk moment hulptroepen verwacht. Alsof hij daar wat aan heeft. 'Ever, die tatoeage heb ik al eeuwen. Sterker nog...'

'Dat zal best,' onderbreek ik hem. 'En wanneer heeft Roman jou "overgebracht"? Welke eeuw zal dat geweest zijn? De achttiende, negentiende? Zeg het maar, hoor. Het is vast lang geleden, maar zo'n moment vergeet je nooit.'

Hij perst zijn lippen op elkaar, waardoor die symmetrische kuiltjes van hem tevoorschijn komen, maar dit keer leiden ze me niet af. Dat werkt niet meer – als dat ooit al het geval was.

Met moeite houdt hij zijn toon kalm en laag, al zie ik aan zijn donker wordende en onsamenhangende aura dat hij bloednerveus is. 'Luister, ik weet eerlijk waar niet waar je het over hebt. En mocht je het zelf niet horen, het klinkt allemaal behoorlijk gestoord, Ever. En toch... ondanks dat en ondanks dit,' hij geeft een ruk aan de mitella, 'wil ik je dolgraag helpen. Als het niet al te laat is, met je rebellen en je "overbrengen"...' Hij schudt zijn hoofd. 'Ik heb één vraag voor je: als Roman zo kwaadaardig is als jij beweert, waarom sta je dan te wachten bij zijn winkel als een opgewonden hondje op zijn baasje?'

Ik kijk van hem naar de deur. Mijn wangen gloeien, mijn hartslag schiet omhoog en ik voel me op heterdaad betrapt – al zal ik dat mooi niet toegeven.

'Ik sta niet te wachten, ik...' Ik pers mijn lippen op elkaar en vraag me af waarom ik me verdedig. Hij is toch degene met een verborgen agenda? 'Ik kan jou die vraag net zo goed stellen, hoor. Ik bedoel, jij staat hier nou toch ook?' Ik laat mijn blik over hem glijden, de gebruinde huid, de ietwat scheve voortanden – waarschijnlijk expres scheef om geen argwaan te wekken bij gewone mensen – mensen zoals ik. En dan die ogen... die fantastische blauwgroene ogen waar ik de afgelopen vierhonderd jaar steeds in heb gestaard... Maar dat is verleden tijd, sinds ik weet dat hij bij hen hoort. Nu is het echt, definitief voorbij.

Hij haalt zijn schouders op en wrijft beschermend over de mitella rond zijn arm. 'Ik was op weg naar huis, dat is alles. We sluiten eerder op zaterdag, misschien kun je je dat nog herinneren?'

Ik tuur naar hem, maar ik trap er niet in. Het klinkt geloofwaardig. Bijna. Maar niet helemaal.

'Ik woon verderop.' Hij gebaart naar een onbestemde plek ergens in de verte, al betwijfel ik of die echt bestaat. Maar ik kijk niet op, ik houd mijn blik op hem gericht. Ik mag me niet laten afleiden. Geen seconde. Hij mag me eerder voor de gek hebben gehouden, maar nu weet ik meer. Ik weet nu wat hij is.

Hij komt voorzichtig dichterbij, maar blijft nog steeds op een veilige afstand buiten mijn bereik staan. 'Zullen we samen koffie gaan drinken? Ergens zitten waar we rustig kunnen praten? Volgens mij kun je wel wat afleiding gebruiken. Wat zeg je ervan?'

Ik bestudeer hem aandachtig. Hij is volhardend, dat moet ik wel zeggen. 'Tuurlijk.' Ik glimlach en knik instemmend. 'Ik ga graag naar een rustig plekje om met jou koffie te drinken en heerlijk lang te kletsen. Maar dan moet je eerst iets bewijzen.'

Zijn lichaam verstart en zijn aura – nep als ze is – flikkert. Alsof ik daar nog intrap.

'Bewijs eerst maar eens dat je niet een van hen bent.'

Hij knijpt zijn ogen tot spleetjes en kijkt me angstig aan. 'Ever, ik weet niet waarover...'

Zijn stem sterft weg als hij de athame in mijn hand ontdekt. De handgreep met edelstenen is een exacte kopie van degene die ik een paar uur eerder gebruikt heb. Ik kan alle bescherming van de kristallen wel gebruiken, vooral als dit uitpakt zoals ik vermoed.

'Er is maar een manier,' zeg ik op lage toon terwijl ik met kleine stapjes op hem af loop. 'En ik merk het als je vals speelt, dus haal je niks in je hoofd. O, en een waarschuwing: ik sta niet in voor de gevolgen als dit bewijst dat je liegt. Maar geen zorgen, zoals je weet doet dit maar heel eventjes pijn...'

Hij ziet me bewegen en recht op hem af komen. Hij probeert uit de weg te springen, maar ik ben te vlug. Voor hij het doorheeft, heb ik hem te pakken.

Ik pak zijn gezonde arm en snijd de huid kapot met de athame.

Het duurt toch maar een paar tellen voor het bloed stolt en de wond weer vanzelf geneest.

Echt maar enkele seconden...

'O, nee!' Mijn mond valt open, mijn ogen zijn groot als ik hem zie wankelen. Hij verliest bijna zijn evenwicht.

Zijn ogen schieten van mij naar de snee in zijn arm. Het bloed sijpelt dwars door zijn mouw en drupt op straat, waar het een steeds grotere, rode plas vormt. 'Ben je helemaal gek?' gilt hij. 'Wat heb je gedaan?'

'Ik...' Mijn mond hangt nog open, maar ik kan geen woorden vormen. Ik staar als gehypnotiseerd naar de gapende wond die ik heb veroorzaakt.

Waarom geneest het niet? Waarom bloedt het nog? O, shit!

'Het... het spijt me ontzettend... ik... ik kan het uitleggen...' Ik steek mijn hand uit, maar hij beweegt onhandig en stuntelig op-zij. Hij wil niets met me te maken hebben.

'Luister.' Hij drukt zijn mitella op de wond en probeert het bloed te stelpen, maar nu zit het overal. 'Ik weet niet wat er met je aan de hand is of wat er in je hoofd omgaat, Ever, maar het is nu afgelo-pen. Je kunt maar beter gaan. En wel meteen!'

Ik schud mijn hoofd. 'Ik breng je naar het ziekenhuis. Er is een eerstehulpafdeling vlakbij, laat me...'

Ik sluit mijn ogen en manifesteer een zachte handdoek om op de wond te houden tot we medische hulp krijgen. Hij ziet er bleek en duizelig uit – er is geen tijd te verliezen.

Ik negeer zijn protesten en sla een arm om zijn middel. Zo breng ik hem naar de zojuist gemanifesteerde auto. Het vreemde gevoel in mij is nu rustig, maar dwingt me toch nog even om te kijken over mijn schouder. Daardoor zie ik Roman bij het raam van de winkel staan met fonkelende ogen en een vertrokken gezicht van het lachen. Hij draait het bordje om van OPEN naar GESLOTEN.

Zes

'Hoe gaat het met hem?'

Ik gooi het tijdschrift op het tafeltje naast me neer en sta op. Ik stel de vraag expres aan de verpleegster, niet aan Jude. Want hij heeft nu beide armen in het verband, zijn aura is felrood van razernij en als ik de woedende blik in zijn toegeknepen ogen zo zie, wil hij niets meer met me te maken hebben.

De verpleegster blijft staan en bekijkt me van top tot teen, alle bijna 1,73 meter, zo onderzoekend dat ik ineenkrimp. Ik vraag me af wat Jude haar allemaal verteld heeft...

'Hij overleeft 't wel,' zegt ze streng en zakelijk, allesbehalve vriendelijk. 'De snee ging tot op het bot, heeft er zelfs een inkeping in gemaakt, maar de wond was schoon. Met behulp van de antibiotica blijft dat ook zo. Hij zal aardig wat pijn hebben, zelfs met de medicijnen die hij net gekregen heeft, maar als hij kalm aan doet en uitrust, is hij over een paar weken genezen.'

Ze kijkt naar de deuropening en als ik hetzelfde doe, zie ik twee politieagenten in uniform recht op me af komen. Ze kijken van Jude naar mij en blijven staan als de verpleegster bevestigend knikt.

Ik sta als aan de grond genageld. De brok in mijn keel maakt slikken lastig en ik krimp ineen als ik Judes donkere, vijandige blik zie. Ik verdien zijn woede, zelfs de handboeien en de arrestatie – maar toch had ik niet verwacht dat hij dat echt zou doen. Dat hij zó ver zou gaan.

'En, jongedame, heb je ons iets te vertellen?' Ze staan voor me met gespreide benen, handen op hun heupen en ogen verborgen achter een spiegelende bril.

Ik kijk van de verpleegster naar Jude en de politiemannen. Dat het zover heeft moeten komen... Ondanks al die ellende is mijn enige gedachte: wie moet ik bellen als ik maar één telefoontje mag plegen?

Ik bedoel, ik kan moeilijk Sabine vragen met haar rechtendiploma te zwaaien en me vrij te pleiten. Dan verliest ze me nooit meer uit het oog. En Damen kan ik het ook niet uitleggen. Dit is iets wat ik zelf moet oplossen.

Ik wil mijn keel schrapen en iets zeggen; wat dan ook. Maar Jude is me voor. 'Zoals ik al tegen haar zei,' hij knikt met zijn hoofd in de richting van de verpleegster, 'het was een ongelukje tijdens het klussen. Ik kende mijn eigen kracht niet. Nu moet ik wel een klusjesman in de arm nemen.' Hij forceert een grijns en kijkt me met moeite aan. Ik wil de grijns beantwoorden, instemmend knikken en het spel meespelen, maar ik ben zo geschokt door zijn woorden en zijn verdediging van mij dat ik alleen maar een beetje voor me uit weet te staren met mijn mond halfopen.

De agenten zuchten, niet blij dat ze helemaal voor niets zijn gekomen. Ze doen nog een poging en kijken Jude aan. 'Weet je dat zeker? Dat er niet meer aan de hand is? Beetje idioot om te gaan klussen als je al een arm in een mitella hebt.' Ze kijken van hem naar mij, wantrouwend, maar als hij niets wil zeggen, laten ze het erbij.

'Ik kan er niks anders van maken.' Jude haalt zijn schouders op. 'Het is ook idioot, maar ik heb het helemaal zelf gedaan.'

De politieagenten fronsen en kijken ons alle drie om beurten aan. Ze mompelen iets en geven hun kaartje af voor het geval hij zich nog bedenkt. Zodra ze weg zijn, zet de verpleegster haar handen in haar strakke, gespierde zij en ze kijkt me chagrijnig aan. 'Ik heb hem iets gegeven tegen de pijn.' Aan haar houding tegenover mij te zien, gelooft ze duidelijk geen woord van Judes verhaal. Ze denkt dat ik zo'n ontzettend jaloerse en geschifte vriendin ben dat ik hem in een driftbui heb neergestoken. 'Het moet binnenkort beginnen te werken, en ik wil niet dat hij rijdt... Niet dat hij dat kan in deze toestand...' Ze knikt naar zijn armen. 'En zorg ervoor dat hij zijn medicijnen krijgt.' Ze houdt een papiertje omhoog en wil het overhandigen, maar bedenkt zich en trekt haar arm terug. 'Het is om infecties tegen te gaan. Het beste wat hij nu kan doen is naar huis gaan en rusten. Waarschijnlijk valt hij zo in slaap. Dus laat hem vooral met rust, zodat hij ook echt kan slapen.' Ze kijkt streng naar me, alsof ze me uitdaagt.

'Ja, natuurlijk.' Het klinkt als gepiep. Haar kritische blik, de agenten en Judes verklaring zitten me nog dwars.

Ze trekt een scheve mond en wil Jude liever niet aan mijn zorg toevertrouwen of mij het recept geven. Maar veel opties heeft ze niet.

Ik volg Jude naar de gemanifesteerde Miata – een kopie van de auto waarin ik meestal rijd. Ik voel me raar en zenuwachtig en ik durf hem niet aan te kijken.

'Sla zo meteen maar rechts af.' Zijn stem klinkt zacht en versuft en vertelt me totaal niet wat er in hem omgaat of wat hij van mij denkt. Zijn aura lijkt zachter te worden, maar de randen zijn nog rood, dus dat zegt genoeg. 'Zet me maar af op Main Beach, ik red me wel.'

'Geen sprake van.' Als ik moet stoppen voor het stoplicht, benut ik die kans om hem eens goed te bekijken. De avond is al gevallen, maar de donkere kringen rond zijn ogen zijn duidelijk zichtbaar, net als de zweetparels op zijn voorhoofd. Twee tekenen dat hij veel pijn moet hebben. En dat allemaal dankzij mij. 'Serieus – dat is onzin.' Ik schud mijn hoofd. 'Zeg maar waar je woont en ik breng je veilig thuis.'

'Veilig?' Een schamper lachje komt diep vanbinnen en zijn twee verbonden armen rusten op zijn schoot. 'Moet je horen wie het zegt. Ik voel me allesbehalve veilig met jou in de buurt.'

Ik zucht en kijk naar de hemel zonder sterren. Voorzichtig trap ik het gas in, wat ik anders nooit doe, maar ik wil hem niet nog meer laten schrikken. 'Luister, het spijt me. Het spijt me heel, heel erg.' Ik kijk zo lang opzij dat hij zenuwachtig naar de weg gebaart.

'Eh... het verkeer?' Hij schudt zijn hoofd. 'Of kun je dat ook regelen?'

Ik kijk weg en bedenk een gepast antwoord.

'Het is hier links. Daar bij dat groene hek. Gooi me er maar uit op de oprit.'

Ik doe wat hij zegt en rem af bij een garagedeur die even groen is als het hek. Als ik de motor meteen daarna uitzet, zegt hij: 'O, nee.' Hij kijkt me aan. 'Nee, dat hoeft echt niet. Geloof me, je komt niet mee naar binnen.'

Schouderophalend wil ik langs hem reiken om het portier op de ouderwetse manier te openen in plaats van telekinetisch, maar hij krimpt ineen als mijn arm te dicht langs hem beweegt.

'Luister,' ik leun terug in mijn stoel, 'ik weet dat je moe bent en ik begrijp ook dat je zo snel mogelijk bij mij uit de buurt wilt zijn en dat kan ik je niet kwalijk nemen. Ik bedoel, als ik jou was, zou ik dat ook willen. Maar als je me nog een paar tellen geeft, dan wil ik graag een kans om het uit te leggen.'

Hij mompelt wat en kijkt uit het raam voor hij naar me toe draait, zodat ik zijn volle aandacht heb.

Nu moet ik opschieten – meer dan die paar tellen krijg ik niet. 'Het zit zo – ik bedoel, het klinkt vast geschift en ik kan je ook niet alle details vertellen, maar geloof me dat ik een heel goede reden had om te denken dat je een van hén was.'

Hij sluit zijn ogen, zijn wenkbrauwen samengetrokken in pijn. Dan kijkt hij me weer aan en zegt: 'Ja, natuurlijk, een rebel. Zoveel was wel duidelijk, Ever. Zo klaar als een klontje.' Hij kijkt veelbetekenend omlaag naar zijn gewonde ledematen en dan weer naar mij.

Ik trek mijn neus op en pers mijn lippen op elkaar. Wat nu volgt, maakt het niet eenvoudiger, maar ik moet het zeggen. 'Ja, maar... Het zit zo... Ik dacht dat je kwaadaardig was. Nee, echt. Daarom deed ik het. Ik zag je tatoeage en – nou ja, die zag er zo levensecht uit – behalve dan dat ze niet flitste of bewoog en zo... Maar dan nog. Tel daarbij op dat Ava jou opeens belde en nog een paar toevalligheden die ik niet kan uitleggen, maar daarom dacht ik dus dat je...'

Ik schud mijn hoofd en laat de rest zitten; het heeft geen zin. Er is trouwens iets anders wat me maar niet met rust laat sinds we uit het ziekenhuis zijn gekomen. 'Zeg, als je al zo kwaad op me bent en zo'n enorme hekel aan me hebt, waarom heb je me dan net geholpen? Waarom loog je tegen de politie en zei je dat het jouw schuld was? Ik bedoel, ik heb je dit aangedaan, dat weten we allebei. Sterker nog, dat weten zij zelfs. En toch liet je de kans voorbijgaan om me met handboeien om afgevoerd te zien worden, op weg naar de gevangenis, door voor me te liegen. En heel eerlijk gezegd snap ik daar dus niks van.'

Hij doet zijn ogen dicht en leunt met zijn hoofd achterover. De pijn en vermoeidheid stralen van zijn gezicht af en bijna wil ik het laten zitten en zeggen dat hij het niet hoeft uit te leggen. Hij moet naar binnen en lekker gaan slapen. Maar dan richt hij die geweldig groene ogen op me. 'Het klinkt vast heel gek, Ever, maar ik wil veel liever horen hóé je het deed dan waarom je het deed.'

Mijn vingers knijpen in mijn stuur en ik kan even niets uitbrengen.

'Hoe het je lukte me als een frisbee door de tuin te smijten...'

Ik slik, staar recht voor me uit en zeg niets.

'Hoe je het ene moment met lege handen voor me staat – geen broekzak te bekennen – en het volgende moment een mes in je handen hebt met een handvat vol edelstenen, dat trouwens ook meteen weer leek te verdwijnen nadat je me had aangevallen, klopt dat?'

Ik haal diep adem en knik. Ontkennen is zinloos.

'Daar komt nog bij dat je deze auto startte zonder sleutel – en we weten allebei dat dit niet het soort auto is waarbij dat mogelijk is. Voor dit model heb je echt een sleuteltje nodig. Dan is er nog die eerste keer dat ik je in de winkel betrapte, ook al zat de deur op slot. En dan heb ik het nog niet over hoe snel je *Het Boek der Schaduwen* had gevonden, dat eveneens zorgvuldig achter slot en grendel lag. Dus vergeet de rest, laat je verontschuldigingen en je uitleg en al die onzin maar zitten – er valt niks meer aan te doen, wat gebeurd is, is gebeurd. Wat ik wil is dat je mij uitlegt hóé je het deed. Dat is alles wat ik van je wil weten.'

Ik kijk opzij naar hem en slik. Wat moet ik daarop antwoorden? Ik probeer grappig te doen door te vragen: 'Ja, oké, maar zeg eens: werken die pijnstillers al?' gevolgd door een vreselijk stom lachje dat hem nog kwader maakt.

'Luister, Ever. Als je ooit de waarheid wilt vertellen, dan weet je waar ik woon. Anders...' Hij wil het portier openen om met een breed, dramatisch gebaar uit te stappen, maar met twee armen in verband is dat niet zo eenvoudig.

Ik spring overeind en sta – letterlijk – in een oogwenk naast hem. 'Sta mij toe,' zeg ik plechtig, hopend dat hij het niet ziet als een aantasting van zijn mannelijkheid.

Maar hij blijft zitten, schudt zijn hoofd en zucht. 'En natuurlijk is dat er dan ook nog...'

We kijken elkaar aan en ik houd geschrokken mijn adem in.

'Het feit dat je zo vlug en zo sierlijk beweegt als een wilde tijger.'

Stil en onbeweeglijk blijf ik staan, onzeker wat ik nu moet doen.

'Dus, wil je me nog helpen of niet?' Hij trekt de wenkbrauw met het litteken op.

Ik knik, open het portier en bied mijn arm aan ter ondersteuning. Ik voel hoe zwak hij is zodra hij met zijn volle gewicht tegen me aan leunt.

'Doe jij de voordeur ook even open?'

'Tuurlijk,' zeg ik met een knik. 'Geef me de sleutels maar.'

Hij laat zijn blik over me heen gaan. 'Sinds wanneer heb jij sleutels nodig?'

Schouderophalend loop ik over het smalle, zacht verlichte pad naar de voordeur. Ondertussen bewonder ik de prachtige verzameling felroze en paarse pioenrozen in de tuin. 'Ik wist niet dat je zulke groene vingers had.'

'Heb ik ook niet. Niet echt. Lina heeft alles geplant, ik geef ze alleen maar water. We kweken de meeste kruiden voor de winkel zelf.' Hij gebaart naar de deur, moe van alles, van mij. Hij wil dolgraag naar binnen waar hij kan uitrusten.

Ik sluit mijn ogen, zie in gedachten voor me hoe de deur opengaat tot ik de bevestigende klik hoor en gebaar dat hij kan doorlopen. Als een malloot blijf ik nog even staan en zwaai halfslachtig naar hem, alsof we net leuk gepicknickt hebben en ik hem thuis afzet. Zelfs als hij zijn hoofd schudt en gebaart dat ik binnen mag komen, aarzel ik. Ik hoor het liever hardop, voor alle zekerheid, voor ik verderga.

'Wil je me soms nog een keer aanvallen?' Hij kijkt me onderzoekend aan en die blik bezorgt me een heerlijk gevoel van kalmte.

'Alleen als het uit de hand loopt.'

'Was dat bedoeld als een woordspeling?' Zijn mondhoeken vormen een lichte grijns.

Ik lach. 'Ja, maar wel een heel slechte.'

Hij leunt tegen de deurpost en bekijkt me langzaam van top tot teen voor hij diep inademt en die adem weer uitblaast. 'Ik geef dit liever niet toe – vooral niet aan jou, aangezien je me wel voldoende ontmand hebt voor de rest van mijn leven – maar ik kan wel wat hulp gebruiken. De pillen beginnen te werken en ik bakte er nuchter met één hand al weinig van, dus ik wil niet weten wat voor schade ik nu kan aanrichten... Het kost niet veel tijd, misschien een minuut of twee. Dan kun je terug naar Damen en verder met de rest van je avond.'

Fronsend vraag ik me af waarom hij dat zegt, maar ik sluit de deur en knip het licht aan terwijl ik hem volg. Ik kijk het kleine, gezellige huisje rond en het verbaast me midden in een authentiek vakantiehuisje te staan in Laguna Beach. Van het soort met een oude, bakstenen open haard en een weids uitzicht. Zo zie je ze tegenwoordig niet meer hier in de buurt.

Jude ziet mijn reactie. 'Gaaf, hè? Het is gebouwd in 1958. Lina heeft het heel lang geleden goedkoop kunnen krijgen, voor het grote geld en alle tv-shows hiernaartoe kwamen.'

Ik loop naar de glazen schuifdeuren die uitkomen op een stenen terras, dat grenst aan een steile grasheuvel met daarin een trap omlaag. Verderop zie ik de oceaan glinsteren in het kleine beetje maanlicht.

'Ik hoef maar weinig huur te betalen, maar ik droom ervan het huis ooit te kopen. Maar ze zegt dat ze het alleen verkoopt als ik beloof er niet nog een Toscaanse twee-onder-een-kap van te maken. Alsof ik dat zou durven!' Hij lacht.

Ik draai me weg van de raampartij en loop naar de keuken, waar ik het licht aandoe en keukenkastjes open en sluit tot ik de glazen heb gevonden. Als ik om me heen kijk, op zoek naar een fles water, merk ik dat hij opeens zo dichtbij staat dat ik de vlekjes in zijn irissen kan zien.

'Is manifesteren niet makkelijker?' Het klinkt laag en insinuerend.

Ik staar hem aan, niet zeker wat me meer stoort: zijn intieme nabijheid, het verlangen in zijn toon, of de manier waarop hij steeds ongemerkt zo dichtbij weet te komen?

'Ik eh... ik dacht ik doe het op de ouderwetse manier, als dat mag? Het smaakt gegarandeerd hetzelfde,' stamel ik onhandig. Ik hoop dat de medicijnen ervoor zorgen dat hij niet merkt hoe zenuwachtig ik van hem word.

Hij laat niets merken en blijft rustig naar me staren. Versuft en op lage toon vraagt hij uiteindelijk: 'Ever, wat ben je eigenlijk?'

Mijn vingers knijpen zo hard in het glas dat ik vrees dat het breekt. Mijn ogen richten zich op de vloertegels, het kleine bijzettafeltje rechts van me en de zijkamer verderop. Als ik hem maar niet hoef aan te kijken. Maar het blijft zo lang stil en de spanning is te snijden – en alleen al daarom zeg ik: 'Dat kan ik je niet vertellen.'

'Dus het gaat niet om het boek alleen. Er is meer.'

Ik kijk hem aan en besef direct mijn fout. Ik heb praktisch toegegeven niet normaal te zijn, terwijl ik de magie als smoes had kunnen gebruiken. Maar laten we eerlijk zijn; dat had hij toch nooit geloofd. Hij wist vanaf het eerste moment dat hij me zag al dat er iets met mij aan de hand is. En dat was lang voor hij me het boek leende.

'Waarom zei je niet dat *Het Boek der Schaduwen* in code is geschreven?' Ik tuur naar hem en hij reageert meteen defensief.

'Heb ik wel.' Hij kijkt weg en de irritatie is van zijn gezicht af te lezen.

'Nee, je zei dat het Thebaans schrift was en dat ik het via handoplegging moest "lezen" om het te kunnen begrijpen. Je hebt niet gezegd dat de tekst ook nog extra beschermd is door een code – die je eerst moet kraken wil je de echte inhoud zien. Hoe komt dat? Waarom zei je dat niet? Het is nogal een belangrijk detail om weg te laten, hè?'

Hij leunt tegen het betegelde aanrecht en schudt zijn hoofd. 'Sorry, hoor, sta ik nu weer onder verdenking van het een of ander? Het kan aan mij liggen, maar ik dacht toch dat je na die bloederige aanval zeker wist dat ik aan de goede kant stond?'

Ik sla mijn armen over elkaar. 'Nee, ik heb alleen vastgesteld dat je geen rebel bent. Ik heb niet gezegd dat je goedaardig bent.' Hij kijkt me aan en probeert geduldig te blijven, maar ik ben nog niet klaar. 'Je hebt me ook nooit verteld hoe je precies aan het boek bent gekomen.'

Hij haalt zijn schouders op, staart voor zich uit en antwoordt vastberaden: 'Dat heb ik wel. Ik kreeg het een paar jaar geleden van een vriend.'

'Heeft die vriend ook een naam? Zeg, Roman, bijvoorbeeld?'

Hij lacht, al klinkt het meer als een gekreun. Hij onderdrukt zijn ergernis nu niet meer. 'O, ik snap het al. Je denkt nog steeds dat ik bij zijn clubje hoor. Nou, sorry hoor, Ever, maar ik dacht dat we dit achter ons hadden gelaten?'

'Jude, ik wil je heus wel vertrouwen. Echt waar. Maar die avond...' Met het glas tussen twee vingers sla ik mijn armen over elkaar en wacht even. Die zin kan ik zo niet afmaken. 'In elk geval,' herstel ik me, 'zei Roman zoiets. Dat het boek ooit van hem is geweest. Ik moet echt weten of je er via hem aan gekomen bent – heeft hij het aan je verkocht?'

Hij steekt een arm uit en met zijn paar goede vingers grist hij het glas uit mijn hand. 'Ik ken Roman alleen maar via jou. Ik weet niet wat je verder van me wilt horen, Ever.'

Nauwlettend bestudeer ik zijn aura, zijn energie en zijn lichaamstaal. Terwijl hij naar de gootsteen loopt, tel ik al die gegevens bij elkaar op en ik moet tot de conclusie komen dat hij de waarheid vertelt. Hij verbergt niets.

'Kraanwater?' Hij werpt een blik naar me over zijn schouder. 'Dat heb ik lang niemand meer zien doen,' merk ik op. 'Niet sinds ik weg ben uit Oregon.'

'Ik ben een eenvoudige jongen, wat kan ik zeggen.' Hij drinkt het glas gulzig leeg en vult het opnieuw.

'Maar even serieus. Je wist dus niks van het boek?' Ik loop achter hem aan naar de oude bruine bank waarop hij zich laat neerploffen.

'Om eerlijk te zijn is alles wat je tot nu toe gezegd hebt een raadsel voor me. Ik begrijp er geen hout van. Normaal gesproken krijg je het voordeel van de twijfel en zou ik de pijnstillers de schuld geven, maar van wat ik me kan herinneren zeg je dit soort rare dingen al langer dan vanavond.'

Ik laat me fronsend in de stoel tegenover hem zakken en leg mijn voeten op een antieke deur van houtsnijwerk die Jude gebruikt als koffietafel. 'Ik... ik zou het je graag uitleggen. Dat ben ik je volgens mij ook wel verschuldigd. Maar dat gaat niet. Het is te ingewikkeld. Het heeft te maken met...'

'Roman en Damen?'

Door halfdichte ogen kijk ik hem vragend aan.

'Het is maar een gokje,' zegt hij schouderophalend. 'Maar aan je gezicht te zien, klopt het.'

Ik pers mijn lippen op elkaar en kijk om me heen naar de stapels boeken, de oude stereotoren en de aparte kunstwerken. Er staat geen televisie. Ik ontken of bevestig niets als ik antwoord: 'Ik heb bepaalde gaven. Meer dan de helderziendheid alleen. Ik kan dingen laten bewegen...'

'Telekinese,' zegt hij knikkend, maar met gesloten ogen.

'Ik kan dingen laten verschijnen.'

'Manifestatie – alleen heeft dat bij jou direct resultaat.' Hij opent een oog en kijkt naar me. 'Daarom vraag ik me af waar je het boek voor nodig hebt. De wereld ligt aan je voeten. Je bent knap, slim, gezegend met bijzondere krachten en ik durf te wedden dat je vriendje er zelf ook een paar heeft...'

Dat is al de derde keer dat hij over Damen begint en het zit me nog steeds dwars. 'Wat heb jij met Damen?' vraag ik hem. Zou hij ons doorhebben? Zou hij iets vermoeden over de ingewikkelde, eeuwenlange driehoeksverhouding tussen ons?

Hij legt zijn benen op de leuning en propt een kussen onder zijn hoofd. 'Wat zal ik zeggen? Ik mag hem gewoon niet. Er is iets raars met hem, maar ik kan het niet uitleggen.' Hij draait zich naar me toe. 'Hé, je vroeg er zelf om. En als je nog meer wilt weten, dan is dit je kans. De pijnstillers beginnen nu echt te werken; ik voel een onvoorstelbare roes opkomen. Vraag het me maar vlug voor ik in slaap val, want nu geef ik nog antwoord zonder na te denken.'

Ik schud mijn hoofd; ik weet genoeg sinds ik hem een paar uur geleden heb aangevallen op de stoep. Maar misschien is het tijd dat ik hem meer vertel over mezelf. Ik kan in elk geval kijken hoe hij reageert – óf hij reageert – als ik bepaalde details noem.

'Weet je, ik kan het wel verklaren dat jij en Damen elkaar niet mogen...' begin ik voorzichtig. Ik bijt op mijn lip en weet niet hoever ik wil gaan.

'Aha, dus het is wederzijds.' Hij kijkt me aan, zo lang dat ik als eerste wegkijk. Ik staar naar het versleten vloerkleed, het gehavende hout van de tafel vlak voor me, de grote citrienkristal in de hoek en vraag me af waarom ik hieraan begonnen ben. Net als ik iets wil zeggen, is hij me voor. 'Maak je niet druk.' Hij probeert een deken over zijn benen te schoppen, maar dat lukt hem niet. 'Je hoeft niks uit te leggen of je zorgen te maken. Het is zo'n typisch mannending. Je kent het wel, die oerdrift die opkomt als twee jongens allebei interesse hebben in hetzelfde, geweldige meisje. Er kan er maar eentje winnen – o, wacht, pardon, er hééft er al eentje gewonnen. Dus kruip ik terug in mijn grot, waar ik met mijn knuppel tegen de wand sla en mijn wonden lik als niemand kijkt.' Hij sluit zijn ogen. Op lagere toon zegt hij: 'Geloof me, Ever. Ik weet wanneer ik verslagen ben en de handdoek in de ring moet gooien. Dus maak je niet druk. Ik ben niet voor niets vernoemd naar de beschermheilige van hopeloze gevallen. Het is me al vaker gebeurd en...'

Zijn stem sterft weg en zijn kin zakt naar zijn borst. Ik sta op en pak de zachte deken van bij zijn voeten en drapeer die voorzichtig helemaal over hem heen. 'Ga maar slapen,' fluister ik. 'Ik haal je medicijnen morgen op, maak je daar geen zorgen om. Blijf maar hier en rust uit.' Ik weet dat hij wegzakt naar een droomwereld, maar wil hem nog even geruststellen.

Als ik zijn voeten instop, zegt hij: 'Hé, Ever – je hebt geen antwoord gegeven... over het boek. Wat moet je met *Het Boek der Schaduwen* als je alles al hebt wat je zou kunnen wensen?'

Als versteend kijk ik naar de jongen die ik al eeuwenlang ken en die nu ook in dit leven is opgedoken. Daar moet een reden voor zijn. Ik heb veel gezien en meegemaakt en ik weet ook dat het universum niet zo willekeurig is. Alleen ken ik die reden niet. Erger nog, zo langzamerhand weet ik helemaal niets meer zeker. Ik weet alleen dat ze zo tegenovergesteld zijn. Judes aanwezigheid kalmeert me, terwijl ik bij Damen juist hitte en tintelingen voel. Yin en yang. Elkaars complete tegenpolen.

Ik stop hem verder in, wacht tot hij slaapt en loop dan naar de voordeur, waar ik mompel: 'Omdat ik niet alles heb wat ik me kan wensen. Verre van, zelfs.'

Zeven

'Ik wist wel dat er iets met jullie aan de hand was. Vooral met jou.' Haven wijst naar Damen. 'Sorry hoor, maar niemand is zó perfect.'

Damen glimlacht, gooit de deur wijd open en laat ons binnen. Zijn donkere ogen houden mijn blik vast als een liefdevolle omhelzing en telepathisch stuurt hij me een enorme hoeveelheid rode tulpen om me de kracht en moed te geven die ik zo hard nodig heb.

'Dat je het even weet: dat zag ik dus.' Haven zet haar handen met de vingers vol ringen in haar zij en kijkt van hem naar mij voor ze haar hoofd schudt en de hal in loopt.

Damen kijkt me vragend aan, maar ik haal mijn schouders op. Haar gaven ontwikkelen zich net. Gedachten lezen is nog maar het begin.

'Wauw, wat een kast van een huis!' Ze draait een paar keer rond en kijkt van de grote kroonluchter onder het gewelfde plafond naar het dikke Perzische tapijt op de grond. Twee kostbare antieke objecten die bijna verloren gegaan waren tijdens Damens 'teruggetrokken' fase, zoals ik het noem – de tijd waarin hij zeker wist dat zijn extravagante, egoïstische, ijdele verleden de oorzaak was van al onze huidige problemen. Hij wilde toen al zijn luxe bezittingen wegdoen, tot de tweeling bij hem kwam wonen en het bord van de makelaar weer uit de tuin verdween om hen alle ruimte en veiligheid te kunnen bieden. 'Je kunt alleen al in de hal geweldige feesten geven!' Ze lacht. 'Hoort dit bij het onsterfelijk zijn? Wonen in zo'n kasteel? Want dan wil ik er ook een!'

'Damen gaat al een tijdje mee,' mompel ik. Ik kan haar niet uitleggen hoe hij zo'n huis kan betalen, aangezien ze nog niets weet van de oeroude kunst van het manifesteren en zijn talent om te wedden op winnende racepaarden. Als ik haar dat al ooit vertel.

'Hoe lang doet Roman dit dan al? Hij heeft een leuk huis, hoor, maar het is niks vergeleken met dit.'

Damen en ik kijken elkaar aan, zonder telepathische gedachtestroom nu we weten dat ze alles hoort. Toch besluiten we tegelijkertijd haar vraag niet te beantwoorden. Hoe langer we de details voor ons kunnen houden, hoe beter. Het is slechts uitstel van executie, want er komt vanzelf een dag dat ze de hele waarheid ontdekt en bovendien uitvindt wat er met haar goede vriendin Drina is gebeurd.

We lopen achter haar aan door de keuken naar de zitkamer, waar de tweeling elk op een uiteinde van de bank zit. Allebei verdiept in hun eigen exemplaar van hetzelfde boek. Rayne met een reep chocolade, Romy met een grote bak popcorn met boter naast zich.

'Zijn jullie dan ook onsterfelijk?' vraagt Haven. De tweeling kijkt op, Rayne fronsend zoals gewoonlijk en Romy hoofdschuddend voor ze gauw doorleest.

'Nee, ze zijn... eh...' Ik kijk Damen smekend aan. Hoe moet ik uitleggen dat ze strikt genomen niet onsterfelijk zijn, maar al wel driehonderd jaar wonen in een dimensie tussen dimensies waar ze dankzij mij niet naar kunnen terugkeren?

'Ze zijn familie,' knikt Damen met een blik naar mij dat ik moet meedoen.

Haven staat in het midden van de kamer met opgetrokken wenkbrauwen en haar gezicht vertrokken in een grimas. Ze gelooft er niks van. 'Dus je wilt zeggen dat je al hoe lang contact hebt gehouden met je familie?' Ze knijpt haar ogen toe, tuurt naar hem om zijn leeftijd te gissen, maar geeft het dan op. 'Nou, dan moet jouw familie wel heel interessante reünies hebben.'

Ik zie dat Damen het erbij wil laten, maar ik hoop de situatie te kunnen redden en flap eruit: 'Nee, hij bedoelt dat ze net familie zijn. Ze...'

'O, kom op!' Rayne gooit haar boek op tafel en kijkt kwaad naar mij en Haven, maar natuurlijk niet naar Damen. 'We zijn geen familie en we zijn niet onsterfelijk, oké? We zijn heksen. Gevlucht voor de heksenvervolgingen in Salem. En nou niks meer vragen, want je krijgt toch geen antwoord. Dit is al meer dan je moet weten.'

Met abnormaal grote ogen kijkt Haven ons vier freaks aan, haar mond open van verbazing. 'Jezusmina. Ik bedoel, hoeveel gekker gaat het nog worden?'

Met een blik laat ik Rayne weten dat ze haar mond had moeten houden. Haven gaat ondertussen in een gestoffeerde stoel zitten en kijkt ons gretig aan, alsof ze een inwijdingsritueel of ten minste een geheim wachtwoord verwacht. Ze verbergt haar teleurstelling dan ook niet als Damen terugkeert uit de keuken en haar een doosje vol flessen met onsterfelijkheidsdrank geeft.

Ze werpt een blik op de inhoud, tikt met haar zwartgeverfde nagel op elke dop en kijkt verward op. 'Is dat alles? Zeven stuks? Voor wel een hele week? Dat meen je toch niet, hè? Hoe moet ik overleven met zo weinig? Wil je me al dood hebben voor ik de kans krijg van dit leven te genieten?'

'Duh – je bent onsterfelijk, ze kunnen je niet doden.' Rayne rolt met haar ogen en schudt haar hoofd.

'Duh – dat kan dus wel. Daarom moet ik dit dragen van Ever.' Haven trekt haar amulet tevoorschijn vanonder haar zwarte, kanten topje en laat het voor Raynes neus heen en weer bungelen.

Het meisje kreunt en slaat haar dunne, witte armen over elkaar. 'Alsjeblieft, ik weet er alles van. Eén klap tegen je verkeerde chakra en je bent er geweest als je hem niet draagt. Zo wel, dan leef je nog lang en gelukkig, blablabla. Je hoeft er niet voor doorgestudeerd te hebben, hoor.'

'Goh, is ze altijd zo gezellig?' vraagt Haven hoofdschuddend en lachend.

Ik wil net ja zeggen, blij dat het niet alleen bij mij gebeurt, maar dan staat Haven op en ze ploft neer naast Rayne op de bank. Ze aait over haar bol en kietelt haar voeten, waardoor ze meteen de beste vriendinnen zijn. Net zo vlug ben ik weer in mijn eentje de buitenstaander.

'Je hebt het niet dagelijks nodig.' Damen pakt het gesprek weer op. 'Je kunt zelfs de komende honderdvijftig jaar vooruit zonder een enkele slok. Misschien zelfs langer.'

'Als dat zo is, waarom drink jij het dan alsof je leven ervan afhangt?' Haven duwt Raynes voeten van haar schoot terwijl ze ons aankijkt.

Damen haalt zijn schouders op. 'Zo onderhand is dat denk ik ook zo. Ik ga tenslotte al een tijdje mee, weet je. Al een hele poos.'

'Hoe lang?' Ze leunt naar voren, kijkt naar hem met haar dik opgemaakte ogen en duwt haar pony met platina pluk uit haar gezicht.

'Lang genoeg. Het punt is...'

'Dat meen je toch niet, hè? Ga je me echt niet vertellen hoe oud je bent? Jezus, ben je zo'n stomme dertiger die tot aan het bejaardentehuis blijft volhouden dat hij negenentwintig wordt of zo? Ik bedoel, sorry, hoor, maar... hoe ijdel kun je zijn?' Ze begint te lachen. 'Als ik oud ben, dan schreeuw ik dat van de daken, geloof me. Ik kan niet wachten tot ik 182 jaar oud ben en nog steeds een porseleinen huidje heb.'

'Het is geen ijdelheid, het is praktisch,' bijt Damen haar toe. Hij ergert zich, waarschijnlijk omdat ze deels gelijk heeft en hij het niet wil toegeven. Hij kan zijn dure kleren, de haarstylingproducten en de handgemaakte Italiaanse schoenen wel wegdoen, maar een beetje ijdel blijft hij altijd. 'Bovendien mag je het niemand vertellen en kun je er dus niet mee te koop lopen. Ik dacht dat Ever je dat al had verteld?'

'Ja,' zeggen we tegelijkertijd.

'Dan is het simpel. Je blijft cakejes eten zoals altijd, gedraagt je zo normaal mogelijk en trekt geen...'

'Onnodige aandacht.' Haven rolt overdreven met haar ogen. 'Geloof me, Ever heeft me alles al verteld: de duistere kant, de monsters onder het bed en in de kast en de boeman die in de kelder woont. Niet om het een of ander, maar het interesseert me geen moer. Mijn hele leven ben ik al doodgewoon. Genegeerd, verwaarloosd, een muurbloempje. Hoe ik me ook gedroeg of kleedde, ik bleef onzichtbaar. En ik zeg het je: dat soort anonimiteit wordt flink overschat. Ik heb het er wel mee gehad, in elk geval. Dus als ik nu mijn moment in de schijnwerpers krijg – de kans om eindelijk gezien te worden – dan hou ik me niet in. Ik ga ervoor – met hart en ziel! En nu je dat weet, heb je vast wel iets beters dan dit zielige voorraadje.' Ze tikt tegen de doos. 'Kom op, doe mij een plezier, dan kan ik iedereen flink laten schrikken als het nieuwe schooljaar begint.'

Sprakeloos en angstig kijkt Damen me aan met een blik die zegt: jij hebt haar gemaakt, ze is jouw verantwoordelijkheid – los dit op!

Ik schraap mijn keel en draai me met gekruiste enkels en gevouwen handen naar haar toe. Ik trek er een vriendelijk gezicht bij, al voel ik me net zo geschokt als Damen. 'Haven, alsjeblieft,' zeg ik vastberaden, op lage toon. 'We hebben het hierover gehad...'

Ze laat me niet uitpraten. 'Jij drinkt het ook de hele tijd, dus waarom mag ik dat dan niet?' Ze tikt met haar vingers tegen de doos en kijkt me wantrouwend aan.

Ik kan haar niet uitleggen dat het elixir mijn krachten versterkt en ik liever niet wil dat zij die ook krijgt. Zoekend naar de juiste woorden, zeg ik uiteindelijk: 'Dat lijkt misschien zo, maar ik heb het niet echt nodig – niet zoals Damen. Ik drink het gewoon omdat... ik het gewend ben. Zo geweldig smaakt het niet, maar ik vind 't lekker. Echt, je hoeft het niet dagelijks of wekelijks te drinken. Niet eens een keer per jaar. Zoals Damen zegt, je kunt honderd of zelfs tweehonderd jaar vooruit met die eerste slok.' Ik knik hopelijk overtuigend en wil niet dat ze doorkrijgt hoezeer je snelheid, kracht en magische gaven erop vooruitgaan als je het regelmatig drinkt. Dan wil ze het helemaal.

'Oké. Dan vraag ik het wel aan Roman. Hij doet vast niet zo moeilijk.'

Ik slik en zeg niets. Het is een uitdaging. Luna springt ondertussen op haar schoot en Haven aait haar.

'Hallo, katje. Was jij niet voor mij bedoeld? Kruip je daarom bij mij op schoot, omdat je weet dat je bij mij hoort?' Ze tilt het beestje op en kriebelt onder haar kin. Ze lacht als Romy overeind schiet en het katje afpakt. 'Rustig maar,' zegt Haven. 'Ik jat haar heus niet mee.'

'Je kunt haar niet jatten.' Romy tilt Luna op haar schouder, haar favoriete plekje, en kijkt kwaad. 'Ze is ook geen bezit. Huisdieren zijn geen eigendommen en geen accessoires die je na een tijdje weer afdankt. Het zijn levende wezens die deel uitmaken van ons leven.' Ze kijkt naar haar zusje ten teken dat die haar moet volgen als ze de kamer uit stormt.

'Wauw – opvliegend type!' Haven kijkt ze na.

Maar zo makkelijk komt ze er niet mee weg. Hé, ze begint er zelf over, ik ga er alleen maar op door. 'Nu je het er toch over hebt – hoe is het met Roman?' Het moet nonchalant klinken, half geïnteresseerd en ik hoop maar dat niemand merkt hoe mijn stem overslaat als ik zijn naam uitspreek.

Ze haalt haar schouders op. Ze weet precies waar ik heen wil. 'Goed, hoor. Fijn dat je het vraagt, maar ik heb niks te melden. Niks dat jou interesseert, in elk geval.' Ze kijkt van mij naar Damen met opgetrokken mondhoeken alsof het allemaal een grote grap is en ze nog niet eens zeker weet of ze het spel wil meespelen. Ook al heeft ze me dat wel beloofd. Dan bestudeert ze haar nagels. 'Jemig, groeien jouw nagels ook zo snel? Ik heb ze vanmorgen nog geknipt en ze zijn nu alweer lang!' Ze houdt haar handen omhoog om het te laten zien. 'En mijn haar ook. Ik zweer je dat mijn pony bijna anderhalve centimeter langer is geworden in die paar dagen!'

Damen wisselt een blik met me. Allebei vragen we ons af hoe dat mogelijk is na slechts een fles elixir. Ik weet dat ik het haar wel moet vertellen. Als ik het maar overtuigend kan brengen. 'Nog even over Roman...'

Ze laat haar handen zakken en omklemt de doos voor ze opkijkt.

'Ik zat te denken...' Ik voel Damens intense, priemende blik nu hij zich afvraagt wat ik van plan ben. Ik heb het niet met hem besproken, maar in alle eerlijkheid ben ik er zelf ook net pas opgekomen. Het is een gevolg van alle vreemde dingen die me de afgelopen vierentwintig uur zijn overkomen. 'Volgens mij moet je serieus uit zijn buurt blijven.' Ik kijk haar indringend aan. 'Ik meen het. Als je geld nodig hebt, dan kan ik je helpen tot je een ander baantje vindt. Maar je moet daar niet meer werken, het is niet veilig. Ik weet dat je me niet gelooft en dat je denkt dat ik het mis heb, maar dat is niet zo. Damen was erbij, hij kan het bevestigen.' Ik zie hem instemmend knikken, maar Haven blijft onbewogen zitten, haar gezicht zo kalm, alsof ze me niet gehoord heeft. 'Ik kan het niet vaak genoeg herhalen,' dring ik aan. 'Ik meen het – hij is gevaarlijk. Een bedreiging. Hij is...' Tja, wat zal ik zeggen? Kwaadaardig, vreselijk en ongelooflijk knap en onweerstaanbaar... Ik hoor zijn stem tegenwoordig elk moment in mijn hoofd en zie zijn gezicht in al mijn dromen... Wat ik ook doe, ik kom niet van hem af. Ik denk steeds aan hem, ik verlang naar hem, ik droom over hem... 'Ja, nou, eh... ik wil niet dat je iets overkomt.' Ik slik. Mijn lichaam staat in vuur en vlam als ik alleen al aan hem denk. Dat vreemde, zinderende gevoel roert zich weer en ik verraad mezelf bijna.

Dan kijkt Haven op met een opgetrokken wenkbrauw, alsof ze de woorden in mijn hoofd hoort en weet wat er aan de hand is. Ik raak in paniek. Stilletjes, maar toch. Tot ik me herinner dat ik me heb afgeschermd. Ze heeft krachtige gaven, maar als Damen mijn gedachten niet kan lezen, dan kan zij dat ook niet.

'Ever, dat heb je nou al vaak genoeg gezegd. Hou er nou eens een keer mee op. Ik verstond je de eerste keer ook al. En we hebben afgesproken het hierover oneens te zijn, mocht je dat niet meer weten. Hoe wil je trouwens krijgen wat je nodig hebt als ik uit zijn buurt blijf?' Ze kijkt naar ons met toegeknepen ogen. 'Neem van mij aan dat Roman geen bedreiging is – althans, niet voor mij. Hij is ontzettend schattig en aardig en liefdevol en helemaal niet zoals jij denkt. Dus als jullie ooit samen willen zijn,' ze wijst met haar vinger van mij naar Damen, 'dan moet je mij te vriend houden. En volgens mij ben ik momenteel jullie enige kans, of niet soms?'

Dan doet Damen een stap naar voren. Zijn ogen schieten vuur en zijn stem klinkt laag en dreigend. 'Je speelt een gevaarlijk spelletje. Ik begrijp dat je al deze mogelijkheden spannend vindt en praktisch high bent van al die nieuwe krachten, maar voor je het weet gaat het mis. Ik kan het weten, want ik was ooit net als jij. Sterker nog: ik was de allereerste. Het mag dan heel lang geleden zijn, maar de herinnering is nog vers. Zo herinner ik me ook de waslijst aan blunders, de vergissingen die ik beging doordat ik mijn machtshonger liet overheersen in plaats van mijn fatsoen en gezonde verstand. Wees niet zoals ik, Haven. Maak niet dezelfde fout. En waag het niet mij of Ever ooit te chanteren. We hebben genoeg opties, er zijn andere manieren, we hoeven niet...'

'Ach, hou toch op!' Haven schudt haar hoofd en kijkt ons afwisselend aan. 'Dat neerbuigende toontje van jullie komt me m'n neus uit! Heb je er ooit aan gedacht dat ik jullie misschien iets kan leren over wat je met deze krachten kunt doen?' Ze rolt met haar ogen en kijkt kwaad weg. 'Natuurlijk niet! Het is alleen maar: Haven, doe dit, Haven doe dat en nee, je krijgt niet meer elixir omdat we je niet vertrouwen. Ik bedoel, als jullie mij niet willen vertrouwen, waarom zou ik dat omgekeerd dan wel doen?'

'Het gaat niet om jou,' antwoord ik in een poging de situatie te beheersen voor het uit de hand loopt. 'Het is Roman die we niet vertrouwen. Je wilt het niet zien, maar hij gebruikt je. Je bent slechts een pion in zijn duistere spel. Hij kent al je zwakke plekken en maakt er misbruik van om je te laten dansen als een marionet.'

'En welke zwakke plekken moeten dat zijn?' Ze tikt geïrriteerd met haar vingers tegen de doos en perst haar lippen opeen tot een dunne streep.

Voor het echt uit de hand loopt en we dingen zeggen waar we spijt van krijgen, komt Damen tussenbeide. 'We willen geen ruziemaken, Haven. We willen je slechts beschermen – voor je eigen bestwil.'

'Moet ik beschermd worden, dan? Ben ik te dom om er zelf achter te komen?' Ze kijkt heen en weer tussen ons en trekt een ijskoude blik als Damen gefrustreerd zucht. Ze knikt, staat op en drukt de doos tegen zich aan. 'Ik wil je graag geloven, maar dat gaat niet. Jij bent degene die iets achterhoudt, Ever, dat voel ik gewoon. Ik weet niet wat het is, maar het is overduidelijk dat je stikjaloers bent.' Ze tuit haar lippen. 'Ja, geloof het of niet – de perfecte Ever Bloom is jaloers op mij – de kleine Haven Turner.' Ze schudt haar hoofd. 'Dat zag je niet aankomen, hè?'

Ik sta als versteend en zeg niets.

'Jij bent gewend de hotshot te zijn. De knapste, de slimste, de meest perfecte in alles wat je doet, en met je sexy en perfecte vriendje.' Ze grijnst naar Damen en lacht als hij het gebaar niet beantwoordt. 'Nu ik net als jij onsterfelijk ben, weet je dat ik je zal inhalen tot ik ook perfect ben. En dat kun je niet verdragen. Het idee alleen al. Maar weet je wat zo grappig is, zo ironisch? Het is allemaal je eigen schuld. Jij hebt me zo gemaakt. Je beweert wel dat je niets zou veranderen als je het opnieuw moest doen, maar volgens mij vond je me vroeger aardiger. Toen ik nog een zielig, sneu type was, een *wannabe*, wanhopig op zoek naar aandacht. De loser die te veel cakejes at en verhalen verzon om aan praatgroepen mee te doen.' Als ze haar schouders ophaalt is het een arrogant en zelfverzekerd gebaar. Dat meisje van toen heeft ze achter zich gelaten. 'Ontken het maar niet. Ik weet dat je die "zwakke plekken" bedoelt. Alsof ik niet weet dat je je al die tijd beter gevoeld hebt dan Miles en ik. Alsof je ons een plezier deed door met ons om te gaan, tot er iets beters voorbijkwam.'

'Dat is niet waar! Jullie zijn mijn beste vrienden, mijn...'

'Alsjeblieft, zeg.' Ze rolt met haar ogen en klakt met haar tong, net als Roman. 'Spaar me je emotionele speech. Toen die Italiaanse macho in je leven kwam,' zegt ze met een knik naar Damen, 'zagen we je alleen nog tijdens de lunch en zelfs dat niet altijd. Het perfecte stelletje had het te druk met hun perfecte leventje en hun perfecte liefde. Geen tijd meer voor ons kneusjes. Je hield ons gewoon stand-by – voor het geval je ons misschien ooit nog nodig had. Nou, het lijkt een lange, eenzame zomer te worden voor je: Miles gaat naar Florence en ik heb andere vrienden gemaakt die zich niet geïntimideerd voelen door de nieuwe Haven.'

'Haven, wat een onzin! Hoe kun je zoiets zeggen!' Ik laat mijn ogen over haar gaan. Ze is nog even tenger als altijd en geen centimeter gegroeid, maar toch lijkt haar kleine postuur extra op te vallen. Strakker, steviger, ze is net een kleine, zwarte panter, in haar zwartleren strakke broek, een zwartkanten shirt en puntige, zwarte laarzen. Ze is wel eerder kwaad op me geweest, maar dit keer ligt het anders. Zij is anders. Ze is gevaarlijk en dat weet ze. Sterker nog, ze schept er genoegen in.

'Hoe kan ik zoiets zeggen?' spot ze. 'Omdat het waar is, daarom.'
Ze duwt de doos met elixir in Damens armen, aannemend dat hij
hem wel vastpakt, en loopt naar de deur. Met een laatste blik over
haar schouder zegt ze: 'Hou je drankje maar. Ik heb mijn eigen le-
verancier. En geloof me, hij wil me vast wél dingen leren.'

Acht

Damen draait zich naar me toe en seint het woord 'problemen!' in gedachten door.

Ik sta bewegingsloos en heb geen flauw idee wat ik nu moet doen.

'Ik wist dat ze voor problemen zou zorgen.' Hij laat zich hoofd-schuddend op de bank vallen. 'Ze is te gevoelig, te instabiel. Ze kan dit niet aan. Het duurt niet lang voor de machtswellust haar naar het hoofd stijgt, wacht maar af.'

'Wacht maar af?' Ik ga op de armleuning naast hem zitten. 'Dat meen je toch niet, hè? Wachten waarop? Wordt het nog erger dan dit?'

Hij knikt en doet zijn best een ik-zei-het-je-toch-blik te onder-drukken. Niet dat het uitmaakt. We weten allebei dat het allemaal mijn schuld is.

Ik laat me op zijn schoot glijden en zucht. Ik moet iets doen – voor de situatie volledig uit de hand loopt – maar ik weet alleen niet wat. Alles wat ik tot nu toe heb besloten te doen, pakte verkeerd uit. En ik ben zo moe – zo ontzettend moe – dat ik het liefst wil slapen. Een lange, diepe slaap zonder Roman in mijn dromen.

Hmm... Roman.

De naam weergalmt in mijn gedachten en ik zie aan Damens blik dat het al te laat is – hij heeft iets gemerkt.

'Waarom heb je je bedacht?' Hij kijkt me oplettend aan, zoekend naar de waarheid achter mijn blik, achter mijn woorden. 'Waarom waarschuwde je haar dat ze uit zijn buurt moest blijven?'

'Omdat je gelijk hebt,' mompel ik, al voel ik me ongemakkelijk bij de leugen. 'Het was egoïstisch van me om haar in gevaar te brengen alleen maar zodat wij eindelijk...' Ik schud mijn hoofd, waardoor mijn haar naar voren valt. Zo is mijn gezicht gedeeltelijk verborgen.

In alle eerlijkheid maak ik me zorgen dat ik het helemaal niet voor haar deed.

Dat ik haar probeer weg te houden bij Roman, zodat er meer ruimte is voor mij.

Met mijn gezicht nog steeds achter mijn haar verstopt, probeer ik me te herstellen en een glimp van mijn oude ik terug te halen. Als ik mijn kin optil, zie ik Damen bezorgd naar me kijken. Hij geeft een kneepje in mijn knie.

'Rustig maar,' zegt hij zacht en laag. 'Wees niet te streng voor jezelf. Oké, dit is een obstakel, maar we redden ons wel. We hebben altijd elkaar nog. Dat is wat telt, tenslotte. Wat de rest betreft, daar vinden we wel iets op.'

'Is dat zo?' Mijn ogen worden groot als ik me de dubbelzinnigheid van die vraag realiseer. Het klinkt alsof ik twijfel dat we elkaar hebben, terwijl het moest slaan op het vinden van een oplossing.

Damen kijkt me ongerust aan. 'Dat leek me duidelijk. Heb ik het mis?'

Ik slik en wil zijn hand pakken. Het dunne laagje energie danst tussen zijn handpalm en de mijne. Maar ik zeg pas iets als ik mijn stem kan vertrouwen. 'Nee, je hebt gelijk,' fluister ik. 'Je bent het beste in mijn leven, de enige die belangrijk is.' Ik herhaal de woorden. Ik weet dat ze waar zijn, maar ik zou de betekenis ervan ook zo graag weer willen vóélen.

Helaas kent Damen me te goed en hij gelooft het ook niet. Hij kent alle intonaties en ontwijkingstechnieken en elk humeur van de afgelopen vierhonderd jaar. En dan tel ik slechts die van mij mee.

'Ever, is er iets? Je gedraagt je zo raar sinds...'

Ik kijk op en onderbreek hem vinnig: 'Sinds ik jou de drank liet drinken waardoor elke aanraking nu opeens fataal kan zijn?'

Hij schudt zijn hoofd.

'Sinds ik Haven onsterfelijk heb gemaakt?'

Weer schudt hij zijn hoofd, maar nu legt hij zijn vinger tegen mijn lippen. 'Dat bedoel ik niet. Je hebt de beste beslissingen genomen die je kon nemen onder die omstandigheden. Dat kan ik je niet kwalijk nemen. Ik bedoel meer dat je je raar gedraagt sinds je meer met magie bezig bent. Je bent zo afgeleid, in gedachten verzonken. Je bent er niet meer helemaal bij. Ik maak me zorgen dat het je allemaal te veel wordt, want in dat geval wil ik je graag helpen, als dat kan.'

In zijn ogen zie ik zoveel hoop en liefde dat ik niet eens durf op te biechten wat ik voor Roman voel. Wat een afschuwelijk idee. 'Ik geef toe dat ik een beetje in de nesten zit. De details bespaar ik je liever, dat is beter. Romy en Rayne hebben me al verteld hoe ik alles ongedaan kan maken, dus het komt wel weer goed. Geloof me nou maar.'

Zijn bezorgdheid neemt toe, maar hij knikt alleen maar. 'Als jij zegt dat ik je moet vertrouwen, dan doe ik dat. Maar laat het me weten als ik iets voor je kan doen.'

Ik steek mijn hand uit naar mijn vriendje, mijn zielsverwant, mijn eeuwige partner. Ik weet dat het zo moet zijn, dat ik nu slechts een vervelende fase doormaak – een soort technische storing, een klein stipje op het radarscherm van ons oneindige leven. Op de achtergrond merk ik dat vreselijke, indringende gevoel op dat me weer dreigt te overvallen. Ik kijk hem aan. 'Zullen we ervandoor gaan?'

Damens gezicht verliest zijn ernst en zijn ogen glinsteren. Een avontuur klinkt altijd goed. 'Heb je een speciale plek in gedachten?' Hij weet niet wat ik van plan ben, maar aan zijn blik te zien, heeft hij een vermoeden.

Ik knik, knijp in zijn hand en gebaar dat hij zijn ogen moet sluiten. 'Volg mij maar,' fluister ik.

Negen

Zodra we naast elkaar neerkomen op het zachte gras van Zomerland, voel ik me een stuk beter. Echt een miljoen, triljoen keer beter. Ik krabbel overeind en huppel door het veld, bevrijd van die afschuwelijke, opdringerige energie – dat rare gevoel en alle gedachten aan Roman. Ze lijken slechts een vage herinnering van lang geleden nu het veerkrachtige gras onder mijn voeten meedeint en de geurige bloemen trillen onder mijn aanraking. Ik kijk over mijn schouder en gebaar dat Damen mee moet doen. Voor het eerst in dagen ligt er een welgemeende grijns op mijn gezicht.

Ik voel me als herboren, fris en klaar voor een nieuw begin.

Hij blijft net buiten mijn bereik staan, sluit zijn ogen en laat het heerlijk ruikende bloemenveld opeens veranderen in een kopie van het paleis van Versailles. We staan midden in een hal zo groot en vol overvloed dat ik naar adem snak.

Op de vloeren ligt het gladste, meest glimmende parket en de crèmekleurige wanden glinsteren van de hoeveelheid bladgoud die gebruikt is. De diverse plafonds – die onvoorstelbare hoge, gedetailleerd beschilderde plafonds – zijn gedecoreerd met een verzameling schitterende kroonluchters. De geslepen kristallen weerkaatsen de vlammen van brandende kaarsen, waardoor de ruimte baadt in variaties van zachtgeel licht. Net als ik denk dat het niet mooier kan, klinken de tonen van een prachtige symfonie. Damen maakt een buiging en steekt zijn hand uit.

Ik sla mijn ogen neer en antwoord met een korte kniebuiging. Mijn jurk – nu een strak en laag uitgesneden lijfje dat uitloopt in zachte, wijde plooien van blauwkleurig zijde – reikt tot aan de vloer. Als ik opkijk, zie ik Damen een smal, fluwelen doosje uit zijn zak halen. Opgewonden hap ik naar lucht wanneer hij een prachtige ketting van saffieren en diamanten tevoorschijn haalt en me die omhangt.

Ik draai me naar de lange rij spiegels toe die aan beide kanten van de hal hangen. Zo kijk ik naar ons – hij in zijn pantalon met blazer en laarzen, ik in mijn mooie gewaad met mijn ingewikkelde, opgestoken kapsel. Opeens besef ik waar hij mee bezig is: hij geeft me het *happy end* dat Drina me steeds heeft ontnomen.

Bewonderend kijk ik de balzaal rond, vol ongeloof dat ik dit ooit had kunnen meemaken – dat ik in deze wereld zou hebben geleefd, zíjn wereld. Als dit sprookjesachtige einde me niet was ontzegd... Ik kreeg niet eens genoeg tijd om het glazen muiltje te passen.

Had ik maar kunnen blijven leven, dan had hij me het elixir kunnen toedienen en me veranderen van het Franse dienstmeisje Evaline in háár – dit stralende wezen dat me nu aankijkt in de spiegel. Dan konden we hier nog steeds dansen, meer dan honderd jaar later, en deze prachtige nacht – in onze mooiste kleren, met glimmende juwelen – delen met Marie Antoinette en Lodewijk XVI.

Maar het mocht niet zo zijn. Drina vermoordde me, waardoor ze mij en Damen dwong eeuwig naar elkaar op zoek te blijven.

Ik vecht tegen de tranen als ik naar hem kijk en mijn hand op zijn schouder leg. Hij slaat zijn arm stevig rond mijn middel en beweegt met me over de dansvloer als een professional. Mijn rok fladdert in een duizelingwekkend blauw waas. Alle schoonheid die ik zie, die hij voor me heeft gemanifesteerd, raakt me. Ik druk me dichter tegen hem aan en met mijn lippen bij zijn oor vraag ik of er nog andere kamers te bezichtigen zijn.

Voor ik het weet, neemt hij me mee door een doolhof van gangen naar de grootste, meest luxe slaapkamer die ik ooit heb gezien.

'Dit is niet de koninklijke suite,' zegt hij in de deuropening terwijl ik mijn best moet doen niet met open mond rond te staren, 'want zo close waren Marie Antoinette en ik ook weer niet. Maar het is wel een replica van de kamer waarin ik vaak genoeg heb gelogeerd tijdens mijn talloze bezoekjes. Wat vind je ervan?'

Ik loop over het grote, geweven kleed en kijk naar de met zijde beklede stoelen, de hoeveelheid kaarsen en al het goud en kristal overal. Dan ren ik op een drafje naar het zachte hemelbed en laat me erop neervallen, waarna ik een klopje geef op de plek naast me. Het is net alsof ik vrij ben van alle zorgen.

Dat is ook zo.

Ik ben in Zomerland!

Waar Roman me niet kan bereiken.

'Wat vind je ervan?' herhaalt hij terwijl hij over me heen buigt.

Met mijn vingers streel ik langs zijn hoge jukbeenderen en de scherpe kaaklijn. 'Wat ik vind?' Ik schud mijn hoofd en lach vrolijk, zoals vroeger. 'Volgens mij ben je het beste vriendje van de hele wereld. Nee, wacht...'

Hij kijkt me aan en doet alsof hij schrikt.

'Je bent het geweldigste vriendje van de hele planeet – het hele universum!' Ik grijns. 'Serieus, wie heeft er nou een date als dit?'

'Weet je zeker dat je het leuk vindt?' Nu is hij wel echt bezorgd.

Ik sla mijn armen rond zijn nek en trek hem naar me toe. Ik voel nog steeds het dunne laagje energie tussen onze lippen in, maar daardoor is deze kus mogelijk – onze standaard, bijna-kus. Maar ik ben al blij met dit beetje.

'Dit was een onstuimige periode,' zegt hij terwijl hij met zijn hoofd steunend op zijn hand naast me komt liggen. 'Ik wilde dat je het meemaakte, dat je ziet hoe het was – hoe ik was. Het spijt me dat je dit allemaal gemist hebt, Ever. We hadden echt plezier kunnen hebben. Je zou het mooiste meisje op het bal zijn geweest...' Hij pauzeert even. 'Nee, herstel. Dat zou Marie niet leuk gevonden hebben.' Hij lacht hoofdschuddend.

'Waarom niet?' Ik pluk aan de ruches van zijn blouse en laat mijn vingers tussen de knoopjes door naar zijn brede, warme borstkas glijden. 'Had ze haar zinnen op jou gezet, zoals dat heet? En was dat voor of na graaf Von Fersen?'

Hij lacht. 'Ervoor, tijdens en erna. Dit was de plek waar alles gebeurde, een tijd lang in elk geval. En nee, als je het wilt weten, we
waren gewoon goede vrienden. Ze had haar zinnen niet op mij gezet, althans niet voor zover ik weet. Ik bedoelde meer dat sommige schoonheden het niet kunnen uitstaan als er een rivale opduikt.'

Als ik de lijnen van zijn gezicht bekijk en de pluk glanzend donker haar die voor een oog hangt, bedenk ik dat hij er erg adellijk en
nobel uitziet. Deze look past echt bij hem. Het laat beter zien wie
hij is dan de verkleurde spijkerbroek en zwarte motorlaarzen ooit
deden.

'Wat vond Marie Antoinette dan van Drina?' Ik denk terug aan
haar perfecte blanke huid, haar smaragdgroene ogen en vlammend
rode haren – zelfs ik moet toegeven dat ze een schoonheid was. Pas
dan besef ik dat ik met Damen praat over zijn ex-vrouw en me niet
eens meer jaloers voel. Dat komt niet door de magie van Zomerland, maar omdat ik er echt vrede mee heb.

Dat weet Damen alleen nog niet, als ik de scheve wenkbrauwen
en het grimmige, dunne lijntje van zijn lippen zie. Hij vraagt zich
af of ik hier nu alweer over ga beginnen, zelfs na alle moeite die hij
heeft gedaan om dit tafereel op te roepen.

Ik glimlach en laat hem mijn gedachten zien. Ik vroeg het uit
pure nieuwsgierigheid, verder niet. Ik ben niet jaloers meer.

'Drina en Marie hadden weinig met elkaar,' zegt hij, blij met de
verandering in mij. 'Ik kwam hier meestal in mijn eentje naartoe.'

Ik zie al helemaal voor me hoe alle knappe, vrijgezelle vrouwen
praktisch flauwvallen als hij de zaal binnenkomt zonder partner
aan zijn arm. En weer voel ik er niets bij.

Iedereen heeft een verleden. Zelfs ik. Het enige wat telt is dat hij
van mij houdt en dat altijd heeft gedaan. Hij heeft vier eeuwen lang
naar me gezocht. Volgens mij begrijp ik nu pas echt wat dat in-
houdt.

'Kunnen we niet altijd hier blijven?' Ik trek hem naar me toe en
kus hem. 'Dan nemen we onze intrek in dit prachtige paleis. En als
we het zat zijn – mocht dat ooit gebeuren – dan manifesteren we
een ander huis.'

'Dat kan thuis ook, dat weet je toch?' Hij kijkt me liefdevol en indringend aan en laat zijn hand door mijn dikke bos haar glijden. 'We kunnen wonen waar we willen, bezitten wat we willen en overal naartoe gaan – zodra we van school zijn en je niet meer bij Sabine woont.'

Ik lach en grijns met hem mee, maar ik weet wel beter.

Natuurlijk kan dit thuis niet.

Niet sinds die toverspreuk.

Tot ik die ongedaan kan maken, is dit de enige plek waar ik zo kan zijn en me zo kan voelen. De magie van deze plek verdwijnt zodra we terugkeren naar de gewone wereld.

'Maar we hebben helemaal geen haast om terug te gaan, toch?' Hij grinnikt en tilt mijn kin omhoog tot mijn lippen de zijne raken.

Hij drukt zijn hele lichaam tegen me aan en ik voel de warmte en tinteling als zijn handen mijn huid bijna raken. We geven ons over aan het moment en aan de beperkingen die daar helaas nog steeds aan vastzitten. Zachtjes fluister ik in zijn oor: 'Nee, ik zou niet weten waarom. Ik heb geen haast.'

Tien

'Ever! Ever, word wakker! We moeten zo naar huis!'

Ik draai me op mijn rug en rek me uit met mijn armen boven mijn hoofd, terwijl ik mijn rug en benen strek. Ik beweeg langzaam en kalm en ik voel me zo lekker warm dat ik het liefst verder zou slapen.

'Ik meen het.' Damen lacht en hapt speels in mijn oorlelletje, waardoor ik moet giechelen. 'We hebben dit al besproken. We zullen toch echt een keer terug moeten.'

Ik doe eerst één zwaar ooglid open, dan het andere. Mijn beeld wordt gedomineerd door zijde, goud en de ruches van Damens blouse die mijn neus kriebelen. Ben ik nog in Versailles?

'Hoe lang heb ik geslapen?' Ik wil niet geeuwen, maar moet wel. Damen zit over me heen gebogen met een geamuseerde grijns.

'Er is geen tijdsbesef in Zomerland.' Hij glimlacht. 'En geloof me, ik zal het niet al te persoonlijk opvatten dat je in slaap viel.'

Nu ben ik wakker. Ik verstijf en gaap hem aan. 'Wacht even... wil je soms zeggen dat ik in slaap viel terwijl je... terwijl we...' Ik schud mijn hoofd, dat rood aanloopt. Ik kan niet geloven dat ik ingedut ben tijdens het zoenen!

Gelukkig kan hij erom grijnzen en hij is niet boos als hij knikt. Toch verberg ik mijn gezicht in mijn handen. Ik voel me vreselijk.

'Ik schaam me rot. Echt, ik voel me...' Ik krimp ineen en schud mijn hoofd. Het bewijst maar weer hoe uitgeput ik was na alles wat er deze week is gebeurd.

Hij staat op van het bed en helpt me overeind. 'Dat is nergens voor nodig. Je hoeft je niet te schamen. Eigenlijk had het wel iets liefs. Ik kan me niet herinneren dat dat ooit eerder gebeurd is en zoveel "eerste keren" maak je niet meer mee na de eerste... zeg honderd jaar of zo.' Hij lacht, trekt me naar zich toe en slaat zijn armen om mijn middel. 'Voel je je beter?'

Ik knik. Dit is de eerste keer dat ik goed heb geslapen sinds... nou ja, sinds je-weet-wel-wie mijn dromen verstoort. Ik weet niet hoe lang ik weg was, maar ik voel me nu zoveel beter dat ik vol goede moed terugga naar de gewone wereld om af te rekenen met alle ellende. Althans, met één specifiek probleem.

'Zullen we dan maar?' Damen trekt een wenkbrauw op.

Hij wil net de poort van licht oproepen als ik hem onderbreek. 'Maar... wat gebeurt er met deze plek? Als we hier eenmaal weg zijn?'

Hij haalt zijn schouders op. 'Ik wilde het laten verdwijnen omdat ik het later toch weer kan manifesteren. Dat weet je toch?' Hij kijkt me vragend aan.

Ik weet dat het eenvoudig voor hem is om alles precies zo te laten verschijnen, maar ik wil dat het blijft. Dat het tastbaar en altijd aanwezig is. Een plek waar ik naartoe kan wanneer ik wil, niet alleen een vage herinnering aan een fantastische dag.

Met een glimlach en een diepe buiging beantwoordt hij mijn gedachten. 'Zoals je wilt.' Hij pakt mijn hand. 'Versailles blijft.'

'En dit?' Ik speel met de kraag van zijn crèmekleurige blouse, waardoor hij lacht op een manier die ik lang niet meer heb gehoord.

'Ik wilde me nog wel even verkleden voor ik thuis ben, als je dat goedvindt.'

Ik houd mijn hoofd schuin en tuit mijn lippen terwijl ik hem in me opneem. 'Maar ik vind je leuk zo. Je bent zo knap – zo nobel, koninklijk zelfs. Het geeft me het gevoel dat ik je zie zoals je echt bent, in jouw favoriete periode.'

'Ik vond ze allemaal wel leuk – sommige meer dan andere, maar elk tijdperk had wel iets. Trouwens, jij ziet er ook adembenemend uit, zo.' Hij laat zijn vingers over de juwelen glijden en langs het lijfje van mijn jurk omlaag. 'Maar als we thuis niet heel erg willen opvallen, moeten we ons toch echt verkleden.'

Ik zucht als de achttiende-eeuwse kledij plaatsmaakt voor onze Californische outfits.

'En nu?' Hij stopt mijn amulet terug onder mijn jurkje. 'Mijn huis of het jouwe?'

'Geen van beide.' Ik pers mijn lippen op elkaar. Hij zal het niet leuk vinden om te horen, maar ik wil graag eerlijk tegen hem zijn in die paar momenten dat dat lukt. 'Ik moet naar Jude toe.'

Hij krimpt ineen – al zie ik dat alleen omdat ik oplet. Ik wil dat hij weet wat Jude allang doorheeft: dit is geen wedstrijd. Dat is het nooit geweest. Damen heeft mijn hart eeuwen geleden veroverd en sindsdien is het van hem.

'Hij heeft een ongelukje gehad.' Ik probeer kalm te klinken en de feiten weer te geven, hoe erg die ook zijn. Ik kan de hele scène wel vanuit mijn gedachten naar de zijne projecteren, maar dat doe ik niet. Er zijn te veel details die hij niet hoeft te zien, dingen die hij verkeerd zou kunnen opvatten. Dus zeg ik hardop: 'Ik eh... heb hem aangevallen...'

'Ever!' Hij staart me geschokt aan en het liefst kijk ik een andere kant op.

'Ja, ik wéét 't.' Ik schud mijn hoofd en haal diep adem. 'Ik weet hoe het klinkt, maar het is niet wat je denkt. Ik... ik wilde bewijzen dat hij een rebel was, maar... nou ja... toen ik dus wist dat ik het mis had, heb ik hem naar het ziekenhuis gebracht.'

Hij is zichtbaar gekwetst. 'En dat heb je me niet eerder verteld, omdat...?'

Ik zucht, maar moet hem aankijken als ik verderga. 'Omdat ik me kapot schaam. Omdat ik altijd alles verkeerd doe en ik wil niet dat je je geduld met me kwijtraakt. Niet dat ik je dat kwalijk kan nemen, hoor, maar toch.' Ik krab over mijn arm, ook al jeukt het niet – een nerveuze tic van mij.

Hij legt zijn handen op mijn schouders en staart me recht in mijn ogen. 'Mijn gevoelens voor jou zijn onvoorwaardelijk. Ik veroordeel je niet. Ik raak mijn geduld niet kwijt. Ik straf je niet – ik hou van je. Dat is alles. Zo eenvoudig is het.' Hij kijkt me onderzoekend aan met zo'n warme, liefdevolle blik dat ik hem wel moet geloven. 'Er is geen enkele reden ooit iets voor me te verzwijgen. Begrijp je dat? Ik ga nergens heen, ik zal er altijd voor je zijn. Als je iets nodig hebt, als je in moeilijkheden zit of het je te veel wordt, dan hoef je maar een kik te geven en ik doe wat ik kan om je te helpen.'

Sprakeloos knik ik. Ik heb zoveel geluk met hem, dat iemand als hij van mij houdt... Ook al ben ik er niet altijd van overtuigd dat ik het verdien.

'Zorg jij maar voor je vriend, dan ga ik naar de tweeling toe. Ik zie je morgen wel weer, oké?'

Vlug geef ik hem een kus en ik laat zijn hand los nu we allebei naar een andere bestemming willen. Ik sluit mijn ogen en roep de toegangspoort op, de glimmend gouden sluier van licht die me terugbrengt.

Zo land ik voor Judes voordeur, waar ik aanklop en hem alle tijd geef om open te doen voor ik uiteindelijk toch ongevraagd naar binnen ga. Ik kijk in elke kamer van het kleine strandhuisje, zelfs de garage en de achtertuin. Dan doe ik de boel op slot en ik begeef me naar de winkel.

Maar onderweg daarnaartoe kom ik langs Romans winkel. Ik heb niet meer nodig dan een blik op de winkelruit en het naambord dat er hangt met het woord RENAISSANCE! erop. Een blik op de open deur die naar hem leidt en bingo, de magie van Zomerland is weg en dat vreemde, akelige gevoel is terug als een ongewenste indringer in mijn lijf.

Met al mijn wilskracht dwing ik mezelf door te lopen. Maar mijn benen zijn plotseling loodzwaar en werken niet mee. Mijn ademhaling is te snel en oppervlakkig.

Ik sta als vastgenageld aan de grond en kan niet vluchten. Ik móét hem vinden, hem zien en bij hem zijn. Het rare gevoel overspoelt me alsof mijn magische avondje met Damen nooit heeft plaatsgevonden. Alsof ik me nooit zo kalm heb gevoeld.

Het monster is weer wakker en eist mijn aandacht op. Ik doe

mijn best hier weg te komen voor het te laat is – maar dat is het al. Hij heeft mij gevonden.

'Goh, was je toevallig in de buurt?'

Roman leunt in de deuropening. Die blonde haren, het glimmend witte gebit en die glinsterende blauwe ogen, strak op mij gericht. 'Je ziet er wat bleekjes uit, voel je je wel goed, *love*?' Zijn gemaakte Britse accent laat zijn toon stijgen aan het einde van die zin – wat me normaal gesproken mateloos irriteert. Maar nu is het zo charmant dat ik me moet inhouden. Vanbinnen voer ik een verwoede strijd tegen die rare, overweldigende drang.

Hij lacht met zijn hoofd achterover, waardoor ik de flitsende tatoeage nog eens goed kan zien – de ouroboros die kronkelt, kruipt, me aankijkt met zijn kraaloogjes en me lokt met de lange, dunne, gespleten tong.

Ik weet alles over goed en kwaad, licht en duister, onsterfelijken en de gevaarlijke rebellen en toch doe ik een stap naar voren. Een kleine stap in de richting van mijn ondergang die algauw gevolgd wordt door een volgende, en nog een. Ik staar naar Roman – de aantrekkelijke en charmante Roman. Ik zie niets anders en wil niets anders. Heel diep in mij klinkt er nog een klein stemmetje – het roept, schreeuwt en wil dat ik luister – maar het is te zwak. Het duurt niet lang voor de drang die door me heen giert alles overstemt. En het monster wil maar één ding.

Ik sta vlak voor hem, zijn naam ligt op het puntje van mijn tong. Ik kan elk paarsblauw vlekje in zijn irissen zien en ik voel de koude rilling die ik altijd van hem krijg. Een rilling die ik eens verafschuwde, maar nu niet meer. Nu is het een prettig gevoel dat me verleidt.

'Ik wist dat dit zou gebeuren.' Hij grijnst, bekijkt me van top tot teen en haalt een hand door mijn warrige haar. 'Welkom aan de duistere kant, Ever. Je zult je hier thuis voelen.' Hij lacht en het geluid omringt me als een heerlijke, ijzige omhelzing. 'Het verbaast me niet dat je die sukkel van een Damen gedumpt hebt. Ik dacht al dat het niet lang zou duren. Al dat wachten, doemdenken en dat verdomde gewetensonderzoek van hem. O, en al die goede daden...' Hij schudt zijn hoofd en trekt een grimas alsof de gedachte alleen al hem pijn bezorgt. 'Dat je het zo lang hebt volgehouden! En waarom eigenlijk? Want... niet om het een of ander, *love*, maar er staat je geen beloning te wachten in de toekomst. Dit ís je toekomst.' Hij stampt met een voet op de grond. 'Zonde van de tijd, dat is het. Waarom zou je voldoening uitstellen als je haar meteen kunt krijgen? Je kunt een hoop plezier en genot hebben, Ever. Van een onvoorstelbare omvang. Maar je hebt geluk – ik ben vergevingsgezind. Ik ben helemaal bereid om hierin jouw gids te zijn. Dus zeg het maar, *darling*, waar zullen we beginnen? Mijn slaapkamer of de jouwe?'

Zijn vingers strelen langs mijn wang en nek omlaag naar de hals van mijn jurkje. Het voelt koud en ijzig, maar toch leun ik verder naar hem toe. Met gesloten ogen laat ik me meeslepen door dat gevoel, vurig hopend dat zijn hand nog lager zakt en verdergaat. Wat hij ook van plan is, ik doe mee...

'Ever? Ben jij dat? Is dit een of ander fugging geintje?'

Ik open mijn ogen en zie Haven achter ons staan, met toegeknepen ogen vol venijn van mij naar Roman kijkend. Ze houdt die blik, zelfs als hij begint te lachen en me wegduwt, een razendsnelle afwijzing, alsof het allemaal niets betekende.

'Ik zei toch dat ze terug zou komen?' Zijn ogen glijden over mijn lichaam, dat trilt en bezweet is, vol onbeantwoord verlangen. Het kwetst me diep als hij zijn arm om háár heen slaat. Samen draaien ze zich van me af en ze lopen naar binnen, terwijl ik Roman nog hoor zeggen: 'Je kent Ever. Die geeft niet gauw op.'

Elf

Ik zet het op een lopen.

Binnen enkele seconden ben ik straten verder en voorbijgangers zien niet meer dan een merkwaardig waas voorbijschieten. Wat kan mij het ook schelen. Het maakt me niet uit wat zij zien of denken. Er telt maar één ding: ik moet dit afschuwelijke gevoel, dit monster, kwijt zien te raken en mijn oude ik terugkrijgen.

Ik storm binnen op het moment dat Jude de winkel wil sluiten. Bijna loop ik hem omver, maar hij springt net op tijd opzij.

'Ik heb hulp nodig.' Puffend, hijgend en gebroken sta ik voor hem. 'Ik... ik weet niet... waar ik anders heen moet.'

Hij kijkt me nauwlettend aan met gefronste wenkbrauwen en toegeknepen ogen. Dan loopt hij voor me uit naar zijn kantoortje, waar hij met zijn voet een stoel erbij trekt en gebaart dat ik moet zitten.

'Rustig aan,' zegt hij sussend. 'Diep ademhalen. Wat het ook is, Ever, ik weet zeker dat we het kunnen oplossen.'

Ik schud mijn hoofd en leun naar voren. Mijn handen grijpen de stoelleuning stevig vast en ik moet me dwingen niet terug te rennen naar díé plek. 'En zo niet?' vraag ik met grote ogen, rode wangen en een hoge piepstem. 'Wat als het niet opgelost kan worden? Wat als ik... gewoon stuk ben?'

Hij loopt om het bureau heen en laat zich op zijn stoel vallen en draait dan halve rondjes terwijl hij me bedaard en kalm bekijkt zonder een spier te vertrekken. Er is iets aan die beweging, dat rustige draaien, dat me op mijn gemak stelt. Ik kan nu rustig achteroverleunen, mijn ademhaling wordt langzamer en ik kijk naar de dreadlocks die voor de kleurige afbeelding van Ganesh op zijn T-shirt hangen.

Ik voel me beter, alweer bijna menselijk. 'Het spijt me dat ik zo binnenval. Ik kwam eigenlijk langs om dit af te geven.' Ik pak mijn tas en zoek naar het kleine, witte zakje dat ik hem overhandig. Terwijl hij erin gluurt, zeg ik: 'Het zijn je medicijnen. Ik heb ze eerder al gehaald en wilde ze op je bureau achterlaten, maar ik ben het vergeten.' Hij knikt en kijkt me een poosje aan zonder iets te zeggen. 'Ever, wat is er aan de hand? Je bent hier vast niet om over mijn pillen te praten.' Hij duwt het zakje opzij met zijn gipsen arm. 'Geloof me, ik ben toch niet van plan ze te slikken. Pijnstillers en ik gaan niet goed samen. Dat heb je al gemerkt.'

Als hij opkijkt, realiseer ik me dat hij zich alles herinnert. Alles wat hij me heeft verteld.

Frunnikend aan de zoom van mijn jurkje kijk ik weg en ik bijt op mijn lip. Als ik wat zeg, is het alleen om de stilte te doden. 'Neem dan in elk geval de antibiotica – om eventuele infecties tegen te gaan en zo...'

Hij leunt naar achteren, legt met zijn enkels gekruist zijn voeten op zijn bureau en richt die fantastische groene ogen op mij. 'Zullen we erover ophouden? Ik kom liever ter zake, dus vertel me maar wat er met jou aan de hand is.'

Ik haal diep adem, trek mijn jurkje over mijn knieën en kijk hem dan pas aan. 'Ik kwam echt langs voor die medicijnen, hoor. Maar onderweg... gebeurde er iets en...' Ik weet dat ik het gewoon moet zeggen, en snel een beetje voor zijn geduld op is. 'Ik vrees dat ik Roman aan mij heb gebonden... per ongeluk.'

Hij probeert niets te laten merken, maar ik zie de aarzeling.

'Om eerlijk te zijn heb ik mezelf aan hem gebonden. Maar niet expres. Dat ging per ongeluk. Ik wilde het tegenovergestelde doen, maar toen ik dat probeerde terug te draaien, werd het alleen maar erger. Je bent niet verplicht me hierbij te helpen, hoor. Maar geloof het of niet, ik weet niet wie ik anders moet vragen.'

'Niet? Is er verder niemand?' De wenkbrauw met het litteken schiet omhoog.

Wat ik nu ga zeggen, moet meteen goed en overtuigend zijn. Dus na een diepe zucht, doe ik mijn best. 'Ik weet wat je denkt, maar zet dat maar uit je hoofd. Ik kan het Damen niet vertellen – hij mag niet weten wat ik gedaan heb. Hij doet niet aan magie – vertrouwt het voor geen meter – dus kan hij me ook niet helpen. Dan kwets ik hem en ik stel hem teleur voor niets. Maar jij, jij bent anders. Jij hebt ervaring met spreuken. En ik heb hulp nodig van iemand met kennis van magie. Dus hoopte ik dat jij me kon laten zien hoe ik dit moet rechtzetten.'

'Dat veronderstelt wel dat je een hele hoop vertrouwen in mij moet hebben.' Hij gooit de dreadlocks over zijn schouder naar achteren en rust zijn armen in zijn schoot.

'Misschien,' zeg ik schouderophalend. 'Maar volgens mij zit dat wel goed. Ik bedoel, nu ik heb bewezen dat je niet kwaadaardig bent...' Ik geef een hoofdknik naar zijn armen en opeens krijg ik een ingeving – iets wat ik binnenkort wel zal voorstellen. Het kon wel eens de perfecte manier zijn om het goed te maken. Maar dat komt nog wel. Eerst moeten we hier doorheen. Ik slik en wend mijn blik af, omdat ik het vreselijk vind dit te moeten toegeven, hardop nog wel. Maar het kan niet anders. 'Het is net alsof ik geobsedeerd ben door Roman.' Een vluchtige blik toont me dat hij verbleekt, maar verder zijn best doet niet te reageren. Daar ben ik hem dankbaar voor. 'Ik ben op hem gefixeerd. Ik kan alleen nog aan hem denken. En over hem dromen. Wat ik ook doe, het houdt niet op.'

Judes hoofd beweegt op en neer als hij diep nadenkt. Het is net alsof hij in gedachten door een boek bladert vol spreuken om andere magie ongedaan te maken, op zoek naar de juiste. 'Dat is een lastige, Ever.' Hij haalt diep adem en staart me aan. 'Het ligt nogal... ingewikkeld.'

Ja, zover was ik ook al, denk ik met mijn handen ineengeslagen.

'Spreuken om iemand te binden...' hij wrijft met zijn gips over zijn kin, 'die zijn niet altijd ongedaan te maken.'

Ik leun naar voren en probeer rustig te blijven en gewoon te praten ondanks mijn snellere ademhaling. 'Ik dacht dat je alles kon terugdraaien? Mits je de juiste spreuk op het juiste moment gebruikt? Ja, toch?'

Zijn schouderophaling is zo definitief dat mijn maag zich omdraait. 'Sorry. Ik kan je alleen vertellen wat ik geleerd heb in al die jaren dat ik me hiermee bezighoud. Maar jij hebt *Het Boek der Schaduwen* en de zogenaamde code om de code te kraken... Dus zeg jij het maar.'

Zuchtend leun ik naar achteren, druk plukkend aan mijn jurkje. 'Dat boek helpt totaal niet. Ik bedoel, ik heb zo'n beetje gedaan wat Romy en Rayne zeiden... Bijna alles gedaan wat ik de eerste keer deed en...'

Hij kijkt ineens oplettend. 'Heb je precíes hetzelfde ritueel uitgevoerd?'

'Eh... ja, voornamelijk wel. Ik bedoel, om een spreuk ongedaan te maken moet je dezelfde stappen herhalen als de eerste keer. Dat staat zo in het boek en de tweeling zei het ook.'

Hij knikt en zegt verder niets. Het is duidelijk dat hij zich zit in te houden.

'Daarom snap ik niet wat er verkeerd is gegaan. Ik bedoel, ik dacht ook dat het lukte, maar toen... Opeens raakte ik alle controle kwijt en het hele ritueel herhaalde zich, in dezelfde volgorde als de eerste keer.'

'Ever, ik weet wel dat je alle stappen hebt herhaald, maar heb je ook dezelfde instrumenten gebruikt? Dezelfde kruiden, kristallen en andere onderdelen?'

'Sommige wel, andere waren nieuw.' Ik haal mijn schouders op. Wat maakt dat nou uit?

'Wat was je belangrijkste instrument – waardoor de magie echt in werking trad?'

'Na het reinigende bad...' Met mijn ogen naar het plafond geslagen denk ik terug en het antwoord is er meteen. 'De athame.' Ik kijk hem aan en we weten dat dit het is – hier is het op stukgelopen. 'Ik gebruikte het om mijn bloed te laten vloeien...'

Zijn ogen worden groot, zijn gezicht bleek en zijn aura begint te trillen op een manier die me kippenvel bezorgt. 'Was dat dezelfde athame waarmee je mij aanviel?' vraagt hij, hoorbaar geschrokken en angstig.

Ik zie zijn opluchting als ik mijn hoofd schud. 'Nee, dat was een gemanifesteerde kopie. De echte ligt thuis.'

Blij dat te horen, knikt hij, maar gaat dan meteen verder. 'Je wilt het vast niet horen, maar dat is nou juist het voorwerp dat nieuw had moeten zijn. Je moet de godin iets bieden wat nieuw is, nog zuiver en ongebruikt. Je kunt haar niet eren met dezelfde, aangetaste instrumenten die je voor de koningin van de onderwereld gebruikt hebt.'

O.

Hij kijkt me droevig aan en zijn ogen staan vermoeid. 'Ik zou je dolgraag helpen, echt waar. Maar hier weet ik te weinig van. Misschien moet je Romy en Rayne vragen, die lijken er meer verstand van te hebben.'

'Is dat wel zo?' Ik weet niet wat ik daarmee wil zeggen, maar ik denk hardop verder. 'Want het zit zo: ik heb naar ze geluisterd. Ik heb gedaan wat ze zeiden. Ja, ze waren het niet eens met de athame, omdat ik hem verkeerd gemaakt zou hebben. Ze wilden dat ik hem omsmolt tot een klompje metaal, maar toen ik weigerde, lieten ze het erbij. Ze hebben nooit gezegd dat ik hem niet meer mocht gebruiken of dat ik nieuwe instrumenten nodig had om de spreuk terug te draaien. Dat zijn ze dan weer "vergeten" te melden.'

Onze blikken kruisen elkaar en we vragen ons hetzelfde af. Waarom zouden ze dat doen? Met opzet? Hebben ze echt zo'n hekel aan me? Jude wuift het idee sneller weg dan ik. Maar hij kent onze geschiedenis niet. Die is zo ingewikkeld en instabiel dat ik het nog niet van me af kan zetten.

'Luister, ze zijn erg gehecht aan Damen. Zoveel als ze van hem houden, hebben ze een hekel aan mij. Nee, echt.' Ik knik, wetend dat ik niet overdrijf en dat dit de waarheid is. 'En ondanks het feit dat ze zogenaamd goede heksen zijn, zie ik ze hier wel voor aan. Om mij een lesje te leren, of zelfs om mij en Damen uit elkaar te drijven. Ik weet ook niet wat ze van plan zijn. Misschien was het niet opzettelijk en wisten zij ook niet beter. Dan nog kan ik het ze niet vragen. Want als het wel expres was, dan zeggen ze het tegen Damen en hij mag hier niets over te weten komen... Ik kan hem dat niet aandoen. En zo niet, dan hebben ze weer iets wat ze tegen me kunnen gebruiken.'

Jude kijkt me vastberaden aan als hij naar me toe buigt. 'Ever, ik begrijp je dilemma, echt waar. Maar vind je niet dat je de laatste tijd nogal paranoïde klinkt?'

Met mijn ogen half dicht leun ik naar achteren. Heeft hij ook maar iets gehoord van wat ik net zei?

'Eerst beschuldig je mij ervan een rebel te zijn. Ik weet trouwens nog steeds niet eens wat dat betekent, behalve dat het iets met Roman te maken heeft. Die volgens jou de leider is van een clubje slechteriken. Je beweert dat je hem haat, maar tegelijkertijd smacht je naar hem dankzij een mislukte toverspreuk. En ook al heb je geen bewijs, het is volgens jou heel goed mogelijk dat Romy en Rayne je willen dwarszitten en daarom hebben ze belangrijke informatie achtergehouden in hun instructies, waardoor jouw magie zou mislukken en jij en Damen misschien uit elkaar gaan. Nu we het toch over Damen hebben, je bent er ook van overtuigd dat hij je nooit kan vergeven voor al je blunders en...' Hij haalt adem en schudt zijn hoofd. 'Snap je wat ik wil zeggen?'

Met mijn armen over elkaar en mijn ogen half dicht kijk ik boos voor me uit. Ik weiger dit toe te geven en bovendien is het allemaal niet zo eenvoudig. Het gaat veel dieper.

'Ever, alsjeblieft. Ik wil je helpen, dat moet je nu wel doorhebben. Maar ik wil ook doen wat juist is. Je moet hierover praten met Damen. Hij begrijpt het vast wel...'

'Ik heb je al gezegd dat hij magie niet vertrouwt en me ervoor heeft gewaarschuwd. Ik wil niet dat hij weet dat ik niet naar hem heb geluisterd, of hoe diep ik ben gezonken.'

Jude kijkt me aandachtig aan en zegt in een halve zucht: 'Ah. Maar het is dus geen probleem om mij in vertrouwen te nemen?' Hij probeert te glimlachen, maar het gevoel bereikt zijn ogen niet.

Ik haal diep adem en kijk hem strak aan. Ik moet eerlijk tegen hem zijn. 'Geloof me, zo prettig voel ik me hier ook niet bij. Maar ik heb niemand anders. Als je er liever niets mee te maken wilt hebben, hoef je dat maar te zeggen en ik...'

Ik pak de armleuningen vast en duw mezelf overeind om op te stappen. De verleidelijke blik in die groene ogen houdt me echter op mijn plek. Hij trekt een la open en doorzoekt de inhoud. 'Ik ben er nu toch al bij betrokken. Dus laten we maar eens zien wat ik voor je kan doen.'

Twaalf

'Ik dacht al dat ik naar Florence moest vliegen zonder een laatste afscheid van jullie!' Miles slaat zijn armen om me heen en omhelst me stevig. Hij kijkt over mijn schouder naar Damen met een voorzichtige blik en fluistert: 'Blij te zien dat jullie weer bij elkaar zijn.'

Ik maak me los en kijk hem vragend aan. De laatste keer dat ik hem zag, tijdens het afscheidsfeest vorige week bij mij thuis, raadde hij me nog aan Damen te dumpen en mijn geluk te zoeken bij Jude.

Hij ziet de blik en alsof hij mijn gedachten kan lezen, begint hij te grijnzen. 'Ik wil je graag gelukkig zien, is dat zo erg?' Hij zwaait halfslachtig naar Damen. 'Huh, ik wil iedereen graag blij en gelukkig zien! En daarom moet je vooral niet naar een andere kamer gaan dan deze en ook de achtertuin maar vermijden.'

Damen drukt me steviger tegen zich aan in een beschermende omhelzing. Op bezorgde toon vraagt hij: 'Dus er staat iemand op de gastenlijst van wie we niet blij worden?'

Ik kijk van de een naar de ander, maar ik weet het antwoord al. Ik wist het zodra we uitstapten en over de oprit naar de voordeur liepen. Op dat moment kwam dat vreemde, hardnekkige gevoel weer opzetten, waardoor ik het zeker wist. En meer hoefde ik niet te weten.

Roman is hier.

De rest is niet belangrijk.

Miles trekt een scheve mond en laat zijn hand door zijn korte, donkere haar glijden. 'Nee, joh, er is helemaal geen gastenlijst. Sinds twaalf uur komen er gewoon steeds mensen langs en dat houdt maar niet op. O, en mocht je het je afvragen: ik weet alles over jou en Haven, dus...'

'Pardon?' Ik tuur naar hem en zijn aura en zie dat zijn gebruikelijke, goedbedoelende geel plotseling een vertwijfelde, grijze tint vertoont.

Hij tuit zijn lippen en schudt zijn hoofd. 'Luister, ik weet alles, ze heeft het me verteld. Ik zou dolgraag hier blijven en jullie helpen dit op te lossen, maar...'

'Wat zei ze? Wat zei ze precíés?' Mijn blik boort zich in Miles' ogen en Damen houdt me nog steviger vast. Bij ons allebei gaan de alarmbellen af, maar Miles schudt zijn hoofd en trekt een denkbeeldige rits dicht over zijn mond.

'Nee, zet dat maar uit je hoofd. Ik meen het, Ever, vergeet het maar. Ik weet alleen dat jullie niet meer tegen elkaar praten. Wat de rest betreft, ben ik als in Zwitserland. Helemaal neutraal. Ik kom niet tussenbeide. Want om eerlijk te zijn wil ik hier helemaal niet blijven om het op te lossen. Ik probeerde alleen maar aardig te zijn. Ik kan niet wachten naar Florence te vertrekken. Jullie zoeken het maar mooi zelf uit. En dat meen ik serieus, want ik wil niet iemands kant moeten kiezen als ik terug ben. Jij hebt een kleine voorsprong vanwege de dagelijkse lift naar school en zo, maar toch... ik ken Haven langer en dat is ook wat waard.' Hij doet zijn ogen dicht en schudt zijn hoofd, alsof het hem allemaal te veel wordt.

'Miles, alles goed en wel, maar het is echt noodzakelijk dat we weten wat Haven je precies heeft verteld.' Damens stem klinkt laag, dwingend en vastberaden. Als Miles niet vertelt wat hij weet, dan is het voor Damen geen probleem zijn belofte te vergeten om nooit de gedachten van onze vrienden te lezen, zoveel is duidelijk. Dan komt hij er op die manier wel achter. 'Ze zal er van ons niets over horen, als je daar bang voor bent. Maar we moeten het echt weten.'

Miles zucht overdreven en rolt met zijn ogen. 'Et tu, Damen?' Hij kijkt van hem naar mij en is niet blij met de druk die we uitoefenen. 'Oké, ik zal het zeggen, maar alleen omdat ik morgen om deze tijd hier weg ben en heerlijk boven de wolken vlieg, films kijk die ik allang gezien heb en me volprop met zoutjes en andere dikmakers. Maar als het tegenvalt, moet je bedenken dat je er zelf om gevraagd hebt.' Er volgt een pauze voor effect en hij kijkt opeens heel ernstig. 'Ze zei dat jullie haar met alle geweld van Roman proberen te scheiden. Want – en vergeet niet: dit zijn haar woorden, niet de mijne, ik geef het ook maar door – maar ze denkt dat jullie jaloers zijn. Nou, Damen niet echt, maar Ever zeker. Ze denkt dat Ever jaloers is omdat... en dit zijn dus weer haar woorden...' Hij schraapt zijn keel voor het schorre effect dat past bij Havens intonatie. 'Omdat ik nu eindelijk een keer zelf in de schijnwerpers sta en Ever het niet kan uitstaan dat zij niet meer uniek is,' imiteert hij haar. Hij rolt met zijn ogen en schudt zijn hoofd. Ik voel me schuldig dat we hem hebben gedwongen dit op te biechten, maar stiekem ben ik dolblij dat het niet is wat ik vreesde. Ja, ze haat me, maar ze heeft haar onsterfelijkheid geheim weten te houden – voorlopig dan.

Damen knikt kalm en beheerst, maar ook hij is opgelucht. Ik kijk Miles weer aan en haal nonchalant mijn schouders op. 'Wauw. Het spijt me dat te horen.'

Eigenlijk maakt het me helemaal niet uit. Die rare magie roert zich in me, mijn hart bonkt als een razende, mijn handpalmen zweten en dat rusteloze, prikkelende gevoel dreigt me te overspoelen. Ik wil deze twee zo snel mogelijk dumpen, zodat ik hém kan zoeken. Roman. Ik voel een drang die ik niet kan negeren, wat het ook met mijn vrienden of mij doet.

Ik slik en haal langzaam en gecontroleerd adem om kalm te blijven. Ik houd me vast aan het laatste sprankje gezond verstand dat nog over is te midden van alle chaos.

'Maar dat is het dus. Een ordinaire ruzie tussen twee meiden.' Hij haalt zijn schouders op. 'Jammer genoeg kan ik zoiets niet waarderen – jij misschien wel.'

Hij gebaart naar Damen, maar die ontkent het zonder aarzeling. 'Geloof me, daar ben ik lang geleden al op uitgekeken.' Hij knikt en een bezorgde uitdrukking glijdt vluchtig over zijn gezicht – een herinnering aan mij en Drina die weer verdwijnt voor ik kan knipperen.

Miles knikt en kijkt ons beurtelings aan. 'In een ding heeft ze natuurlijk wel gelijk...'

Damens houding verandert minimaal, op zijn hoede voor wat er komt. Naast hem sta ik als een nerveus wrak, hopend dat híj naar me toe komt.

'Ze ziet er tegenwoordig echt veel beter uit. Ik weet niet of het door die postapocalyptische, rock-'n-roll-zigeunerlook van haar komt, maar volgens mij heeft ze haar identiteit en haar draai gevonden, snap je wat ik bedoel? Ze was ook zo lang zoekende. Het moet heel heftig voor haar zijn eindelijk voor zichzelf op te komen. Dus geef haar een beetje de ruimte, oké? Ze draait wel weer bij. Uiteindelijk. Voorlopig moeten we haar maar laten gaan en het niet persoonlijk opvatten. Althans, dat geldt vooral voor jullie, want ik ga naar Florence, had ik dat al gezegd?'

Automatisch knik ik, als een robot, met mijn gezicht in een passende grimas. Ik hoop dat ik vriendelijk, lief en aardig overkom, want vanbinnen ben ik rusteloos en strijdlustig. Ik laat haar niet zomaar haar gang gaan als dat betekent dat we Roman op de koop toe moeten nemen.

Echt.

Niet.

Maar dat zeg ik niet hardop. Ik zeg helemaal niets. Ik haal mijn schouders op alsof het me niet interesseert en kijk de kamer rond. Ik wacht rustig af tot mijn favoriete blonde jongen met de blauwe ogen verschijnt.

'Nou ja, wat ik dus bedoel is dat ik niet van plan ben iemands kant te kiezen, wat er ook tussen jullie gebeurt. Jullie blijven allebei welkom hier. Waarmee ik niet wil zeggen dat ik haar hele vriendenclub ook heb uitgenodigd, trouwens. Dat was haar idee. Maar vertel haar maar niet dat ik dat zei, want Roman kan soms nogal...' Hij fronst zijn wenkbrauwen en staart voor zich uit, zoekend naar de juiste woorden. 'Nou ja, laat maar zitten. Laten we zeggen dat er iets raars met hem is – iets wat niet helemaal klopt, of zo. Ik kan het niet uitleggen, maar ik had hetzelfde gevoel eerder al bij Drina.'

Na die uitspraak kijkt hij afwachtend naar ons, op zoek naar bevestiging dat hij niet de enige is die iets gemerkt heeft. Mijn gedachten zijn elders, maar Damen en ik zitten op dezelfde golflengte en we zijn niet van plan hem iets te laten merken.

'Laat ook maar weer.' Miles haalt zijn schouders op. 'Hij maakt haar gelukkig en dat is wat telt. Ik bedoel, we kunnen er toch niets aan veranderen.'

Ha, je moest eens weten, denk ik. Maar ik pers mijn lippen op elkaar en wend mijn blik af om me in te houden.

'Ik bedoel, serieus...'

Miles jammert nog even door terwijl ik mijn kans grijp zijn gedachten te lezen. Niets diepgravends, hoor, het is gewoon een vlugge blik in zijn hoofd. Hij is enthousiast over zijn reis en nerveus dat hij Holt moet achterlaten, maar hij weet totaal niets af van het bestaan van rebellen of onsterfelijken of iets dergelijks.

'Dus je hebt nu acht weken – twee hele maanden – om het uit te praten. Ik reken op jou, Ever. Want we weten allemaal hoe koppig Haven kan zijn. Ik hou van haar, echt waar, maar ze vindt het nu eenmaal belangrijker om altijd gelijk te hebben. Ze vecht door tot het bittere einde als het moet, zelfs al zit ze ernaast.'

Ik knik, klaar met zijn gedachten en met een hernieuwde belofte dat nooit meer te doen. Damen vist iets uit zijn broekzak en geeft Miles een papiertje, netjes opgevouwen tot een vierkant. Waarschijnlijk heeft hij dat briefje zojuist gemanifesteerd.

'Dit is het lijstje dat ik je beloofd had.' Hij knikt als reactie op Miles' niet-begrijpende blik. 'De plekken in Firenze die het bezoeken waard zijn, die je niet wilt missen. Het is vrij lang geworden, dus dat houdt je de komende weken wel zoet.' Zijn blik is kalm en cool, zonder enig spoor van bijbedoelingen. Hij probeert Miles te overtuigen, maar ik weet beter. Het gaat hem erom Miles weg te houden van de locaties die Roman hem een paar weken geleden heeft aangeraden. Al weet ik niet waarom.

Ik heb het hem wel gevraagd, maar toen sloeg hij dicht en hij weigerde antwoord te geven. Ik weet alleen dat Roman een of andere afgelegen plek heeft genoemd waar zogenaamd zeldzame antiquiteiten te zien zijn. Daar maakt Damen zich zorgen over, al snap ik dus niet waarom. Zijn eigen schilderijen zijn verloren gegaan tijdens de brand die hij vierhonderd jaar geleden zelf gesticht heeft. Zijn collectie heeft die brand niet overleefd, en hij ook niet – voor zover zijn tijdgenoten wisten.

Miles laat zijn ogen over de namen glijden, vouwt het briefje op en stopt het in zijn zak. 'Ik heb gisteren mijn overvolle rooster gezien en geloof me, ik mag blij zijn als ik aan slapen toekom. Ze willen echt dat we welke seconde bezig zijn onszelf te verbeteren. Je weet wel, als een echt acteerkámp. Het is niet de lekker relaxte vakantie in Italië die ik dacht.'

Heel kort is de opluchting op Damens gezicht te zien terwijl hij knikt. Ik had het gemist als ik had geknipperd, maar dat deed ik niet. Ik zag het. En als Roman niet zo prominent in mijn gedachten aanwezig was, zou ik hem hebben gevraagd wat het betekende. Maar nee, ik sta daar maar en kan niet ontkennen dat de warmte en tintelingen van Damen steeds meer worden weggevaagd door het pulserende ritme van het dringende gevoel in mij.

Een gevoel dat zich totaal niet laat afleiden door Jude die naar ons toe komt.

Hij blijft staan, knikt vriendelijk naar me en richt zich dan tot Damen. Ze verstarren allebei en zetten een brede borst op – het is zo'n primitief gebaar dat het me doet denken aan wat Jude laatst zei over de oerdriften tussen twee rivalen.

Twee aantrekkelijke, slimme, getalenteerde jongens die vechten om mij. En ik kan alleen maar denken aan nummer drie in de kamer hiernaast. Het vriendje van mijn beste vriendin. Degene die even kwaadaardig als onweerstaanbaar is.

Damen wijst op Judes armen in gips en verband. 'Dat doet vast zeer.'

Zijn intonatie, in combinatie met zijn gezichtsuitdrukking, laat in het midden of hij dat vooral lichamelijk, of meer emotioneel bedoelt. Aangezien we alle drie weten dat ik ervoor verantwoordelijk ben.

Jude haalt zijn schouders op, een nonchalant gebaar waardoor de dreadlocks langs zijn armen naar voren vallen. Hij kijkt mij aan. 'Ik heb me wel eens beter gevoeld. Maar Ever doet haar best om het goed te maken.'

Miles kijkt nieuwsgierig tussen ons heen en weer met een vertrokken gezicht. 'Wacht eens... beweer je nou dat Ever je dat heeft aangedaan?'

Niet wetend wat hij daarop antwoordt, kijk ik Jude bezorgd aan. Ik weet nog net een zucht van verlichting te onderdrukken als hij begint te lachen en heftig zijn hoofd schudt.

'Nee, ze helpt mee in de winkel,' zegt hij. 'Dat is wat ik bedoelde, niets dubbelzinnigs. Ik zou me rot schamen als ik in elkaar was geslagen door een meisje.'

Zodra hij dat zegt, proest ik het uit. Iedereen is ook zo stil dat de spanning te snijden is. Maar het komt ook door mijn zenuwen, de spanning die ik voel. Ik weet gewoon niet hoe ik me moet gedragen. Helaas komt het eruit als zo'n afschuwelijk, geforceerd lachje. Zo'n wanhopig, schel gekakel dat het ongemakkelijke moment alleen maar erger maakt.

Damen blijft stoïcijns en peinzend naast me staan, zich afvragend wat het beste is voor ons – voor mij – al heeft hij daar niet altijd antwoord op. Ik voel me schuldig. Het komt allemaal door mij. Ik ben een slechte vriendin, en nu verlang ik ook nog naar degene die ons constant dwarszit. Ik sluit mijn ogen en stuur Damen telepathisch een enorme bos rode tulpen om het goed te maken. Maar die ontvangt hij niet. Hij ziet een druipende, mismaakte rode vlek op een paar kromme, groene stelen. Het zieligste boeket ooit.

Vol bezorgdheid kijkt hij me aan, maar het is Jude die spreekt. 'Zeg eh... ik ga ervandoor. Dus Miles...' Hij tikt Miles' handpalm aan met zijn gips als een gebaar ergens tussen handen schudden en een high five in. 'En Ever...' Hij houdt mijn blik net iets te lang vast, waardoor ik ineenkrimp, wat iedereen duidelijk ziet. Deed hij dat expres, zodat Damen merkt dat ik me in nood tot Jude gewend heb? Of is hij zo'n slechte toneelspeler dat hij niet kan verbergen dat we samen een geheim hebben? Dan kijkt hij naar Damen en de twee wisselen een beladen blik die ik niet begrijp en die pas wordt afgebroken als Miles hem naar de deur begeleidt. Meer heb ik niet nodig om te beseffen dat ik moet doen wat juist is. Ik moet Damen niet langer op een afstand houden en de hulp accepteren die hij allang heeft aangeboden.

Ik pak zijn arm vast en kijk hem lang aan, met de bedoeling hem alles te vertellen. Plotseling voelt mijn keel dichtgeknepen aan, waardoor ik niets kan uitbrengen en zelfs nauwelijks kan ademen. In plaats van een bekentenis, volgt er een flinke hoestbui en mijn hoofd loopt rood aan.

Als Damen zijn arm om me heen slaat en vraagt of alles wel gaat, moet ik de neiging onderdrukken hem weg te duwen. Ik moet al mijn kracht verzamelen om dat niet te doen en me normaal te gedragen. Ik sluit mijn ogen, laat mijn hoofd hangen en wacht tot de bui zakt. Eén ding weet ik zeker: ik ben verloren. Het monster is wakker en alert en het laat Damen absoluut niet tussen mij en Roman komen.

Miles trekt de voordeur dicht, draait zich weer naar ons en zegt: 'Nee, hoor, dat was helemaal niet raar.' Hij zucht en schudt zijn hoofd.

Ik rommel druk in mijn tas tot ik vind wat ik zoek. Een klein deel van mij is nog bij z'n gezonde verstand en weet dat ik moet opschieten, hem het cadeau geven en dan maken dat ik wegkom voor het te laat is. Voor deze vreemde magie me overmeestert en ik dingen doe waarvan ik spijt krijg. Roman komt steeds dichterbij, dat voel ik. Ik moet 'm smeren zolang dat nog kan.

'We blijven niet lang, maar ik wilde je dit nog geven.' Ik hoop dat Miles mijn bevende handen niet opmerkt als ik hem het in leer gebonden dagboek overhandig dat uit onze winkel komt. Ik concentreer me op een rustige, diepe ademhaling om het monster in bedwang te houden. Miles laat zijn hand over het kaft glijden en bladert door het boekje met de niet-bijgesneden bladzijden. Ik probeer de zenuwen te onderdrukken als ik verderga. 'Ik bedoel, ik weet dat je waarschijnlijk je hele reis bijhoudt op je blog, maar als internet niet werkt of je wilt sommige dingen liever privé houden, dan kun je ze hierin opschrijven.'

Hij grijnst breed. 'Eerst een feestje en nu ook nog een cadeau? Je verwent me, Ever!'

Ik glimlach als reactie, maar ik hoor hem nauwelijks meer. Alles valt weg nu Roman de kamer binnenkomt.

Zodra ik hem zie, neemt het monster de controle over. Het verdrukt het laatste restje van mij dat het nog zo lang wist vol te houden. Ervoor in de plaats voel ik alleen nog maar dat zinderende, pulserende gevoel dat steeds sterker wordt.

Een enorme drang die pas ophoudt als Roman en ik één zijn.

Damen merkt de verandering in mijn energie op en houdt me stevig vast. Hij is alert, gespannen en bereidt zich voor op het ergste. Eerst komen Misa, Marco en Rafe afscheid nemen van Miles, terwijl Haven toekijkt in haar paarsfluwelen jurk die mooi contrasteert met de glans van haar perfecte, blanke huid. Haar fonkelende ogen glijden over me heen en haar vingers vol ringen tikken onheilspellend op haar heup. Als Haven nog een aura had, zou ik nu ongetwijfeld aankijken tegen een muur van donkerrood.

Niet dat ik haar energie hoef te zien om te weten wat ze voelt of denkt. Ze is nu net als ik – onsterfelijk en kortzichtig, met slechts één doel voor ogen: Roman. En ze doet er alles voor om de strijd om hem te winnen.

Van top tot teen neemt ze me in zich op. Zo verzekerd van haar krachten en haar gaven als pasgeboren onsterfelijke, dat ze mij niet serieus neemt als tegenstander.

Ze buigt zich naar Miles, omhelst hem vlug ten afscheid en maakt dan plaats voor Roman, die hem een korte mannelijke omhelzing en een klap op zijn schouder geeft, waar zijn hand nog even blijft liggen. 'Niet vergeten, hè? Als je de Ponte Vecchio bent overgestoken, meteen de steeg in, twee keer linksaf en dan is het de derde deur rechts. Het is een grote, rode deur – die kun je niet missen.' Zijn ogen schitteren als geslepen kristallen wanneer hij een blik werpt op Damen en alle kleur uit zijn gezicht ziet trekken. 'Het is de wandeling waard, *mate*, geloof me. Vraag maar aan Damen.' En dan in onze richting: 'Je kent die plek vast wel. Zeker het ommetje waard, niet?'

Damen staart Roman aan met gespannen kaken en toegeknepen ogen. Hij moet zich beheersen voor hij monotoon reageert: 'Nee, het zegt me niets.'

Met zijn hoofd schuin kijkt Roman Damen geamuseerd aan en in een dik accent zegt hij: *'You sure, mate?* Ik zou toch zweren dat ik je daar eerder heb gezien...'

'Ik betwijfel het,' houdt Damen strak en vastberaden vol met een uitdagende blik.

Roman lacht alleen maar, gooit zijn handen in de lucht in een gebaar van overgave en draait zich dan naar mij. 'Ever.'

Meer heb ik niet nodig. Te horen hoe hij mijn naam zegt... ik val meteen voor hem.

Ik smelt voor hem.

Ik volg hem overal naartoe.

Aangetrokken door de staalharde blauwe ogen, beweeg ik naar hem toe. Elke stap brengt me dichter bij de beelden die ik in zijn gedachten zie – die hij me expres laat zien. Ik zou er vroeger van over m'n nek gegaan zijn. Ik zou hem in al zijn chakra's gestompt hebben om van hem af te komen. Maar dat was toen.

Nu ben ik zo buiten adem en verhit dat het niet snel genoeg kan gaan.

Damen probeert me nog te bereiken, zowel fysiek als telepathisch. Hij stuurt een bericht en probeert me vast te grijpen, maar het is tevergeefs. Zijn gedachten zijn onverstaanbaar, verward en ik snap er niets van. Een lange reeks woorden die me niet boeit.

Alleen Roman heeft mijn interesse.

Hij is mijn zon, mijn maan, mijn sterren. Mijn hele wereld draait om hem.

Ik doe een stap dichter naar hem toe. Mijn handen trillen, mijn lichaam tintelt en ik verlang naar de koude rilling die zijn aanraking me bezorgt. Het maakt me niet uit wie het kan zien of wat ze denken – ik moet het hongerige monster in mij z'n zin geven.

Net als ik dat wil doen, die laatste stap naar voren wil zetten, loopt hij voor me langs en hij wandelt rustig naar buiten, naar zijn auto. Wankelend, onzeker, verward en snakkend naar lucht blijf ik achter. Miles weet niet wat hij moet doen en Damen kijkt zorgelijk.

Hij verzamelt al zijn wilskracht om zich staande te houden en normaal over te komen – in ieder geval zolang Miles erbij staat –

en gaat verder met het gesprek alsof er niets is gebeurd. 'Romans smaak is nogal alledaags, zo niet plat. Hou je aan mijn lijstje en je ziet veel mooiere dingen.' Hij ziet er relaxed en beheerst uit, maar ik weet dat het een masker is. Het energieveld rondom hem zegt iets heel anders.

Ik zou willen dat het me meer kon schelen. Dat ik me zorgen maak, zoals uiteindelijk wel zal gebeuren wanneer dit gevoel wegzakt en het tot me doordringt wat ik net heb gedaan. Maar dat beangstigende besef staat me ergens in de toekomst te wachten. Op dit moment kan ik alleen maar aan hém denken.

Waar gaat hij heen?

Is zíj bij hem?

En wat kan ik daartegen doen?

Miles kijkt nerveus van de een naar de ander en zou het liefst in het vliegtuig springen en wegwezen. Hij schraapt zijn keel. 'Ze zijn nou toch weg. Komen jullie gezellig bij de rest zitten? De cast zit in de spelletjeskamer en we wilden net beginnen met een opvoering van de hoogtepunten uit *Hairspray*.'

Damen wil zijn hoofd schudden, maar ik ben hem voor. Niet dat ik nou zin heb in een karaokeavond vol musicalliedjes, maar als ik mezelf wil bevrijden, dan moet ik hier blijven. In dit huis ben ik veilig. Zodra ik naar buiten ga, wil ik weer achter hém aan en als dat gebeurt, is er geen weg terug.

En ik kan de afleiding wel gebruiken. Damens vragende blik en de gekwetste uitdrukking kan ik niet onder ogen komen. Ik heb tijd nodig om te kalmeren en mijn evenwicht te hervinden. Misschien kan ik hem dan een keer de akelige, bizarre waarheid vertellen over de orkaan die binnen in mij woedt.

Ik pak zijn hand stevig vast en trek hem mee naar boven. Hopelijk verbergt het dunne laagje energie de kou en klamheid van mijn hand. Als we de spelletjeskamer binnenkomen, zwaai ik naar de rest en ik glimlach.

Miles heeft me ooit het grote geheim van acteren verteld. Het gaat allemaal om projecteren, om hoe je iets overbrengt. Als je zelf maar heilig in de leugen gelooft, dan doet het publiek dat ook.

Dertien

'Damen, ik...' Ik wil met hem praten en doe mijn best, maar de woorden komen niet. Mijn keel zit weer dicht, alsof het monster weet wat ik van plan ben en me tegenhoudt.

Damen kijkt me aan en de ongerustheid is van zijn gezicht af te lezen.

'Laten we naar Zomerland gaan,' stel ik voor, blij dat ik zoveel kan uitbrengen. 'Naar Versailles.' Ik verschuif op de zitting zodat ik hem kan aankijken en met mijn ogen kan smeken te doen wat ik vraag.

'Nú?' Hij remt af bij het stoplicht. Zijn wenkbrauwen zijn gefronst en zijn ogen halfdicht – hij bekijkt me uiterst zorgvuldig.

Ik pers mijn lippen op elkaar en probeer relaxed over te komen, alsof het allemaal niet uitmaakt wat er gebeurt. De waarheid is dat ik al nerveus en rusteloos ben sinds we bij Miles aankwamen, en nu we weg zijn is het niet veel beter. Er helpt maar één ding en dat is nu meteen naar Zomerland gaan. Alleen daar kan ik Damen in vertrouwen nemen en hem vragen om de hulp die ik zo hard nodig heb. Hier in deze wereld heb ik mezelf niet meer in de hand.

'Ik dacht dat je het daar fijn vond,' zeg ik, zijn blik behoedzaam ontwijkend. 'Ik bedoel, jij hebt die plek tenslotte zelf gecreëerd.'

Hij knikt op een manier die moet verbergen dat zijn geduld opraakt. Hij wil niet laten merken wat hij denkt. En dat kan ik nu even niet hebben, om eerlijk te zijn. Ik kan er niet tegen. Ik wil gaan, en wel meteen! Vóór dat vreemde gevoel me helemaal overspoelt.

'Ja, ik vind het er prettig,' zegt hij op lage, afgemeten toon. 'Zoals je al zegt, ik heb het zelf gemanifesteerd. Ik ben blij dat jij het er ook naar je zin hebt, maar ik maak me zorgen.'

Ik blaas een pluk haar uit mijn gezicht en sla mijn armen over elkaar om mijn frustratie te laten blijken. Ik heb hier geen tijd voor!

'Ever, ik...'

Hij steekt een hand naar me uit, maar ik ontwijk hem. Weer een symptoom van die vreselijke verslaving – en geheel onvrijwillig. Daarom moet ik hier dus weg.

Hij schudt zijn hoofd en begint opnieuw, dit keer met een droevige blik. 'Wat is er toch met je? Al dagenlang ben je jezelf niet. En daarnet, bij Miles...' Hij werpt een blik achterom voor hij van rijbaan wisselt. 'Ik wilde het niet hoeven zeggen, maar zodra je Jude zag, veranderde er echt iets aan je energieveld. En toen Roman vervolgens binnenkwam...' Hij slikt en spant zijn kaakspieren. Dan pauzeert hij even om zich te herstellen. 'Ever, wat is er in godsnaam aan de hand?'

Ik laat mijn hoofd hangen en voel mijn ogen prikken. Ik wil het hem zo graag vertellen, maar dat gaat niet – de duistere magie houdt me tegen. In plaats daarvan draai ik me naar hem toe en besluit een ruzie te beginnen. Dat mag vast wel van het monster en ik ben wanhopig genoeg alles te proberen om Damen over te halen en hem mee te krijgen.

'Dit is belachelijk!' Ik haat mezelf nu al, maar ik heb geen keus. 'Echt, hoor. Ik kan mijn oren niet geloven! Mocht je het nog niet doorhebben, mijn droom van een heerlijke zomer met jou op het strand lijkt ook niet bepaald uit te komen voorlopig. Sorry dat ik dan die paar momenten die we samen hebben graag wil doorbrengen in Zomerland!' Ik schud mijn hoofd en kijk opzij met mijn armen nog steviger over elkaar geslagen. Dat doe ik vooral om niet te laten merken hoezeer ik beef en ik het niet kan stoppen. Ik weet dat ik onredelijk en oneerlijk ben. Als hij nu maar meegaat, als ik hem maar meekrijg naar Zomerland, dan kan ik hem daar alles uit-leggen.

Ik voel zijn ogen op me rusten en weet dat hij kijkt naar de recente, donkere kringen rond mijn ogen en de verzameling puistjes op mijn kin. Mijn kleren hangen als vodden om me heen, los en slap, nu ik zoveel ben afgevallen. Hij vraagt zich af wat de oorzaak hiervan is, waarom ik alles verkeerd lijk te doen. Hij is zo bezorgd om me dat het pijn doet.

Ik zie hoe hij zijn ogen verder toeknijpt en weet dat hij me telepathisch probeert te bereiken. Maar die manier van communiceren werkt niet langer – althans, niet hier.

Als ik me naar het raam toe draai, is dat vooral om hem niet te laten merken dat ik hem niet kan horen. Ik heb geen toegang meer tot zijn gedachten, zijn energie en ook de warmte en de tinteling van zijn aanraking voel ik niet meer.

Alles is kapot. Verdwenen. Het monster saboteert alles.

Maar alleen híér. In Zomerland ben ik uitgerust, heb ik een gave huid en ben ik mezelf weer. Daar kunnen we wel samen zijn en genieten van elkaar, zoals het hoort.

'Kom alsjeblieft met me mee,' smeek ik met een zwak en schor stemmetje. 'Ik kan het uitleggen, maar alleen als we daar zijn, niet hier. Alsjeblieft?'

Hij kijkt me aan en zucht. Hij twijfelt tussen mij dit plezier gunnen en doen wat juist is.

'Nee.' Het klinkt zo ondubbelzinnig en vastberaden dat de betekenis pijnlijk duidelijk is.

Het is niet alleen 'nee' tegen Zomerland, maar ook tegen mij. Het enige wat ik nu zo hard nodig heb, en ik krijg het niet.

Hoofdschuddend en vol spijt voegt hij daaraan toe: 'Ever, het spijt me, echt waar, maar het antwoord is nee. We gaan niet. We kunnen maar beter naar huis gaan, mijn huis, waar we blijven tot dit allemaal is uitgepraat. We moeten uitvinden wat er precies met je aan de hand is.'

Onrustig en nerveus zit ik daar, met de wallen onder mijn ogen en de pukkels op mijn kin. Ik kan me nauwelijks nog inhouden als hij een lange lijst opsomt van dingen die hem zorgen baren: dat ik mezelf niet ben de laatste tijd, dat ik er zo slecht uitzie opeens, dat ik zo veranderd ben in zoveel opzichten – en geen van alle in mijn voordeel.

Eerlijk gezegd gaat alles het ene oor in en het andere weer uit, als een geroezemoes in de verte. Ik ga naar Zomerland, met of zonder hem, dat staat vast.

'Drink je je elixir nog wel? Heb je een nieuwe voorraad nodig? Ever, alsjeblieft, praat toch tegen me. Vertel me wat er is!'

Met gesloten ogen schud ik mijn hoofd en ik vecht tegen de tranen. Ik kan niet uitleggen dat ik geen controle meer heb over wat ik doe. Ik dender als een sneltrein richting de afgrond en er is niets wat ik ertegen kan doen.

Nog een laatste keer probeert hij me telepathisch te bereiken, maar het is hopeloos. Ik kan niet eens raden wat hij wil zeggen dankzij de kortsluiting in mijn systeem.

'Je hoort me niet eens meer, hè?'

Bij een zebrapad met stoplichten remt hij af en hij steekt een hand naar me uit. Gelukkig ben ik nog steeds wel vliegensvlug en ik spring uit de auto. Mijn armen zitten zo stevig om me heen geklemd dat ze bijna gevoelloos zijn. Mijn vingers prikken, mijn lichaam pulseert en ik weet dat ik hier weg moet. Als ik niet snel verdwijn, ga ik weer op zoek naar Roman. Daar heb ik niets meer over te zeggen.

'Luister.' Mijn stem trilt en slaat over, maar ik moet dit kwijt. Ik heb geen moment meer te verliezen, geen andere opties meer. 'Ik leg je alles uit zodra we daar zijn, dat zweer ik. Maar het moet in Zomerland zijn, niet hier. Dus... ga je mee of niet?' Ik klem mijn kaken op elkaar en mijn tanden knarsen, zodat ze niet klapperen en mijn lip niet begint te trillen op een veelbetekenende manier.

Hij slikt, maar met een verdrietige blik en scheef getrokken wenkbrauwen zegt hij: 'Niet.' Het kost hem vreselijk veel moeite en hij praat zo zacht dat ik het bijna niet hoor. Hij herhaalt het en voegt toe: 'Ik blijf liever hier om je te helpen.'

Zolang ik het volhoud, blijf ik staan en ik staar naar hem. Maar dat is niet erg lang. Ik wil graag terug de warme auto in en hem knuffelen zoals vroeger, zijn armen om me heen voelen en me la-

ten kalmeren door zijn warmte en de tintelingen. Ik wil alles op-
biechten wat ik gedaan heb. Alleen komt dat gevoel vanuit het kleine beetje dat nog van mij over is. Dat laatste greintje gezonde verstand dat vermorzeld dreigt te worden door het veel grotere deel
dat verlangt naar kwaadaardige, duistere dingen. Hoe verbodener
de vrucht, hoe aantrekkelijker.

Ik knik alleen maar en zie zijn verbijstering nog voor ik mijn
ogen sluit en de sluier voor me zie. De glimmende poort van licht.
Voor ik erdoorheen stap, zeg ik nog: 'Nou ja, dan doe ik het wel alleen.'

Veertien

Ik land met een smak op mijn achterste, vlak voor de kopie van het prachtige paleis waar de Franse vorsten ooit woonden. Toch blijf ik buiten staan. Ik wilde zo graag naar deze plek, maar ik wil niet zonder Damen naar binnen. Het is óns plekje – van ons samen. Waar ik een paar van de mooiste herinneringen aan heb. Dus nee, zonder hem wil ik daar niet zijn.

Ik krabbel overeind en klop mijn kleding af, terwijl ik rondkijk om te zien waar ik ben. Ik weet dat ik me alleen maar een bestemming hoef voor te stellen en ik word ernaartoe gebracht, maar ik loop liever. Een rustige wandeling in mijn eigen tempo. Ik ben bevrijd van het monster en ik wil ervan genieten, ook al houdt het zich waarschijnlijk alleen tijdelijk koest. Dan nog wil ik genieten van de rust.

Met mijn handen voor me uit, baan ik me een weg door de glinsterende mist, de vage gloed die overal vandaan lijkt te komen. De heerlijk koele lucht waait langs mijn huid en kalmeert me. Ik kom vast uit op een prachtige plek, ergens waar ik graag wil zijn. Dat is het mooie van Zomerland – alle wegen leiden naar iets goeds.

Bij de regenboogkleurige rivier die het geurende bloemenveld doorkruist blijf ik staan. Ik manifesteer een handspiegel en kijk naar mezelf. Mijn ogen zijn weer helder blauw, mijn haar glanst in volle, blonde glorie en mijn huid is weer gaaf – geen porie te zien en alle puistjes zijn verdwenen. De wallen onder mijn ogen zijn weg. Kon Damen me nu maar zien, zo goed als nieuw, helemaal zoals vroeger. Het doet me verdriet dat ik er in zijn laatste herinnering uitzie als een verloederd wezen – een monster dat ik zelf geschapen heb. Was hij nu maar meegegaan, dan had ik hem alles kunnen uitleggen.

Ik wandel door het veld met wuivende bomen en deinende bloemen. De geur van hun blaadjes achtervolgt me tot aan de harde weg die leidt naar de bewoonde wereld en de Paleizen van Kennis en Wijsheid. Daar ga ik mijn geluk nog eens beproeven. De vorige keer had het totaal geen zin, maar het is een nieuwe dag en ik ben als herboren, dus ik geloof erin dat het dit keer anders zal zijn.

Ik loop langs een paar trendy boetiekjes, een bioscoop en een kapperszaak en steek de straat over. Zo kom ik langs de galerie en een marktkoopman die kaarsen, bloemen en klein, houten speelgoed aan de man probeert te brengen. Overal zijn groepjes mensen bezig met allerlei dingen; ze vormen een interessante mengeling van levenden en doden. Dan sla ik de verlaten steeg in naar de stille boulevard die me voert naar de steile trappen. Ik haast me naar boven en staar naar de indrukwekkende voordeuren. Er is nog een laatste stap die ik moet voltooien.

Vlak voor het gebouw staar ik omhoog naar de ingewikkelde sculpturen, de imposante zuilen en het enorme, schuin aflopende dak. Ik zie een tempel gebouwd uit pure liefde, kennis en alles wat goed is. Ik verwacht de afwisselende beelden te zien, zoals het Parthenon dat verandert in de Taj Mahal, dat op zijn beurt verandert in de Lotustempel die de vorm aanneemt van de Grote Piramide in Gizeh enzovoorts. De prachtigste en heiligste plekken ter wereld wisselen elkaar af en lopen naadloos in elkaar over, constant vervormend en zich aanpassend aan de volgende. Maar er gebeurt niets. Ik zie helemaal niets, afgezien van het indrukwekkende marmeren gebouw dat trots boven me uittorent. De wisselende beelden die ik hoor te zien om naar binnen te mogen, blijven onzichtbaar.

Ik sta op de zwarte lijst.

Ik ben verstoten.

Het is de enige plek waar ik de oplossing kan vinden voor mijn ellende en ik mag er niet meer in.

Zelfs als ik doe alsof en de herinnering aan de afwisselende gevels in mijn hoofd afspeel in de juiste volgorde, gebeurt er niets. De Paleizen van Kennis en Wijsheid laten zich niet misleiden door een bedriegende loser als ik.

Ik laat me neerploffen op de trap met mijn hoofd in mijn handen. Zo erg staat het er dus voor met me, zo diep ben ik gezonken. Ik heb mijn dieptepunt bereikt – het kan toch niet veel erger dan afgewezen worden in Zomerland?

'Pardon!' roept een vrouwenstem.

Ik schuif opzij en trek mijn benen in, me afvragend waarom dat bazige marktwijf niet gewoon om me heen kan lopen. Serieus – ik ben 1,73 meter, maar zoveel ruimte neem ik ook weer niet in.

Mijn gezicht is nog steeds verborgen, want ik wil niet gezien worden door een of ander superieure indringer in Zomerland die wel overal naar binnen mag. Maar dan hoor ik opeens: 'Wacht eens... Ever?'

Ik verstijf. Ik herken die stem. Ik ken haar maar al te goed.

'Ever, ben jij het echt?'

Langzaam til ik mijn hoofd op en ik kijk Ava met tegenzin aan. Ergens vanbinnen knaagt er iets aan me als ik kijk naar haar dikke bos kastanjebruin haar en de grote bruine ogen – iets waar ik mijn vinger niet op kan leggen. Maar het maakt niet uit, want om eerlijk te zijn is zij wel de laatste persoon die ik vandaag wilde zien. Trouwens, niet alleen vandaag. Wat doet zij hier en waarom juist nu? Ben ik nog niet genoeg gestraft?

'Probeer je de boel te belazeren om naar binnen te mogen?' vraag ik. Het klinkt sarcastisch en ik kijk haar vinnig aan. Pas dan besef ik dat ik een ogenblik geleden precies hetzelfde wilde doen. Ik huiver bij de gedachte dat ik me verlaagd heb tot haar niveau.

Ze hurkt naast me neer met haar hoofd schuin en kijkt me onderzoekend aan. 'Is alles in orde met je?' Ze laat haar blik geconcentreerd over me heen gaan en het lijkt even alsof ze zich echt zorgen maakt.

Daar trap ik niet in. Ava denkt maar aan één persoon: Ava zelf. Wat haar betreft is niemand anders de moeite waard. Dat bewees ze wel door Damen op zijn sterfbed in de steek te laten nadat ze me beloofd had te helpen.

Als ik haar aankijk, verbaast het me hoe weinig ze veranderd is sinds ze er met de onsterfelijkheidsdrank vandoor gegaan is. Maar ja, ze zag er altijd al goed uit, dus misschien is de verandering bij haar minder merkbaar.

'Of alles in órde is?' Het is een perfecte echo van haar zoete, o, zo bezorgde toon en ik grinnik. 'Tja, volgens mij wel. Volgens mij is alles tip top in orde met mij. Naar omstandigheden, bedoel ik. Maar vast niet zo goed als met jou.' Ik haal mijn schouders op. 'Maar ja, het zal met weinig mensen zo goed gaan als met jou.'

Ik kijk naar haar nek, op zoek naar de ouroborostatoeage of een ander teken van haar identiteit als onsterfelijke rebel, maar ik zie nergens iets. Sterker nog, de opvallende, gemanifesteerde juwelen die ze altijd droeg zijn vervangen door een enkele, ruwe citrien die aan een eenvoudig zilveren kettinkje hangt. Ik knijp mijn ogen tot spleetjes en probeer me te herinneren wat ik over die steen heb gelezen – hij zou rijkdom en vreugde stimuleren. O ja, en alle zeven chakra's beschermen. Dus natuurlijk kiest ze die uit.

Ik pers mijn lippen op elkaar en slaak een zucht. Dan schenk ik haar een blik die haar precies laat weten hoe ik over haar denk. 'Ik bedoel, de hele wereld ligt voor je open – dus met niemand kan het beter gaan dan met jou, toch? Vertel me eens, Ava, hoe voelt het nou? Hoe voelt het om een nieuwe, verbeterde versie van jezelf te zijn? Was het alles waarop je hoopte toen je je vrienden verraadde?'

Ze kijkt me aan met een uiterst meelevende blik en droevige ogen. 'Je hebt het mis,' zegt ze. 'Het is niet wat je denkt!'

Ik kom overeind en voel me raar, rillerig, al laat ik dat haar liever niet merken. Ik wil bij haar vandaan, ik heb al genoeg leugens aangehoord.

'Ik heb niets met het elixir gedaan, Ever. Ik...'

Mijn ogen schieten vuur als ik haar aankijk. 'Je bent echt on-voor-stel-baar, weet je dat? Natuurlijk heb je er iets mee gedaan!

Hal-lo! Ik ben er weer, hoor. Zie je wel?' Ik trek aan mijn T-shirt en schud mijn hoofd. 'Het blijkt dat niets zo is gelopen als we hadden gepland, Ava. Of in elk geval, niet zoals ík had gepland, want jou kwam het allemaal prima uit. Je hebt Damen achtergelaten, verzwakt, alleen en hulpeloos. Dat was je bedoeling ook. Je hebt hem in de steek gelaten, kwetsbaar en stervende, zodat Roman zijn gang kon gaan. En alsof dat nog niet genoeg was, bemoeide je je ook nog even fijn met Haven – met je kopje belladonnathee.' Heftig mijn hoofd schuddend, vraag ik me af waarom ik dit doe, waarom ik nog met haar praat. Ze heeft me al genoeg ontnomen, ik moet haar niet nog meer geven.

Ik loop de trap af met loden benen, alsof ze de signalen die mijn hersenen sturen niet willen gehoorzamen.

Het kost moeite de ene voet voor de andere te krijgen. 'Ik zou willen dat je dat niet deed. Geef me toch de kans om het uit te leggen,' smeekt ze.

Ik haal mijn schouders op en loop door. Over mijn schouder roep ik nog: 'You can't always get what you want. Dat liedje ken je vast wel, hè?'

Stilletjes en onbeweeglijk staat ze achter me. Nieuwsgierig werp ik een blik achterom om te zien wat ze doet. Mijn spieren zijn gespannen en ik ben voorbereid voor het geval ze me wil aanvallen. Dan zie ik haar staan met haar handpalmen tegen elkaar gedrukt. Ze maakt een buiging naar me en fluistert: 'Namaste.'

Ze wacht heel even, maar draait zich dan om naar het gebouw. Mijn mond valt open en ik kijk sprakeloos toe hoe de enorme, stevige deuren opengaan en ze naar binnen wandelt.

Vijftien

'Hoi.'

Ik kijk op, verbaasd dat Jude opeens voor me staat. Ik ging zo op in mijn werk dat ik hem niet heb horen binnenkomen.

'Hoe doe je dat toch?' Ik zie dat zijn aura straalt in een mooie kleur blauw.

Hij leunt tegen de toonbank en kijkt naar me. 'Hoe doe ik wat?'

'Plotseling voor me staan zonder dat ik het doorheb.' Ik bekijk zijn zwarte T-shirt, benieuwd wat er vandaag op staat. 'Wat is dat?' Ik wijs ernaar.

Hij sluit zijn ogen, houdt zijn handen voor zich uit en probeert duim en wijsvinger naar elkaar toe te bewegen. Dat wil niet lukken, maar hij laat wel een monotoon geluid horen vanuit zijn keel: 'Ohmmmm...' Hij opent één oog een tuurt me aan. 'Dat is het geluid van het universum – van het leven.'

Ik trek mijn neus niet-begrijpend op.

'Het universum bestaat uit trillende, pulserende energie, dat weet je, hè?'

Ik knik. 'Dat is me verteld.'

'Oké. *Ohm* is het geluid dat die energie – die enorme, wijdverspreide, kosmische energie – produceert. En dit,' hij wijst op zijn shirt, 'is het symbool ervoor. Heb je dat nooit eerder gehoord of gezien? Mediteer je niet?'

107

Ik haal mijn schouders op. Dat deed ik wel ooit, om mijn aura te zuiveren. Dan stelde ik me voor dat er wortels uit mijn voetzolen groeiden, diep de grond in naar de kern van de aarde toe en meer van die zweverige onzin. Maar nu niet meer. Ik heb geen tijd om in kleermakerszit op mijn ademhaling te letten terwijl de hele wereld om me heen instort.

'Dat zou je wel moeten doen, weet je. Het helpt je genezen en je evenwicht te vinden, en bovendien...'

'Geneest het jou?' Ik kijk nadrukkelijk naar zijn armen. Ik ben er nog niet uit wat ik met mijn idee van laatst moet doen – zelfs na het afwegen van alle voor- en nadelen heb ik nog geen besluit kunnen nemen.

'Ik moet straks naar de dokter, dus dat horen we vanzelf.' Schouderophalend kijkt hij me vervolgens aan. 'Nu we het er toch over hebben... Ik vroeg me af of je me een lift kunt geven. Ik kan ook de bus pakken, maar dan moet ik eerder weg van de cursus en dat doe ik liever niet.'

'Cursus?' Het kwartje valt niet.

'Ja, paranormale ontwikkeling, niveau één, met aandacht voor wicca en assertiviteit? Dat weet je toch nog wel?' Hij lacht.

Ik kom overeind van de kruk, zodat hij kan zitten, en loop om de balie heen. 'Hoe gaat het daarmee, eigenlijk?'

'Goed hoor,' knikt hij. 'Je vriendin Honor heeft er echt aanleg voor.'

Ho, stop. Wacht. 'Honor?' Meteen heeft hij mijn volle aandacht.

'Ja, dat wist je toch al? Ik dacht dat jullie vriendinnen waren?'

Ik schud mijn hoofd en denk aan wat ik die laatste schooldag heb 'gezien'; de plannen die Honor heeft om Stacia van de troon te stoten. 'Ze zit bij me in de klas.' Ik druk me tegen de muur zodat hij langs me kan. 'Maar ze is geen vriendin. Dat is een wereld van verschil.'

Hij blijft staan terwijl dat niet zou moeten, want nu drukt hij zich bijna tegen me aan. Hij bestudeert mijn gezicht en ik voel meteen die golf van kalmte door mijn lichaam stromen – de eerste rust die ik voel in dagen, sinds ik uit Zomerland kom. Sindsdien kon ik alleen denken aan Ava en hoe het haar gelukt is de Paleizen van

Kennis en Wijsheid te betreden dankzij leugens. Het gevoel duurt maar kort en hij loopt door naar de kruk, maar het effect, de kalmerende lading, blijft nog even hangen.

'Of ze doet erg hard haar best, of ze is een natuurtalent.' Hij trekt de doos kassabonnen met twee vingers naar zich toe en bladert er onhandig doorheen. 'Ze is zeer doelbewust, dus ik denk het eerste.'

Ik probeer te bedenken wat ik van Honor weet, maar dat is niet veel: ze is Craigs vriendin en de ontevreden schaduw van Stacia.

Moet ik het Jude vertellen? Dat ik die dag in Honors gedachten gezien heb dat haar plannen helemaal niet zo goedaardig zijn? Maar ja, aan de andere kant heeft Stacia mij (of wie dan ook) nooit geholpen, dus waar bemoei ik me eigenlijk mee?

'Hoe laat begint de cursus?' Ik houd het maar op praktische zaken terwijl ik naar het kantoortje loop.

'Over een uur, hoezo?' Hij kijkt om.

'Dan ben ik achter tot je me nodig hebt.' Eenmaal in het kantoortje, doe ik de deur achter me dicht. Ik haal *Het Boek der Schaduwen* tevoorschijn van zijn oude, vertrouwde plekje en leg het op tafel. Na diep en kalmerend ademhalen, buig ik me over de voorkant. Ik laat mijn vingers langs de goudversierde titel glijden en vraag me af of ik verder zal gaan.

De laatste keer dat ik het boek gebruikte, verliep niets volgens plan. Nu ik weet dat het afkomstig is van Roman, durf ik het ook niet meer te vertrouwen. Als hij ervoor gezorgd heeft dat ik het in handen kreeg, dan houd ik me (alweer!) netjes aan zijn script door het te raadplegen. Aan de andere kant... als hij invloed heeft op de inhoud ervan, staat er misschien ergens een gouden aanwijzing over hoe ik dit spel kan beëindigen of hoe hij denkt het te winnen.

Misschien werkt het net als de Akashakronieken in Zomerland en moet ik eerst de juiste vragen stellen.

En waar ik de kronieken niet meer mag bezoeken nu ik zo diep gezonken ben, heb ik voor het boek alleen de code nodig, gevolgd door een vraag in code – het liefst op rijm.

Ik begin zachtjes de spreuk op te zeggen die Romy en Rayne me geleerd hebben:

Beschermd door magische spreuken – zijn de bladzijden van dit boek
Maar ik ben uitverkoren – dus help mij met wat ik zoek
Een wereld vol mystieke krachten – treed ik vol ontzag binnen,
Opdat ik toegang krijg tot de tekst – en mijn zoektocht kan beginnen

Daarna probeer ik koortsachtig een slimme, rijmende vraag te bedenken om Romans code te kraken, maar de woorden komen niet. Het boek ligt daar maar en de bladzijden geven niets prijs.

Ik zucht en leun naar achteren in de stoel terwijl ik heen en weer draai en de kamer goed bekijk. Overal hangen afbeeldingen en totems aan de muur. Er liggen stapels boeken op de planken en de kamer ligt vol met hulpmiddelen – alle noodzakelijke ingrediënten voor de meest uiteenlopende spreuken. Toch vind ik geen inspiratie; niets lijkt te helpen. En om eerlijk te zijn heb ik geen tijd meer te verliezen. De zomer is bijna voorbij en ik moet een oplossing verzinnen – ik kan Damen niet blijven ontlopen.

Damen.

Ik druk mijn vuist tegen mijn mond om de brok in mijn keel weg te slikken en de tranen te bedwingen.

Sinds Miles' feestje heb ik hem niet meer gezien – toen ik uit de auto sprong en naar Zomerland vluchtte. Ik heb hem niet teruggebeld en de deur niet opengedaan. Ik heb niet omgekeken naar de vele boeketten rode tulpen in mijn kamer. Ik weet dat ik ze niet verdien – dat ik hem niet verdien – tot ik dit kan oplossen. Tot ik hem om hulp kan vragen, of desnoods Jude stuur om dat voor mij te doen. Want zodra ik begin, grijpt het monster in; niets mag tussen mij en Roman in komen. Ik kom niet alleen tijd tekort, maar ook antwoorden. Jude heeft niets kunnen vinden en alles wat ik tot nu toe heb geprobeerd, is hopeloos mislukt. En die situatie wordt alleen nog maar erger, als ik denk aan hoe gisteravond is verlopen.

Ik deed mijn ogen open in de donkere kamer – de dikke mist aan de kust liet geen enkel straaltje maanlicht door. Toch stapte ik uit mijn bed en ik verliet het huis, op blote voeten, gekleed in slechts een dun, katoenen nachthemd. Ik had maar één doel voor ogen. Als een slaapwandelaar begaf ik me naar Romans huis – net een van Dracula's dorstige bruidjes.

Ik bewoog vlug en moeiteloos door de stille, verlaten straten en bleef vlak bij zijn raam staan. Daar hurkte ik neer en tuurde door een opening in de jaloezieën zijn kamer in. Meteen voelde ik háár aanwezigheid. Ik wist dat ze ergens binnen was en zich vermaakte met de enige persoon die alles voor me betekent.

Mijn hoofd sloeg op hol en begon te tollen. Het onvervulde verlangen en die pulserende drang staken de kop op. Het monster was wakker – ik kon niet meer nadenken, alleen nog maar uitvoeren. Het wilde dat ik de deur intrapte en haar uit de weg ruimde. Net toen ik dat van plan was, net toen ik wilde toeslaan, merkte zij mijn aanwezigheid op. Ze stormde naar het raam met een ijskoude blik. Zo dreigend dat het me wekte uit mijn trance. Ik wist weer wie ik was en wie zij was en wat er kon gebeuren als ik het monster liet winnen.

Voor ik me kon bedenken, zette ik het op een lopen. Helemaal terug naar huis en naar bed, waar ik zwetend en trillend in kroop en mijn best deed het overweldigende verlangen te onderdrukken. Die duistere vlam in mij moet gedoofd worden.

Een vlam die elke dag feller, heter en sterker brandt.

Een vuur zo onverzadigbaar dat het alles verteert wat in de weg staat – mijn restje gezond verstand, mijn laatste hoop op de toekomst die ik wil en al het andere wat mij nog van Roman scheidt.

Vlak voor ik in slaap viel, realiseerde ik me het ergste van dit alles. Als het monster eenmaal wint, ben ik al zo ver heen dat ik niet eens meer besef wat er met me gebeurt.

Jude komt het kantoortje binnen en laat zich op de stoel vallen – nadrukkelijk en opzettelijk. Hij wil aandacht.

'Hoe ging het?' mompel ik als ik mijn hoofd van het bureau haal waar het een uur gelegen heeft. Mijn handen beven nog, mijn benen trillen en ik doe hard mijn best de drang te onderdrukken die me steeds vaker in zijn greep heeft.

'Dat kan ik jou ook vragen,' zegt hij. 'Heb je al iets bereikt?'

Ik haal mijn schouders op en laat een gekreun horen. Dat zou voldoende moeten zijn als reactie. Mijn handen houd ik op schoot, zodat hij ze niet ziet trillen.

'Wil je nog steeds de code kraken?'

Ik kijk even op, schud dan mijn hoofd en sluit mijn ogen. Ik heb het gehad met het boek. Het heeft alles tot nu toe alleen maar erger gemaakt.

'Ik heb ook nog niets kunnen ontdekken, maar toch. Ik wil het best nog eens proberen als je mijn hulp nog nodig hebt.'

Ja, graag! Die heb ik hard nodig zelfs; alle hulp is welkom. Maar nu het monster sterker wordt, kan ik zelfs dat niet hardop zeggen. Mijn keel zit dicht en ik kan geen woord uitbrengen.

Hij geeft niet gauw op. 'Gaat het om het rijmen?'

Ik schud mijn hoofd, maar zeg niets.

Hij haalt zijn schouders op en laat zich niet uit het veld slaan door mijn stilte. 'Ik ben op zich best goed in spreuken, al zeg ik het zelf. Ik kan ook goed rappen, wil je wat horen?'

Ik sluit mijn ogen en hoop dat hij gewoon verdergaat.

'Een wijze beslissing.' Hij glimlacht en ziet totaal niet wat ik doormaak. Hij doet alsof hij het zweet opgelucht van zijn voorhoofd veegt met zijn gipsen arm – wat me herinnert aan de lift die ik hem moet geven.

Ik sta op en verwacht dat hij meekomt, maar hij blijft zitten. Hij staart me zo indringend en volhardend aan dat ik schor vraag: 'Wat? Wat is er? Is Riley hier?'

Hij schudt zijn hoofd en zwiept zijn dreadlocks naar achteren over zijn schouder. Zijn glinsterende groene ogen staan bedroefd. 'Ik heb haar al een tijdje niet gezien,' zegt hij met zijn hoofd schuin en mij in de gaten houdend. 'Ik geef toe dat ik het af en toe probeer, maar het lukt niet. Misschien wil ze even geen contact.'

Ik frons mijn wenkbrauwen. Dat betwijfel ik. Riley heeft me de laatste tijd genoeg geheimzinnige boodschappen gestuurd. Dus volgens mij wil ze dat juist dolgraag.

'Denk je misschien dat...' Ik wil niet kinderachtig klinken, maar wat maakt het ook uit. Ik heb Jude nou al zoveel onzinnigs verteld, dit kan er ook nog wel bij. 'Denk je dat het mogelijk is dat ze wel contact wíl, maar dat het haar niet lukt?' Hij wil al antwoord geven, maar ik houd mijn vinger omhoog. 'Ik bedoel, niet omdat ze niet weet hoe het moet. Meer dat ze misschien geen contact mág maken. Misschien houdt iets of iemand haar tegen?'

'Dat kan.' Hij haalt zijn schouders zo nonchalant op dat ik me af-vraag of hij echt instemt of me alleen een plezier doet. Wil hij me soms beschermen tegen het glasharde feit dat de geest van mijn overleden zusje me al heeft opgegeven? Dat ze het te druk heeft met haar leven na de dood om zich nog om mij te bekommeren? 'Heb je haar nog in je dromen gezien de laatste tijd?' Het klinkt meer dan nieuwsgierig, zelfs een beetje hoopvol.

'Nee,' zeg ik zonder aarzeling. Ik wil niet herinnerd worden aan die droom met Damen in de glazen box, waarbij Riley naast me stond en erop aandrong dat ik oplette. Ik mocht geen moment weg-kijken.

'Wil je haar nu proberen te bereiken?' Hij houdt zijn hoofd schuin.

Ik schud mijn hoofd en zucht. Natuurlijk wil ik haar bereiken, ik wil niets liever, zelfs. Wie wil nou niet haar lieftallige, betwete-rige, overleden zusje op bezoek hebben? Maar als ik denk aan hoe ik eraan toe ben, lijkt het mij een slecht idee. Zelfs als ze me kan helpen – wat ik overigens betwijfel, maar goed – dan nog wil ik niet dat ze mij in deze toestand ziet. Ik wil niet dat ze weet wat ik heb gedaan. Wat er met me is gebeurd.

Ik schraap mijn keel. 'Ik eh... mijn hoofd staat er nu niet naar.'

Jude legt zijn voet op zijn knie en leunt naar achteren in de stoel. Zijn blik verlaat mijn gezicht geen moment. 'Waar staat je hoofd wel naar?' Hij fronst en lijkt bezorgd. 'De laatste tijd werk je alleen nog maar.' Hij zet zijn voet weer op de grond en leunt voorover, waarbij hij zijn verbonden armen op het bureau leunt. 'Heb je ei-genlijk wel door dat het zomer is? Zomer in Laguna Beach! De hal-ve bevolking droomt van die tijd en jij merkt het niet eens. Geloof me, als ik niet zo in de kreukels lag, was ik nu aan het surfen en ge-noot ik van elk vrij moment. Trouwens, als ik het niet verkeerd heb is dit toch je allereerste zomer hier?'

Ik haal diep adem. Vorige zomer was ik gewond na het auto-on-geluk en lag ik in het ziekenhuis. Ik was opeens helderziend, wist me geen raad en dacht naïef genoeg dat het allemaal niet erger kon. Nu is het alweer een jaar geleden dat mijn leven op zijn kop werd gezet!

'Ik let wel op de winkel. Het lukt me ook heus wel bij de dokter te komen, dan ben ik maar te laat. Maar alsjeblieft, doe jezelf een lol en knijp ertussenuit. Er is buiten een hele wereld die je nog moet ontdekken en al die tijd die je hierbinnen doorbrengt... het is gewoon niet gezond.'

Ik sta voor hem, kortademig met bevende handen en een bibberend lijf – een schoolvoorbeeld van een ongezonde leefstijl. Ondertussen bedenk ik hoe ik snel kan vluchten.

'Ever, gaat het wel?' Hij buigt naar me toe.

Ik schud mijn hoofd, maar kan geen antwoord geven. Er komt geen geluid uit. Roman is in de buurt en komt dichterbij – ik voel het. Vanuit zijn winkel wandelt hij nu over straat in mijn richting. Het duurt niet lang meer, misschien nog een minuut, hooguit twee, voor ik ophoud te bestaan en het monster in mij de touwtjes in handen heeft.

Ik grijp me vast aan de rand van het bureau; mijn knokkels opvallend wit en knokig onder mijn slappe huid. Ik moet me rustig houden, al vind ik het vreselijk dat Jude me zo ziet. Ik moet hier weg voor het te laat is...

Onzichtbaar vlug sta ik naast Jude – nog voor hij kan knipperen. Ik houd hem vast bij het witgrijze gips van zijn arm en zeg wanhopig: 'Als je wilt dat ik je breng, dan moeten we nu gaan. Geen tijd te verliezen!'

Moeizaam komt hij overeind met een blik van pure bezorgdheid in zijn ogen als hij me in zich opneemt. 'Ever, vat dit niet verkeerd op, maar ik geloof niet dat ik nu naast je in een auto wil zitten. Je komt wat verward over – zacht gezegd.' Hij tuit zijn lippen, schudt zijn hoofd en probeert me recht aan te kijken, mij te bereiken. Maar het heeft geen zin. Ik verzuip, ik ben verloren, nog maar eventjes... 'Serieus. Je moet echt even naar buiten voor wat frisse lucht, diep ademhalen... Je zult ervan opkijken hoeveel beter je je dan voelt.'

Dat klinkt goed en zo bedoelt hij het ook, maar dat gaat niet werken. Ik moet juist niet naar buiten. Daar is Roman en hij komt steeds dichterbij. En dat bedoelde ik ook niet toen ik zei dat we moeten gaan. Ja, goed, ik heb het nog steeds niet helemaal uitgestippeld. Nog niet alle voor- en nadelen afgewogen sinds ik die ingeving had een paar dagen geleden. Maar tijd is kostbaar. Dus we gaan – hij en ik – want wat daar ook gebeurt, het kan nooit erger zijn dan hier blijven.

Mijn hart bonkt in mijn keel en mijn hartslag versnelt zich nu Roman zo dichtbij is. Ik pak Judes gips stevig vast en hoop maar dat me dit nog lukt, aangezien de rest niet meer werkt.

Ik hoop dat ik terechtkom op de enige plek waar ik mezelf nog kan zijn.

Ik zie Judes angstige, verbaasde blik, maar ik weet dat het te laat is als we nu niet gaan.

Te laat voor ons allemaal.

Want dan heeft Roman mij in zijn macht.

Dan wint de zwarte magie.

Met trillende, onzekere stem, zeg ik: 'Ik weet dat dit idioot klinkt, maar je moet je ogen dichtdoen en je een sluier van schemerend, wit licht voorstellen. Concentreer je hierop met al je krachten – vraag me niet waarom. Vertrouw me alsjeblieft.'

Zestien

Samen struikelen we door de poort van licht en landen op het prachtige, veerkrachtige gras. We komen overeind en het eerste wat ik doe is me naar Jude draaien, naar zijn armen wijzen en roepen: 'Kijk!'

Hij kijkt omlaag en zijn ogen worden groot als hij zijn armen ziet, zonder gips of verband. Hij schenkt me een nieuwsgierige blik.

'Je bent tijdens je studie van het paranormale toch vast wel een keer de naam Zomerland tegengekomen?' Ik glimlach en ik voel me lichter, beter, alsof er een last van mijn schouders valt. Hier ben ik vrij van het monster – hoe tijdelijk ook.

Door de dikke, glimmende mist kijkt hij om zich heen naar de wuivende bomen, hun takken zwaar met rijpe, sappige vruchten. Hij ziet de grote, kleurrijke bloemen met de vibrerende bloemblaadjes en het regenboogkleurige riviertje dat even verderop stroomt. 'Is dit het?' vraagt hij vol ontzag. 'Het bestaat dus echt?'

Ik knik en maak me niet langer zorgen dat ik hem hier heb gebracht. Het was stom van me Ava mee te nemen destijds, maar met Jude hoeft het niet zo te gaan. Het zijn twee heel verschillende mensen. Hij is anders. Veel volwassener dan Ava ooit zal zijn.

'En nu wil je weten waarom ik je heb meegenomen?' vraag ik,

de gedachte opvangend voor hij hem kan uitspreken. Ik geef hem telepathisch antwoord: om je te genezen, natuurlijk!

De andere, veel dringender, reden laat ik weg: om mezelf te genezen.

Gedachten bestaan uit energie, denk ik erachteraan als ik de vertwijfeling op zijn gezicht zie. Je kunt ze aanvoelen, horen en er zelfs dingen mee creëren. Maar als je liever gewoon naar het ziekenhuis gaat, dan kan ik de poort van licht wel opnieuw oproepen en...

Hij wil wat zeggen, bedenkt zich en gebruikt zijn gedachten. Hij sluit zijn ogen om zich te concentreren, maar merkt dan hoe eenvoudig alles hier is. Hij kijkt me aan en projecteert zijn woorden rechtstreeks naar mij.

Ik kan niet geloven dat je zo lang gewacht hebt me hiernaartoe mee te nemen! Dat je me zo lang hebt laten lijden!

Ik lach, knik instemmend en weet dat ik dat maar op één manier kan goedmaken: door te laten zien wat hier allemaal mogelijk is.

'Doe je ogen dicht.' Hij gehoorzaamt zonder aarzeling. Hij vertrouwt me zo volledig dat ik ervan bloos. 'Denk nu eens aan iets wat je graag wilt – het maakt niet uit wat. Als het maar iets is wat je echt wilt hebben, want binnen een paar tellen verschijnt het. Oké?'

Ik heb de zin nog niet af, of ik bevind me op een wit zandstrand en kijk toe hoe hij het helderblauwe water van de oceaan in peddelt en surft op perfecte golven.

'Zag je die enorme schuimkoppen?' roept hij met de surfplank onder zijn arm. 'Echt supergaaf! Weet je zeker dat ik niet droom?'

Ik glimlach en denk aan hoe betoverd ik me voelde de eerste keer in Zomerland. Hoe vaak ik hier ook kom, het wordt nooit saai iets op deze schaal te manifesteren. 'Het is geen droom.' Vanaf zijn dreadlocks druppelt het zeewater over zijn borst naar beneden, naar de laaghangende broeksband van de zwart-met-grijze korte broek. Ik voel de kalmte die zijn nabijheid met zich meebrengt en wend mijn blik af. 'Geloof me, het is veel beter dan een droom.' Vooral als ik kijk naar de laatste tijd; ik heb alleen nog maar nachtmerries.

En nu? Hij laat de surfplank op het zand vallen en kijkt me aan. Dit is jouw moment, jij mag het zeggen, antwoord ik telepathisch. Ik vind alles best wat je wilt doen. Het moet hem stimuleren en behulpzaam klinken. Maar in alle eerlijkheid: hoe langer hij hier blijft, hoe langer ik de wereld kan vermijden waar al mijn problemen mij opwachten.

Hij haalt diep adem en sluit zijn ogen. De surfplank en het strand maken plaats voor het circuit van de Indy 500. Met bijna dodelijke snelheden raast hij het parcours rond terwijl ik vanaf de tribune toekijk en hem aanmoedig. Net als ik denk dat ik echt niet nog zo'n saai rondje trek, verandert hij het tafereel in een charmant café in de haven van Sydney, met een schitterend uitzicht op de brug, het water en de Opera tegen de achtergrond.

Hij heft zijn glas en ik zeg: 'Ik had geen racefanaat achter je gezocht.'

Hij haalt zijn schouders op. 'Ben ik ook niet. Maar ik kan het toch proberen?'

Mijn gezicht vertrekt als ik de zoete smaak van mijn frisdrank proef, nu ik het bittere elixir gewend ben. Ondertussen verandert het uitzicht van de Australische haven naar een scène vol windmolens, tulpen en grachten. Dat kan maar één ding betekenen.

'Amsterdam?' stamel ik, denkend aan ons gemeenschappelijke verleden, toen hij Bastiaan de Kool was en ik zijn muze. Zou hij zich daar plotseling iets van herinneren? Komt het naar boven, nu we hier zijn? Voor mij heeft dat nooit zo gewerkt, maar toch.

Mijn hevige reactie verbaast hem en hij trekt een schouder op. 'Ik ben er nooit geweest. Het lijkt me wel cool. Maar als je liever een andere stad hebt...'

Voor ik kan protesteren en kan zeggen dat hij moet genieten van de fantasie zolang als hij wil, zit ik in een gondel in Venetië. Ik draag een bijzondere jurk, roze met crème, en een ketting vol juwelen. Rustend tegen een stapel roodfluwelen kussens, bewonder ik de prachtige gebouwen langs de route. Af en toe werp ik een blik op Jude, nu gekleed in een zwarte broek, een gestreept shirt en de strooien hoed van een typisch Venetiaanse gondelier. Hij stuurt ons behendig over het kalme water.

'Je bent hier vrij goed in,' lach ik. Het schrikmoment van Amsterdam wil ik zo snel mogelijk achter me laten. Met mijn ogen dicht voeg ik een perfect briesje toe, maar dat blaast zijn hoed per ongeluk in het water.

'Het voelt zo natuurlijk,' zegt hij en manifesteert binnen twee tellen een nieuwe hoed op zijn hoofd. 'Ik zal in een vorig leven wel een gondelier geweest zijn – eentje met onafgedane zaken, of zoiets.' Hij stopt met roeien en leunt op de riem. 'Ik bedoel, als we echt geboren worden om de fouten uit ons verleden te herstellen en zo te groeien naar verlichting, wie weet was ik dan ooit, heel lang geleden, wel aan het varen met een beeldschone dame zoals jij. Misschien leidde haar schoonheid en charme me zo erg af, dat ik de boot liet kantelen en verdronk.'

'Wat? Wie verdronk?' Ik klink geschrokken en ernstiger dan mijn bedoeling is.

'Ik.' Hij zucht dramatisch. 'Wie anders? De jongedame werd natuurlijk net op tijd gered door een lange, donkere, knappe jonge edelman – iemand met geld. Hij trok haar terug aan boord, hielp haar warm worden en opdrogen en, welja, hij gaf haar ook nog even de perfecte mond-op-mondbeademing, waarom ook niet? Daarna kreeg ze zijn onverdeelde aandacht en uiteraard een stapel cadeaus, het ene nog indrukwekkender dan het andere. Uiteindelijk zwichtte ze voor hem en ze accepteerde zijn huwelijksaanzoek. O, en je weet hoe dat eindigt, toch?'

Ik schud mijn hoofd. Mijn keel zit weer eens dicht en ik kan niets uitbrengen. Ik begrijp heus wel dat hij alleen maar een onschuldig sprookje staat te bedenken, maar ik heb het gevoel dat dit verhaal een veel diepere betekenis heeft dan hij vermoedt.

'Nou ja, die twee leefden nog lang en onvoorstelbaar gelukkig, rijk en in luxe tot ze allebei stierven op bijzonder hoge leeftijd en vervolgens reïncarneerden om elkaar opnieuw te vinden en het dunnetjes over te doen.'

'En de gondelier? Wat gebeurde er met hem – met jou?' Al weet ik niet of ik het antwoord wil horen. 'Ik bedoel, er moet toch een beloning zijn voor het feit dat je twee zielsverwanten hebt samengebracht?'

Hij kijkt weg, haalt zijn schouders op en roeit weer verder. 'Het lot van de gondelier is dat hij die zielige scène steeds weer mag meemaken, verlangend naar iemand die duidelijk niet voorbestemd is bij hem te zijn. Hetzelfde script, maar steeds ergens anders. Zo gaat dat in mijn leven, of misschien wel levens.'

Hij lacht, maar niet op een uitnodigende manier. Het is iets van hem alleen, te zwaar beladen met de waarheid om ruimte te laten voor een humoristische noot. Zijn zelfbedachte sprookje komt zo dicht bij wat er tussen hem en mij is geweest, dat ik met mijn mond vol tanden zit.

Ik bestudeer hem van top tot teen en vraag me af of ik het hem moet vertellen – over mij, over ons. Maar wat heeft het voor zin? Misschien heeft Damen gelijk en is het niet de bedoeling dat mensen zich hun vorige levens herinneren. Het leven is geen tentamen met het boek erbij. Iedereen heeft zijn eigen karma en zijn eigen hindernissen en blijkbaar ben ik een van Judes losse eindjes.

Ik schraap mijn keel, schud het van me af en richt me op de derde reden dat we hier zijn. Ik had er tot nu toe niet meer over nagedacht, maar ik hoop maar dat we er allebei iets aan hebben. Laat het alsjeblieft niet weer uitdraaien op een kolossale blunder... 'Zullen we verdergaan? Er is nog iets anders wat ik je wil laten zien.'

'Nog beter dan dit?' Hij tilt de roeiriem uit het water en gebaart ermee rond.

Ik knik en sluit mijn ogen. Zo breng ik ons terug naar het uitgestrekte, geurige bloemenveld, waar Jude weer voor me staat in zijn gebleekte spijkerbroek, het T-shirt met het Ohm-symbool en zijn slippers. Ik verwissel de enorme jurk met korset voor een afgeknipte spijkerbroek, een topje en sandalen. Dan loop ik voor hem uit langs het riviertje naar de weg, de steeg in en door naar de boulevard die grenst aan de Paleizen van Kennis en Wijsheid.

Daar draai ik me naar hem om. 'Ik moet je iets bekennen.'

Hij kijkt me vol verwachting aan, de wenkbrauw met het litteken opgetrokken.

'Ik heb je hier niet alleen maar naartoe gebracht om je te genezen.' Hij blijft staan, waardoor ik dat ook doe. Ik haal diep adem. Dit is mijn kans – de enige plek waar ik dit hardop kan zeggen. Ik recht mijn rug, til mijn kin op en zeg: 'Ik heb je hulp nodig met iets – iets persoonlijks.'

'O-ké...' Hij knijpt zijn ogen tot spleetjes, maar blijft geduldig af-wachten.

'Weet je... het zit zo...' Ik draai mijn armbandje van paardenbitjes rond mijn pols en durf hem niet aan te kijken. 'Die magie waarover ik je vertelde – de spreuk – die is de laatste tijd sterker geworden. Zolang ik hier ben, is alles in orde, maar terug op aarde ben ik een compleet wrak. Het is net een ziekte. Ik moet constant aan Roman denken en, voor het geval je het nog niet had gemerkt, mijn uiter-lijk begint mijn innerlijk te weerspiegelen. Ik val af, ik kan niet sla-pen. Ik kan het niet meer ontkennen: thuis, in de gewone wereld, zie ik er vreselijk slecht uit. Telkens als ik Damen in vertrouwen wil nemen of hem om hulp wil vragen – zelfs als ik jou wil vragen dat voor me te doen – dan steekt de magie daar een stokje voor. Die duis-tere magie, dat monster, zoals ik het noem, houdt me tegen. Alsof het niet tolereert dat er iets tussen mij en Roman komt. Maar hier in Zomerland kan het me niets doen. Dit is de enige plek waar ik mezelf kan zijn. En ik dacht dus, dat als ik je meenam hierheen...'

'Waarom neem je Damen dan niet mee hiernaartoe? Ik snap het niet.' Hij houdt zijn hoofd schuin en kijkt me vragend aan.

'Hij wil niet mee.' Ik zucht en staar naar mijn voeten. 'Hij weet dat er iets mis is, dat er iets met me aan de hand is, maar hij denkt dat ik verslaafd ben aan Zomerland, of zoiets. In elk geval weigert hij nog mee te gaan. En aangezien ik hem thuis de waarheid niet kan vertellen, houdt hij koppig vol. Daardoor is het nu ook al veel te lang geleden dat ik hem voor het laatst heb gezien.' Ik slik en krimp ineen als ik mijn stem hoor overslaan.

'En wat wil je dan nu van mij?' Hij kijkt me aan. 'Moet ik even snel heen en weer naar huis om Damen in te lichten?'

'Nee,' zeg ik vlug met mijn schouders opgetrokken. 'Althans, niet nu. Ik wil je eerst meenemen, kijken of jij naar binnen mag...' Ik kijk hem aan en hoop maar dat het hem wel lukt. 'Zo ja, dan wil ik graag dat je hulp voor me zoekt – een oplossing voor dit probleem. Ik weet dat het belachelijk klinkt, maar geloof me als ik zeg dat je het antwoord alleen maar hoeft te verlangen en het komt naar je toe. Ik zou het zelf doen als ik kon, maar ik... ik... mag niet meer naar binnen.'

Hij knikt en kijkt nog even naar me. Dan loopt hij weer met me mee. 'Waar moeten we zijn?' Als ik met een vinger wijs naar het prachtige, oeroude gebouw, zie ik hem er vol ontzag en bewondering naar staren. 'Dus het is echt waar!' Zijn ogen glinsteren en met grote passen haast hij zich de trappen op.

Ik blijf staan en mijn mond valt open wanneer de deuren openzwaaien en hem al binnenlaten voor ik ook maar kan knipperen.

Dezelfde deuren die mij tegenhouden.

Ik zak ineen op de trap, alweer buitengesloten. Ik vraag me af hoe lang ik moet wachten tot hij klaar is met wat hij ook van plan is te doen daarbinnen. Het kan wel een tijdje duren, want zeker voor iemand die voor het eerst komt, hebben de Paleizen van Kennis en Wijsheid onweerstaanbaar veel te bieden.

Nou, ik ga dus mooi niet als een zielig figuur hier op de trap zitten wachten! Ik spring overeind, klop mijn kleren af en besluit rond te kijken, deze dimensie eens te verkennen. Ik ben altijd zo gefocust als ik hier kom, dat ik nooit de tijd neem gewoon rond te wandelen.

Ik kan kiezen uit alle vervoermiddelen die er bestaan: metro, Vespa, zelfs een grote olifant, aangezien er geen grenzen zijn aan wat ik kan laten verschijnen. Ik manifesteer een paard dat lijkt op het dier dat ik bereed die keer met Damen, toen hij me hier voor het eerst naartoe bracht. Alleen is het dit keer een merrie.

Ik klauter in het zadel op haar rug en laat mijn hand over haar zijdezachte manen en langs haar nek glijden. Zachtjes fluister ik in haar oor en ik geef een voorzichtige por in haar zij. Zo sjokken we rond zonder specifieke bestemming. Ik herinner me dat de tweeling me ooit uitlegde dat Zomerland is opgebouwd uit verlangens. Om iets te zien, doen, hebben, meemaken of bezoeken, hoef je het slechts te verlangen.

Nadat ik de merrie laat stilstaan, probeer ik met mijn ogen dicht te verlangen naar de antwoorden die ik zoek.

Maar Zomerland is slimmer dan dat en er gebeurt niet veel meer dan dat de merrie zich begint te vervelen. Dat laat ze merken door te snuiven, te protesteren en te zwaaien met haar staart. Met haar hoeven stampt ze op de grond. Ik haal diep adem en probeer iets anders: van alles wat zich hier bevindt – alle bioscopen, galerieën, schoonheidssalons en prachtige gebouwen die er zijn – wat heb ik nog niet gezien wat ik niet mag missen?

Welke plek ken ik nog niet, terwijl dat wel zou moeten?

Voor ik het weet, zet mijn paard een drafje in. Haar manen wapperen, haar staart zwiept en haar oren liggen plat naar achteren. Ik grijp de teugels vast alsof mijn leven ervan afhangt. De omgeving wordt vaag en vliegt en gonst langs me heen. Ik duik ineen en knijp mijn ogen half dicht tegen de wind. Binnen enkele seconden hebben we een enorm traject afgelegd. Dan stopt het dier zo plotseling, dat ik over haar hoofd naar voren schiet en in de modder terecht kom.

Ze hinnikt luid en steigert voor ze met al haar hoeven op de grond stampt. Ze snuift en briest en deinst langzaam achteruit terwijl ik voorzichtig overeind krabbel om haar niet nog meer te laten schrikken.

Meer gewend aan honden dan paarden, spreek ik haar toe op lage toon, streng en met een wijzende vinger. 'Blijf.'

Het paard kijkt op met haar oren naar achteren, alsof ze het geen goed plan vindt.

Ik slik en negeer de opkomende angst. 'Niet weggaan. Blijf waar je bent.'

Niet dat ik veel heb aan een paard als ik echt in een gevaarlijke situatie terechtkom, maar ik ben liever niet helemaal alleen op deze vochtige, griezelige plek.

Ik kijk omlaag naar mijn korte broek, die onder de modderspetters zit. Zelfs als ik mijn ogen sluit om een nieuwe te manifesteren en mezelf schoon te krijgen, gebeurt er niets. In dit gebied werkt directe manifestatie niet.

Ik haal diep adem en concentreer me. Op zich wil ik hier net zo graag weg als mijn paard, maar ik ben hier niet zomaar terechtgekomen. Er is iets wat ik moet zien, dus besluit ik nog even te blijven. Ik tuur naar de omgeving en merk dat de lucht hier niet straalt met een zacht, gouden licht. Hier is het grijs en troebel. De glinsterende mist die ik ken, moet hier wijken voor een constante plensbui. De grond is zo nat en modderig dat het vast nooit droog is. Toch zijn de bomen en planten kaal, gebarsten en uitgedroogd, alsof ze jarenlang geen water hebben gekregen. Erg vruchtbaar kan de regen dus niet zijn.

Ik zet een stap naar voren, vastbesloten het bericht te ontcijferen en uit te vinden waarom ik hier ben. Dan zinkt mijn voet zo diep weg in de modder dat ik er tot mijn knieën in verdwijn, dus besluit ik mijn paard voor te laten gaan. Maar wat ik ook commandeer of tegen haar fluister, ze weigert verder te lopen. Ze heeft maar één doel voor ogen en dat is teruggaan naar waar we vandaan kwamen. Ik geef het op en laat het paard haar gang gaan.

Met een laatste blik over mijn schouder denk ik terug aan de wijze woorden van de tweeling: 'In Zomerland is alles mogelijk. Alles.'

Ik vraag me af of ik dan nu de duistere kant ervan ontdekt heb.

Zeventien

'Wat is er met jou gebeurd?'

Ik knijp mijn ogen tot spleetjes en vraag me af waar Jude het over heeft, maar dan volg ik zijn vinger die wijst naar de moddervlekken op mijn benen. Mijn slippers waren ooit schattig, metallic goud, maar zijn nu bedekt met zo'n laag viezigheid dat ze er roestbruin uitzien.

Ik frons mijn wenkbrauwen en manifesteer meteen een nieuw paar. Gelukkig ben ik weer in het magische deel van Zomerland, dat ik veel liever heb dan het niemandsland dat ik zojuist heb gezien. Ik laat ook meteen een lila vestje verschijnen, stop mijn armen in de mouwen en trek het stevig om me heen. 'Ik had geen zin om te blijven wachten. Ik wist niet hoe lang het zou duren voor je terug was, dus ben ik een beetje gaan rondkijken.' Ik haal mijn schouders op alsof het allemaal niet uitmaakt, alsof het een doodnormale wandeling was op een zomerse namiddag. Dat is natuurlijk onzin. Die onophoudelijke regen, de kale bomen en de vastberadenheid van mijn paard om daar als de bliksem weer weg te komen, waren bepaald geen normale verschijnselen. Maar Jude heeft al genoeg om over na te denken zonder dat ik hem vertel over een onbekend, vreemd en zelfs onheilspellend gebied dat ik net ontdekt heb. Bovendien ben ik benieuwd wat hij te weten is gekomen.

'Nog belangrijker dan wat ik gedaan heb, is: hoe verliep het voor jou?' Ik bekijk hem van top tot teen, van de goudblonde dreadlocks tot de rubberen zolen van zijn slippers. Hij ziet er precies hetzelfde uit als toen ik hem achterliet, maar vanbinnen is er duidelijk iets aan de hand. Zijn energie en zijn houding zijn veranderd. Aan de ene kant lijkt hij vrolijker, minder bezwaard en vol zelfvertrouwen, maar aan de andere kant komt hij wel erg nerveus en gespannen over voor iemand die net een van de grootste wonderen van het universum heeft mogen bezoeken.

'Tja... het was... interessant.' Hij knikt en kijkt me even aan – heel kort, voor hij zijn hoofd weer afwendt.

Denkt hij nou echt dat hij daarmee wegkomt? Ik bedoel – ik verdien wel iets meer toelichting nadat ik hem helemaal hierheen heb gebracht, zeg!

'Eh... wil je daar iets meer over kwijt?' Ik frons mijn voorhoofd. 'Hoe bedoel je, het was interessant? Wat heb je gehoord of gezien? Wat heb je precies gedaan vanaf het moment dat je binnenkwam tot je het gebouw weer verliet? Heb je de antwoorden kunnen vinden die ik nodig heb?' Als hij niet snel iets zegt, dan doe ik het gewoon. Dan neem ik zelf wel een kijkje in zijn gedachten.

Hij haalt diep adem en draait zich van me weg. Dan loopt hij enkele stappen bij me vandaan voor hij me weer aankijkt. 'Ik weet niet goed of ik daar nu al over wil praten... Het is nogal veel informatie om in één keer in me op te nemen... ik moet het nog even verwerken. Het is allemaal zo... ingewikkeld...'

Ik tuur naar hem en weet zeker dat ik niet kan wachten. Er zijn maar weinig geheimen in Zomerland, vooral voor een groentje als hij, dat nog niet weet hoe het hier werkt. Maar zodra ik in zijn gedachten wil duiken, loop ik tegen een stevige muur aan. Dat vertelt me precies waar hij geweest is.

De Akashakronieken.

Romy heeft het me ooit uitgelegd: 'We kunnen niet al je gedachten lezen, alleen die paar die we mogen zien. Wat jij in de Akashakronieken ziet, is alleen voor jou bestemd.'

Ik kijk bedenkelijk – ik moet uitvinden wat hij te weten is gekomen. Ik beweeg me naar hem toe en wil net iets dieper graven in

zijn hoofd, als ik opeens die warmte en tinteling voel van zíjn aanwezigheid. Ik draai me om en zie Damen de steile, marmeren trap
af komen. Plotseling blijft hij stilstaan – de hele wereld staat stil –
en onze blikken kruisen elkaar.

Net als ik hem wil roepen, hem wil vragen bij me te blijven op
de plek waar ik hem eindelijk alles kan uitleggen, zie ik wat hij ziet.
Mij samen met Jude, tijdens een vrolijk reisje naar Zomerland – de
speciale plek die alleen van mij en Damen was. Voor ik ook maar
iets kan doen of zeggen, verdwijnt hij. In een oogwenk is hij weg,
alsof ik het me verbeeld heb.

Maar hij was er echt.

Zijn energie hangt hier nog. Ik voel het effect ervan op mijn
huid.

Eén blik op Jude bevestigt al mijn vermoedens. Ik zie hoe groot
zijn ogen staan en hij opent zijn mond alsof hij iets wil zeggen.
Dan steekt hij een hand naar me uit om me gerust te stellen, maar
ik deins vlug achteruit. Wat moet Damen hier niet van denken?
Het maakt me gewoon misselijk als ik besef hoe dit eruit moest
zien voor hem.

'Je moest maar eens gaan,' zeg ik met mijn rug naar Jude toe. Het
klinkt kortaf en zakelijk. 'Doe je ogen dicht, stel je de sluier voor
en ga naar huis. Alsjeblieft.'

'Ever,' probeert hij nog, weer met een uitgestoken hand. Maar ik
ben al weg, ik wil niet langer hier zijn.

Achttien

Ik loop stevig door, zonder op te letten waarheen of hoe ver ik ga. Ik loop door tot ik zeker weet dat Damen me niet meer kan zien. Het liefst wil ik zo al mijn problemen ontlopen, maar dat schiet niet op. Eindelijk begrijp ik de spreuk die op de koffiebeker stond van mijn leraar Engels op de basisschool: waar je ook heen gaat, daar zul je zijn.

Je kunt niet wegrennen van je problemen. Je kunt nooit snel genoeg rennen om ze van je af te schudden. Dit is mijn reis en ik kan er niet aan ontkomen.

Zomerland maakt het allemaal draaglijk en hier is het prettig, maar dat gevoel is maar tijdelijk. Hoe lang ik hier ook blijf, ik weet zeker dat het hele effect direct omslaat zodra ik terugkeer naar de gewone wereld.

Ik loop nog wat verder en vraag me af of ik liever naar de bioscoop ga voor een oude film of naar Parijs om ontspannend langs de Seine te wandelen. Ik kan ook vlug een bezoekje brengen aan de ruïnes van Machu Picchu of een rondje rennen in het Colosseum van Rome... Maar opeens sta ik stil bij een verzameling kleine huisjes.

Vanbuiten zien ze er eenvoudig en sober uit, met puntige, driehoekige daken, dakspanen van hout en kleine ramen. Zo bijzonder zijn ze geen van alle, maar toch is er eentje die mijn aandacht trekt, alsof het iets uitstraalt. Daarom loop ik het smalle zandpaadje op tot ik vlak voor de deur blijf staan. Ik heb geen idee waarom ik hier ben en ik weet ook niet goed of ik zomaar naar binnen moet gaan.

'Ik heb ze al een paar weken niet meer gezien,' klinkt het in een dik, zuidelijk Amerikaans accent.

Aan de rand van het pad staat een man in ouderwetse kleding: een wit overhemd met zwarte trui en een zwarte broek. Een paar piekerige plukken grijs haar zijn schuin over zijn kalende hoofd gekamd en hij leunt op een stok versierd met gedetailleerd houtsnijwerk. Waarschijnlijk heeft hij die uit liefde voor het vakmanschap, niet zozeer uit noodzaak.

Ik tuur naar hem over mijn schouder en weet niet wat ik moet zeggen. Ik weet al niet waarom ik hier ben, laat staan over wie hij het heeft.

'Die twee meisjes – met die donkere haren. Een tweeling is het. Ik kon ze zelf nauwelijks uit elkaar houden, maar m'n vrouw, ja, zij wist het wel, hoor. De aardige van de twee – die hield van chocolade. Een hoop ook.' Hij grinnikt om de herinnering. 'Die ander – de stille, koppige – die had het meer op popcorn. Daar kon ze geen genoeg van krijgen. Maar alleen die uit de pan – niet van die kant-en-klaar gemanifesteerde viezigheid.' Hij knikt en bekijkt me rustig van top tot teen. Mijn moderne outfit lijkt hem weinig te doen. 'Mijn vrouw, die verwende ze nogal. Had medelijden met ze, weet je, en maakte zich ook wel zorgen om ze. Maar ja, na al die jaren en al onze goede zorgen, zijn ze opeens verdwenen zonder een woord van uitleg.' Hij schudt zijn hoofd, maar dit keer niet lachend of vriendelijk. Zijn verwarde blik lijkt me eerder te smeken om uitleg.

Ik slik en kijk van hem naar de gesloten voordeur. Mijn hartslag schiet omhoog en zonder het te vragen wéét ik het. Diep vanbinnen begrijp ik dat ze hier woonden – dit is de plek waar Romy en Rayne de laatste driehonderd jaar doorbrachten.

Toch wil ik het hem horen zeggen, al is het maar voor de zekerheid. 'Zei u nou: tweeling?' Mijn hoofd tolt en ik kijk nog eens naar het simpele huisje – een exacte kopie van het huis dat ik in mijn visioen zag, die dag dat ik ze aantrof bij Ava thuis en Romy's arm vastpakte. Hun hele geschiedenis speelde zich af voor mijn ogen – in een wirwar van beelden – dit huis, hun tante, de heksenvervolgingen in Salem waartegen zij hen wilde beschermen. En dat alles heeft hiertoe geleid.

'Romy en Rayne.' Hij knikt en kijkt me aan met zijn vuurrode wangen, ronde neus en zulke vriendelijke ogen dat hij wel gemanifesteerd lijkt. Een kopie van de stereotype vrolijke Engelsman die thuiskomt na een avondje in de kroeg. Maar hij flikkert niet en dreigt niet te vervagen. Hij staat daar maar met diezelfde vriendelijke grijns op zijn gezicht – hij moet echt bestaan. Misschien levend, misschien dood – dat weet je hier nooit zeker – maar hij is in elk geval echt. 'Die twee zoek je toch, nietwaar?' vraagt hij.

Ik knik, al weet ik dat niet zeker. Was ik op zoek naar hen? Ben ik daarom hier? Ik kijk terug naar hem en krimp ineen bij de vreemde blik die hij me toewerpt. Dan giechel ik nerveus en schraap mijn keel, terwijl ik mijn best doe kalm over te komen. 'Het spijt me te horen dat ze er niet zijn. Ik had gehoopt ze te spreken.'

Hij knikt begrijpend, alsof hij volledig meevoelt met mijn situatie. Dan leunt hij met beide handen op zijn stok. 'Mijn vrouw en ik, we zijn heel erg gehecht geraakt aan ze. Want we kwamen hier rond dezelfde tijd terecht. Waar wij maar niet uitkomen is dit: hebben ze eindelijk besloten de brug over te steken en alles achter te laten of zijn ze teruggegaan naar de wereld? Wat denk jij ervan?'

Ik pers mijn lippen op elkaar en haal mijn schouders op. Ik wil niet laten merken dat ik het antwoord weet. Gelukkig vraagt hij niet verder. Ook hij trekt zijn schouders op en knikt.

'Mijn vrouw zweert dat ze de brug zijn overgegaan. Ze denkt dat de kleine meiden niet langer meer wilden wachten – op wie ze dan ook wachtten. Maar ik geloof het niet. Rayne is misschien wel gegaan, maar ze zou die zus van haar, die Romy, nooit kunnen overhalen mee te gaan. Zij is veel te koppig, weet je.'

Dat heb ik vast niet goed gehoord. Ik knijp mijn ogen toe en schud mijn hoofd. 'Wacht even, u bedoelt toch dat Rayne de eigenwijze is van de twee, hè? Romy is het vriendelijke, meegaande meisje?'

Ik knik en verwacht dat hij hetzelfde doet, maar hij blijft me raar aankijken en prikt zijn stok nu nog dieper de aarde in. 'Nee, ik bedoel precies wat ik zeg. Een goede dag nog verder, jongedame.'

Ik kijk hem na terwijl hij verdwijnt met zijn hoofd opgeheven, zijn rug recht en de stok vrolijk draaiend in zijn hand. Wat een raar moment om een gesprek af te kappen. Zou mijn vraag hem soms beledigd hebben?

Ja, goed. De man is vrij oud en de tweeling lijkt op elkaar als twee druppels water. Althans, wel toen ze hier woonden en elke dag die kostschooluniformen droegen. Ik kan me alleen maar proberen voor te stellen hoe ze eruitzagen voor de tijd dat Riley ze een makeover gaf. Maar deze man klonk zo stellig, hij was er zo zeker van. Zou ik het dan mis hebben? Of heeft Rayne die gemene, verwende, beweterige kant speciaal voor mij uit de kast gehaald?

In de hoop dat hij me nog kan horen voor hij te ver weg is, roep ik: 'Meneer, eh... pardon... maar zou ik misschien binnen mogen rondkijken? Ik beloof dat ik niets zal aanraken of veranderen.'

Hij draait zich half om, zwaait vrolijk met de stok en antwoordt: 'Ga je gang. Er is niets wat niet vervangen kan worden.'

Dan loopt hij weer verder en ik duw de deur voorzichtig open. Ik stap over de drempel en mijn voet komt neer op een eenvoudig, geknoopt, rood kleed dat het gekraak van mijn gewicht op de houten vloer deels dempt. Ik blijf lang genoeg staan om mijn ogen te laten wennen aan het schemerlicht. Dan zie ik een grote, vierkante kamer met hier en daar houten stoelen met hoge rugleuningen die er allesbehalve comfortabel uitzien. De tafel is van gemiddelde grootte en naast de stenen haard staat een grote, houten schommelstoel. In de haard ligt as van een recent vuur. Ik weet zeker dat deze plek een kopie is van de wereld die Romy en Rayne in 1692 ontvlucht zijn. Ze hebben hun thuis nagemaakt, maar dan natuurlijk zonder alle hypocrisie, leugens en onvoorstelbare wreedheden.

Ik beweeg me verder de kamer in en kijk naar de zware houten balken aan het plafond. Ik laat mijn vingers glijden over de ruwe, eenvoudig gestuukte muren en zie tafels vol boeken gebonden in leer en een hele verzameling kaarsen en olielampen die dienen om bij te lezen. Ondertussen bekruipt me een schuldgevoel, alsof ik stiekem rondsnuffel in zaken die me helemaal niets aangaan.

Tegelijkertijd weet ik ook dat het geen toeval is dat ik hier terecht ben gekomen. Ik moest deze plek vinden, dat weet ik zeker. Al is het maar omdat ik nu genoeg weet over Zomerland om te beseffen dat dingen hier niet toevallig gebeuren. Er is iets in dit huisje wat ik moet zien. Achter in de kamer kom ik in een kleine, eenvoudige slaapkamer terecht die ik meteen herken als de kamer van de tante die hen heeft opgevoed. Diezelfde tante die hen overhaalde zich te verstoppen in Zomerland om zo te ontkomen aan de heksenvervolgingen in Salem, die haar uiteindelijk fataal zijn geworden. Het bed is smal en ziet er hard en oncomfortabel uit. Daarnaast staat een kleine, vierkante tafel met daarop een groot, in leer gebonden boek en wat gedroogde bloemen en kruiden erbovenop. Op de grond ligt een geknoopt kleed en verder staat er nog een hoge, smalle kledingkast in de hoek. De deur staat open op een kier en ik zie de bruine, katoenen jurk die erin hangt. Voor de rest is de kamer leeg.

Ik vraag me meteen af of Romy en Rayne hun tante ooit hebben laten verschijnen, zoals ik die keer deed met Damen. Hoe lang hebben ze zich vastgeklampt aan hun oude leventje voor ze het opgaven en genoegen namen met dit – een imitatie van alles wat ze kenden?

Ik sluit de deur achter me en loop naar een korte ladder die naar de zolderkamer leidt. Het schuine dak is hier zo laag dat ik mijn hoofd moet intrekken. Ik krimp ineen als het hout onder mijn voeten luid kraakt. Vlug begeef ik me naar een plek waar het dak hoger is en ik rechtop kan staan. Dan zie ik de twee smalle bedden en het kleine, houten tafeltje ertussenin, met daarop een grote stapel boeken en een veelgebruikte olielamp. De inrichting lijkt op de slaapkamer van hun tante, alleen zijn de muren hier voorzien van verwijzingen naar de huidige eeuw – posters en afbeeldingen van de popcultuur die er alleen maar kunnen hangen dankzij Rileys invloed. Elke centimeter hangt vol met Rileys favorieten; haar kennende had de tweeling niet veel keus en moesten ze haar idolen wel accepteren.

Mijn blik glijdt de kamer rond en ik zie de blije, glimmende gezichten van voormalig Disneysterren – nu tienericonen met een vette bankrekening – een rijtje van de kandidaten van het programma *American Idol* en zo'n beetje iedereen die ooit op de cover van het tijdschrift *Teen Beat* heeft gestaan. Als ik een stuk papier zie dat aan de deur geprikt is, moet ik wel lachen. Het is een rooster, het schema van de activiteiten op hun gemanifesteerde internaat, met lessen die alleen mijn overleden jongere zusje zou kunnen bedenken:

1e uur: Mode voor beginners: wat je wel, niet en vooral nóóit moet doen

2e uur: Haarstijlen, basiscursus: styling en technieken. Een vereiste voor Haarstijlen voor gevorderden

Pauze – tien minuten: tijd om te roddelen en make-up en haar bij te werken

3e uur: Sterrenfeitjes: wie is in, wie niet en wie voldoet niet aan het imago dat hij of zij wil hebben

4e uur: Populariteit: een uitgebreide cursus over hoe je populair wordt en blijft zonder je eigen identiteit te verliezen

Lunchpauze – halfuur: om te roddelen, make-up en haar bij te werken en eten als dat echt moet

5e uur: Make-up en zoenen: alles wat je ooit wilde weten over lipgloss maar nooit durfde te vragen

6e uur: Zoenen, basiscursus: wat is goed, wat is fout en wat vindt hij prettig

Het is een compleet overzicht van alles waarover Riley zich druk maakte, al weet ik vrij zeker dat ze met het onderwerp van het laatste uur zelf geen ervaring heeft kunnen opdoen.

Net als ik denk dat ik alles wel gezien heb en wil vertrekken, valt me een prachtig, rond fotolijstje op met steentjes in de rand. Het staat hoog op de kledingkast en ik moet op mijn tenen staan om erbij te kunnen. Het kan niet van Romy en Rayne zijn, aangezien fotografie pas jaren na hun vertrek uit Salem is uitgevonden. Ik hap hoorbaar naar adem als ik de ingelijste foto zie: het is een foto van óns.

Van Riley en mij, en Buttercup, onze lieve, blonde labrador.

Het plaatje roept meteen een herinnering op die zo helder en tastbaar is, dat het voelt als een stomp in mijn maag. Ik zak op mijn knieën op de grond en trek me niets aan van het ruwe hout dat mijn huid schaaft. Ik let ook niet eens meer op de tranen die langs mijn wangen rollen en op het glas druppelen, die de foto streperig en vaag maken. Ik kijk al niet meer naar de foto zelf; ik zie het moment in gedachten voor me. Het moment waarop Riley en ik over elkaar heen hingen, lachend en grijnzend. We stelden ons lekker aan, terwijl Buttercup enthousiast blafte en rondjes om ons heen rende.

Het was niet lang voor het fatale auto-ongeluk.

De laatste foto die ooit van ons is genomen.

Een foto waar ik niet meer aan gedacht heb, aangezien Riley stierf voor ze hem vanuit haar camera kon overzetten naar de computer.

Ik kijk de kamer rond met een troebele blik en ogen vol tranen. Aarzelend en onzeker piep ik: 'Riley? Riley? Kun je... kun je me zien?' Ik vraag me af of ze hier is en dit allemaal gepland heeft. Misschien staat ze wel in een hoekje naar me te kijken.

Met een puntje van mijn trui droog ik mijn gezicht en daarna het fotolijstje af. Ze reageert niet en ik kan ook niet direct met haar communiceren, maar ik weet gewoon dat zij dit heeft geregeld. Zij heeft deze foto gemanifesteerd. Ze wilde me opnieuw herinneren aan wat we ooit samen deden, wie ik ooit was – net meer dan een jaar geleden.

Het is verleidelijk de foto mee te nemen naar huis, maar ik laat hem hier achter. De foto hoort bij Zomerland en zou de reis terug toch niet overleven. Bovendien vind ik het om een of andere vage reden wel prettig te weten dat hij hier staat.

Ik klim omlaag via de ladder en loop door de kamer. Ik heb nu gezien wat ik moest zien, dus kan ik ervandoor. Als ik bijna bij de voordeur ben, valt mijn oog op een schilderij dat ik tot nu toe over het hoofd heb gezien. De lijst is eenvoudig en zwart, met de hand gemaakt van een paar stukjes hout. Maar het is de afbeelding die mijn interesse wekt. Het is een gedetailleerd portret van een aantrekkelijke, maar alledaagse vrouw. Althans, volgens de huidige maatstaven. Haar huid is bleek, haar lippen zijn dun en haar haren zijn strak naar achteren geborsteld, waarschijnlijk tot een strak knotje. De houding van de vrouw is ernstig en haar uitdrukking vrij strikt, maar toch ligt er iets vrolijks in haar ogen. Alsof ze alleen de rol speelt van een nette, rustige, zeventiende-eeuwse vrouw en op deze manier poseert omdat het zo hoort. Binnen in haar gaat een passie schuil die weinig mensen verwachten.

Hoe langer ik in die ogen kijk, hoe zekerder het voelt. Ik probeer mezelf van alles wijs te maken – dat het onmogelijk is, dat het gewoon niet waar kán zijn – maar dat knagende gevoel dat ik nou al wekenlang heb, die hint uit mijn onderbewuste, hangt nu voor me op zo'n duidelijke manier dat ik het niet langer kan ontkennen.

Zacht snak ik naar adem en mijn fluisterende uitroep echoot door de kamer, al kan niemand anders hem horen. Ik haast me de deur uit en terug naar Laguna Beach.

Ik moet weg bij het gezicht dat ik nog steeds voor me zie – weg van het verleden dat opeens, op wonderbaarlijke wijze, de cirkel weer rond heeft gemaakt.

Negentien

Ik denk er niet eens meer over na. Halsoverkop laat ik de poort verschijnen en ik land terug op de aarde. En nu direct naar Damen.

Net als ik bij het hek van de omheinde wijk aankom, bedenk ik me.

De tweeling zal er ook zijn.

De meisjes zijn er altijd.

En dit is niet iets wat ik in hun aanwezigheid wil bespreken.

Het hek is al in beweging en Sheila wuift me vrolijk naar binnen, dus rijd ik maar door en sla af naar het park. Ik zet de auto langs de stoep en loop naar de schommels. Eenmaal in een van de zitjes, zet ik me met zo'n kracht af dat ik even bang ben dat ik om de stang van de schommels heen draai. Gelukkig gebeurt dat niet en ik beweeg gewoon heen en weer en geniet van de wind die langs mijn wangen waait. Hoger en hoger, met steeds dat kriebelende gevoel in mijn maag zodra ik omlaag kom. Ik sluit mijn ogen en roep Damen in gedachten met alle krachten die ik heb voor het monster wakker wordt en mijn plannen in de war stuurt. Ik tel de seconden, maar kom niet eens tot tien voor hij voor me staat.

De lucht om me heen verandert en wordt warm in zijn aanwezigheid. Ik voel de tinteling op mijn huid. Als ik mijn ogen open is het net als die eerste keer dat we elkaar zagen op de parkeerplaats van school – hypnotiserend, magisch. Een moment van onvoorwaardelijke overgave. De zon achter hem zorgt voor een fel licht van flitsende oranje, gouden en rode kleuren, waarvan het lijkt alsof hij ze zelf uitstraalt. Ik geniet van het moment zolang ik kan. Maar al te goed besef ik dat het niet lang duurt voor het effect verslapt en ik weer gevoelloos ben in zijn buurt.

Hij komt op de schommel naast me zitten, zet zich af en zwaait algauw in hetzelfde ritme mee door de lucht. We schieten omhoog tot heerlijke, duizelingwekkende hoogtes en storten dan omlaag – een mooie parallel met onze relatie van de afgelopen vier eeuwen.

Maar als hij me vol verwachting aankijkt, weet ik dat ik hem moet teleurstellen. Ik ben hier niet met de reden die hij hoopt.

Ik haal diep adem en slik de brok in mijn keel weg. 'Luister,' begin ik ongemakkelijk als ik me tot hem wend. 'Ik weet dat de situatie... nogal ongemakkelijk is...' Dat is niet helemaal hoe ik het zou omschrijven, maar ik moet verder. 'Maar nadat je wegging, ontdekte ik iets wat zo buitengewoon is, dat ik me meteen naar je toe heb gehaast om het te vertellen. Als we al die andere onderwerpen even kunnen laten voor wat ze zijn, denk ik dat je het graag wilt horen.'

Hij houdt zijn hoofd schuin en neemt me in zich op. Zijn blik is donker en indringend; zo intens dat de woorden in mijn keel blijven steken.

Starend naar de grond trek ik eerst met mijn teen kleine cirkels in het zand. Ik moet me dwingen verder te praten. 'Dit klinkt waarschijnlijk hartstikke gek, zo gek dat je het in eerste instantie misschien niet wilt geloven, maar... ik zweer het je... hoe buitensporig het ook is, het is echt helemaal, honderd procent waar. Ik heb het zelf gezien.' Ik wacht even en in een vluchtige blik zie ik hem knikken op die geduldige, aanmoedigende manier van hem. Ik schraap mijn keel voor de rest, al vraag ik me af waarom ik zo zenuwachtig ben. Hij is wellicht de enige die dit echt kan begrijpen. 'Weet je hoe je altijd zegt dat de ogen de spiegel zijn van de ziel en zo? Dat je daarin ook het verleden kunt zien? En hoe je iemand uit een vorige incarnatie kunt herkennen als je diegene diep in de ogen kijkt?'

Hij knikt vrijblijvend en nonchalant, alsof hij alle tijd van de wereld heeft om af te wachten wat er komt.

'Wat ik wil zeggen, is...' Ik haal diep adem en hoop maar dat hij me niet nog gestoorder vindt als ik klaar ben. 'Ava-is-de-tante-van-Romy-en-Rayne!' De woorden vliegen van mijn tong alsof het één lange toverspreuk is. En Damen zit daar maar, nog net zo onbewogen en rustig als een moment geleden.

'Weet je nog dat ik je vertelde over mijn visioen, waarin ik hun geschiedenis heb gezien en ook hun tante? Nou ja, hoe gek dit ook klinkt – die tante is nu dus Ava. Ze is gestorven tijdens de heksenvervolgingen in Salem en in dit leven teruggekeerd als Ava.' Ik haal mijn schouders op. Dit was de clou, ik weet niet wat ik nog meer moet zeggen.

Damens mondhoeken krullen licht omhoog en hij kijkt vriendelijk terwijl hij zijn schommel langzaam naar voor en naar achteren duwt. 'Dat weet ik.'

Ik knijp mijn ogen tot spleetjes. Hoor ik dat goed?

Met een zijwaartse beweging komt hij dichterbij en onze knieën raken elkaar bijna aan. Hij kijkt me aan. 'Ava heeft het me verteld.'

Ik spring zo vlug uit mijn schommel dat de kettingen tegen elkaar aan kletteren en het zitje een paar keer om zijn as draait. De schommel komt omhoog en draait in snelle cirkels weer naar beneden als de kettingen los vallen onder een dof, metaalachtig gerinkel. Mijn knieën knikken en ik staar hem aan, langzaam van onder naar boven. Hoe kan deze jongen, die beweert al mijn incarnaties al van me te houden, bevriend zijn met háár? Hoe kan hij de tweeling in gevaar brengen en mij op zo'n manier verraden?

Zonder enig spoor van bezorgdheid beantwoordt hij mijn blik. 'Ever, alsjeblieft.' Hij schudt zijn hoofd. 'Het is niet wat je denkt.'

Ik pers mijn lippen op elkaar en draai me weg. Waar heb ik dat eerder gehoord? O ja, natuurlijk. Ava. Het is haar favoriete, meest gebruikte zinnetje. Dat hij daar ingetrapt is!

'Ze zag het tijdens een bezoek aan de Akashakronieken. Vandaag, toen ik niets kon vinden om jou te helpen, heb ik het gecontroleerd. Ze is bezig haar huis in orde te maken en wacht het juiste moment af om het ze te vertellen. En ja, ik geloofde haar, al wist ik niet zeker of het goed was voor de tweeling. Maar vandaag heb ik om advies gevraagd, om een hint wat de beste oplossing is voor hen. Toen heb ik het hele verhaal te zien gekregen. De meisjes zijn nu ook bij haar.'

'Dus dat was het weer.' Ik kijk hem aan. 'Ava is niet meer kwaadaardig, ze heeft de tweeling terug en wij gaan verder met ons leven.' Ik wil lachen, maar het klinkt niet zoals ik zou willen.

'O ja? Gaan wij verder met ons leven?' Hij houdt zijn hoofd schuin en kijkt vragend.

Ik zucht, wetend dat ik het moet uitleggen. Dat is wel het minste.

Ik laat me weer op de schommel zakken en grijp de dikke kettingen vast voor ik hem aankijk. 'Vandaag, in Zomerland... Ik weet wel hoe het eruitzag, maar het was niet wat je dacht. Helemaal niet. Ik wilde het nog uitleggen – ik wilde je alles uitleggen wat er de laatste tijd gebeurd is – maar je verdween zo snel...' Ik druk mijn lippen op elkaar en wend mijn hoofd af.

'Leg het nu maar uit, dan.' Hij kijkt me nauwlettend aan. 'Ik ben hier. Je hebt mijn onverdeelde aandacht.' Het klinkt zo formeel, zo stijfjes dat mijn hart breekt. Ik voel de miljoenen scherpe scherfjes in mijn borst nu hij zo naast me zit – zo knap, jong en vol goede bedoelingen. Hij wil alleen maar doen wat goed is, zelfs als hij daar iets voor moet inleveren.

Dolgraag wil ik mijn armen uitsteken en hem stevig vasthouden, hem alles vertellen. Maar dat gaat niet. Het monster in mij houdt mijn stembanden gegijzeld en ik kan niet meer dan mijn schouders ophalen. 'Het... het was echt onschuldig. Serieus. Ik deed het voor ons, hoe het er ook uitzag,' is het enige wat ik mezelf hoor zeggen.

Damen kijkt me vol geduld en liefde aan en ik voel me vreselijk schuldig. 'En, heb je gekregen wat je wilde hebben?' vraagt hij zo dubbelzinnig dat ik alleen maar kan raden wat hij er precies mee bedoelt.

Ik wacht en probeer niet te huiveren van die donkere, priemende blik. Mijn handen plakken. 'Je weet toch hoe slecht ik me voelde sinds ik hem heb aangevallen en zo... Ik dacht: als ik hem nou meeneem naar Zomerland, misschien geneest hij dan wel en...'

'En?' moedigt hij me aan. In zijn stem klinkt het geduld van honderden jaren en ik vraag me af of hij daar nou nooit moe van wordt. Altijd maar zo inschikkelijk zijn, alles over zich heen laten gaan – vooral als het om mij gaat.

'En...' Ik wil het zeggen, ik wil hem vertellen wat er met me is, maar dat kan niet. Het monster is wakker, de zwarte magie slaat zijn klauwen uit en ik ben de controle alweer bijna kwijt. Ik schud mijn hoofd en frunnik nerveus aan de knopen met schildpadmotief op mijn vest. 'En... niks. Nee, echt, dat was het. Ik hoopte dat hij zou genezen en dat is gelukt.'

Vol begrip lijkt Damen me aan te kijken en de woorden af te wegen, kalm en beheerst. En dat is het 'm juist: hij begrijpt het ook. Meer dan wat ik hakkelend weet uit te brengen. Hij begrijpt het maar al te goed.

'We waren er toch, dus ik wilde hem nog even een rondleiding geven. Zodra hij de Paleizen zag, wilde hij naar binnen. En de rest... je weet wat ze zeggen... de rest is geschiedenis.' De ironie hiervan ontgaat ons geen van beiden.

'Ben je met hem meegegaan naar binnen?' Zijn ogen versmallen zich en hij kijkt zo veelbetekenend. Alsof hij weet dat ik er niet meer welkom ben, maar hij het mij wil horen zeggen. Alsof ik hardop moet bekennen hoe duister en geniepig ik ben geworden.

Ik haal diep adem en veeg een pluk haar uit mijn gezicht. 'Nee, ik eh...' Moet ik hem vertellen over mijn ritje te paard naar het niemandsland? Ik vind van niet. Het zou heel goed kunnen zijn dat wat ik daar zag meer een afspiegeling was van mezelf, van mijn innerlijk, dan een bestaande plek. 'Ik eh... bleef wat rondhangen terwijl ik wachtte. Ik bedoel, ik verveelde me enorm en dacht er wel even over om weg te gaan, maar ik wist niet of hij de weg naar huis wel kon vinden en... nou ja, ik bleef gewoon zitten.' Ik knik een beetje te overdreven; zo is het niet geloofwaardig meer.

Lang en ongemakkelijk kijken we elkaar aan. We weten allebei dat ik lieg en dat dit mogelijk een van mijn slechtste acteerprestaties ooit is. Om een of andere, vage reden haalt hij zijn schouders op zo'n definitieve manier op, zo vastbesloten, dat het me teleurstelt. Dat kleine, verstandige restje van mij dat nog over is, hoopte stiekem dat het hem zou lukken de waarheid uit me te trekken, voor eens en altijd. Maar hij blijft me maar aanstaren tot ik wegkijk. 'Fijn te weten dat je nog wel in je eentje naar Zomerland gaat, ook al wil je er met mij niet meer heen,' bijt ik hem nog toe. Hij verdient het niet, maar het moest eruit.

Hij trekt mijn schommel met een ruk naar zich toe en zijn kaken verstijven. Zijn knokkels zijn wit rond de ketting en met moeite weet hij uit te brengen: 'Ever, ik ging er niet voor m'n lol naartoe. Ik ging voor jou.'

Ik slik en wil wegkijken, maar zijn blik houdt me stevig vast.

'Ik wilde een manier vinden om je te bereiken, om je te helpen. Je bent zo afstandelijk, zo niet jezelf en we zijn al dagen niet meer samen of alleen geweest. Ik merk heus wel dat je me probeert te ontlopen. Je wilt niet meer bij me zijn – althans niet hier in deze wereld.'

'Dat is niet waar!' piep ik. Mijn stem trilt en klinkt onbetrouwbaar, maar ik moet door. 'Ik bedoel, misschien heb je het nog niet gemerkt, maar ik werk de laatste tijd heel veel. De hele zomer heb ik niets anders gedaan dan boeken opruimen, de kassa bedienen en readings geven onder het pseudoniem Avalon. Dus ja, misschien wil ik zo af en toe eens eventjes wat tijd voor mezelf hebben en iets heel anders doen. Is dat zo erg?' Ik pers mijn lippen op elkaar en kijk hem strak aan. Het meeste hiervan was waar; nu nog zien of hij me aanspreekt op die stukken die gelogen zijn.

Hij trapt er niet in en schudt alleen zijn hoofd. 'En nu Jude weer beter is en je hem genezen hebt met een reisje naar Zomerland, ben ik heel benieuwd welke smoesjes er nog gaan komen.'

Ik houd mijn adem in en kijk weg. Zo heb ik hem nog nooit horen praten en in alle eerlijkheid weet ik echt niet wat ik moet zeggen. Wat gaat er nu gebeuren? Ik schop met de punt van mijn schoen tegen een steentje. Ik kan hem niet in vertrouwen nemen en ik ben te moe en verslagen om iets anders te bedenken.

'Je was ooit net zo stralend en blij op dit aardse vlak als vandaag in Zomerland.' Ik slik en laat mijn hoofd hangen. Dit is toch niet te geloven! 'Ik weet van de spreuk, Ever,' vervolgt hij op lage toon. Het is bijna fluisterend, al weerklinkt het in mijn hoofd als een schreeuw. 'Ik weet dat je de macht kwijt bent en ik zou willen dat je me liet helpen.'

Ik verstar. Mijn lichaam verstijft en mijn hart bonkt tegen mijn ribben.

'Ik herken de signalen. Het liegen, het schrikachtige, het gewichtsverlies, de veranderingen in je uiterlijk. Je bent verslaafd, Ever. Verslaafd aan de duistere kant van magie. Jude had je er nooit bij moeten betrekken.' Hoofdschuddend blijft hij naar me kijken. 'Maar hoe eerder je het toegeeft, hoe eerder ik je kan helpen beter te worden.'

'Het is niet...' Praten kost moeite en de woorden blijven steken. Het monster heeft de controle en wil ons uiteendrijven. 'Daarom ging je toch naar Zomerland toe? Om mij te helpen?' Zijn gezichtsuitdrukking vertoont gekwetste verbijstering. Maar dat is lang niet genoeg voor het monster in mij. Dat komt net lekker op dreef en is nog lang niet klaar. 'Wat heb je gezien, dan? Wat hebben de alleswetende Akashakronieken jou verteld?'

'Niets,' zegt hij verslagen. 'Ik ben niets te weten gekomen. Blijkbaar krijgen anderen geen toegang als je het probleem zelf hebt veroorzaakt. Ik mag niet ingrijpen, op welke manier dan ook.' Hij haalt zijn schouders op. 'Het heeft te maken met de reis, denk ik. Dan nog is één ding duidelijk, Ever. Afgelopen donderdag had Roman het over een spreuk. En sinds Jude je het boek heeft gegeven is niets meer hetzelfde – met jou – met ons... Alles is veranderd.' Hij wacht op een bevestiging van mij, maar er komt niets; dat mag niet. 'Jullie tweetjes delen een ingewikkelde geschiedenis en ik zie ook wel dat hij nog iets voor je voelt. Maar als je het mij vraagt, staat hij in de weg – magie staat ons in de weg. Ever, het zal je vernietigen als je niet oppast. Ik heb het eerder meegemaakt.'

Wetend dat hij me een bericht stuurt, tuur ik hem zoekend aan, maar het vreemde gevoel is alweer druk aan het zoemen in mij. De duistere vlam brandt fel en verzwakt me zodanig dat ik Damens gedachten, energie, tintelingen en warmte niet meer kan voelen. Ik voel helemaal niets meer.

Hij staat op, pakt me bij mijn schouders voor ik kan knipperen en staart doelbewust in mijn ogen, vol vastberadenheid. Hij wil deze ellende voor altijd opgelost zien.

Hoe graag ik dat ook wil, hij mag me zo niet zien, ik kan hem niet in mijn hoofd laten. De walging in mijn ogen is niet van mij afkomstig, maar van het monster, alleen weet hij het verschil niet.

Ik schud mijn hoofd. Het doet me pijn en het bewijst zijn gelijk – dat ik me roekeloos gedraag en de macht kwijt ben – maar ik loop weg. Terug naar de stoep waar mijn auto staat.

Over mijn schouder roep ik nog: 'Sorry, Damen, maar je zit ernaast. Je hebt het helemaal mis. Ik ben overwerkt en doodop, dat zeg ik je al de hele tijd. Als je me ooit nog het voordeel van de twijfel wilt geven, dan weet je me te vinden.'

Twintig

Ik ben het hek nog niet uit of mijn auto is weg. Ik val met mijn kont op straat, zo vlug en zo hard dat het even duurt voor ik me realiseer dat de wagen onder me vandaan is verdwenen. Ik kijk verbluft om me heen en vraag me af hoe dat mogelijk is, maar dan komt er een hardrijdende Mercedes aan die me bijna omverrijdt. De automobilist toetert, steekt zijn middelvinger op en gooit er nog wat scheldwoorden achteraan.

Ik kruip naar de stoep en knijp mijn ogen stijf dicht om snel een nieuwe auto te manifesteren; nu iets snellers en krachtigers. Ik denk aan de knalrode Lamborghini en zie hem helemaal voor me. Des te groter is de schok als ik mijn ogen open en hij er niet staat. Ik haal diep adem en doe een tweede poging. Eerst een Porsche, dan een Miata zoals ik thuis heb staan, maar nog steeds verschijnt er niets. Een zilveren Prius, zoals Munoz heeft, en zelfs een Smart, mislukken ook. Er gebeurt helemaal niets. Ik ben nu zo wanhopig dat ik al tevreden zou zijn met een scooter, maar als zelfs dat niet lukt probeer ik uit baldadigheid een stel rolschaatsen te manifesteren. Ik merk pas hoe ernstig de situatie is als ik eindig met twee witte laarsjes met metalen strips – zónder de bijbehorende wieltjes. Dus besluit ik te rennen. Als al het andere niet werkt, heb ik in elk geval nog mijn eigen kracht en snelheid.

Mijn voeten bonken op het asfalt en zetten zich met gemak af. Zo hol ik over de bochtige, glooiende heuvels langs de Pacific Coast Highway, met de bedoeling rechtstreeks naar huis te gaan. Maar in plaats daarvan mis ik de afslag en ik ren verder, naar een betere plek. Een plek met alles wat ik nodig heb, alles wat ik verlang. Ik ben opeens zo gefocust dit doel te bereiken, ongeacht de gevolgen, dat ik nog vlugger en sneller beweeg en voor ik het weet, sta ik er.

Vlak voor Romans deur.

Mijn lichaam trilt van verlangen en hoop. De duistere vlam brandt zo fel, het dreigt mijn organen te verschroeien. Ik sluit mijn ogen en speur naar hem tot ik zijn aanwezigheid voel.

Roman is binnen.

Ik hoef de deur maar te openen en hij is van mij.

In een vloeiende beweging sta ik binnen. De deur slaat zo hard tegen de muur dat het hele huis trilt. Ondertussen sluip ik verder, stilletjes en vlug, tot ik Roman vind in zijn zitkamer, hangend op de bank met zijn armen wijd en een hoopvolle blik op zijn gezicht, alsof hij me al verwachtte.

'Ever.' Hij knikt, niet verrast of verbaasd. 'Je hebt echt iets tegen voordeuren, hè? Moet ik er nu alweer eentje vervangen?'

Zonder aarzeling loop ik dichter naar hem toe. Zijn naam ligt op het puntje van mijn tong als een liefkozing en mijn lichaam hunkert naar de rilling die zijn blik me geeft.

Langzaam knikt hij, alsof hij luistert naar een ritme dat alleen hij hoort. Hij laat de ouroborostatoeage in en uit beeld flitsen en gaat op lage, afgemeten toon verder: 'Wat leuk dat je zo komt binnenvallen, *darling*, maar om eerlijk te zijn vond ik je de laatste keer een stuk aantrekkelijker. Je weet wel – toen je buiten voor mijn raam stond in dat charmante, doorzichtige nachtjaponnetje van je.' Hij opent zijn lippen een klein beetje en klemt er een sigaret tussen, die hij aansteekt. Bedachtzaam neemt hij een trekje, dan blaast hij een serie perfect getimede rookcirkels in mijn richting. 'Want nu... tja, je ziet er niet bepaald elegant uit. Zelfs een beetje... hongerig, is het niet?'

Ik wrijf mijn lippen over elkaar en maak ze vochtig met mijn tong. Ik wil met mijn vingers door mijn haren kammen, maar het zijn nu slaphangende plukken. De ooit dikke, glanzende bos haar waar ik zo trots op was, is nu niet veel meer dan een doffe klitten-bos vol gespleten punten. Ik had er iets aan moeten doen, had me moeten voorbereiden – misschien met wat parfum, hier en daar wat poeder en nieuwe kleren die beter passen bij mijn sterk ver-magerde lijf. Zijn starende blik drukt op me, zoals zijn ogen glij-den over dit uitgemergelde lichaam waar hij het duidelijk niet heel warm van krijgt.

'Ik meen het, *darling*, als je toch zo met de deur in huis komt val-len, dan mag je er best wat fatsoenlijker bij lopen. Ik ben Damen niet, *love*. Ik duik niet zomaar de koffer in met alles wat beweegt. Ik heb zo mijn eisen, hoor,' zegt hij in zijn overdreven Britse ac-cent.

Ik sluit mijn ogen. Ik doe alles om hem te plezieren, om samen met hem te kunnen zijn. Als ik mijn ogen weer open, merk ik dat het moet zijn gelukt. Hij kijkt me glazig en verdoofd aan.

'Drina!' fluistert hij. De sigaret valt uit zijn mond en brandt een gaatje in het tapijt terwijl hij naar me staart. Hij ziet de crèmekleu-rige huid, de roze lippen en een bos rood haar dat tot over mijn schouders valt. Ik kniel voor hem neer, knijp de sigaret uit tussen mijn lange, smalle vingers en leg mijn handen op zijn knieën.

'Mijn god, dat kan niet... het kan... Is het echt...?' Hij schudt zijn hoofd, wrijft in zijn ogen en staart nogmaals in ogen zo groen als smaragden. Wanhopig wil hij geloven wat hij ziet.

Ik doe mijn ogen dicht en geniet van het gevoel en de rillingen die ik van hem krijg. Ik laat mij handen omhoog gaan, boven zijn knieën, over zijn dijen en zo dicht bij wat ik wil, nog een beetje ho-ger en dan...

Opeens staat Haven achter me. Haar ogen schieten vuur, haar handen zijn gebald tot vuisten en ik vraag me af hoe lang ze al toe-kijkt, aangezien ik haar niet heb horen binnenkomen. Ik merkte haar aanwezigheid niet eens op. Niet dat het erg veel uitmaakt, trouwens. Ze is een hinderlijk obstakel geworden dat constant in de weg staat, maar daar weet ik wel raad mee.

'*What the fug*? Waar ben je mee bezig, Ever?' Ze komt op me af, haar blik strak en bedoeld om te intimideren als ze hem over mij

heen laat gaan. Het heeft geen effect en dat gaat ook niet meer gebeuren. Maar dat weet zij niet.

'Ever?' Roman knippert en kijkt van Haven naar mij, nog niet in
staat door de illusie heen te prikken. 'Waar heb je het over? Dit is
niet Ever, *love*, het is...'

Het kwaad is geschied. De suggestie van haar woorden is genoeg
om het effect op te heffen. Hij ziet mij weer, niet de illusie van daarnet.

'*Bloody hell!*' roept hij uit, en hij duwt me zo hard weg dat ik door
de kamer vlieg, over een tafel heen, tegen een stoel aan, tot ik vlak
naast Haven neerkom. 'Wat voor achterlijke stunt probeer jij uit te
halen?' Hij is kwaad dat ik hem zo erg voor de gek heb gehouden.

Ik slik, maar verlies hem niet uit het oog. Haven komt op me af
in een waas van zwart leer en kant. Haar koude adem bevriest mijn
wang en haar nagels prikken in mijn pols. 'Heb je niks beters te
doen?' Ze perst het naar buiten door opeengeklemde kaken. 'Nee,
serieus, Ever. Weet Damen dat je hier bent?'

Damen.

De naam brengt iets in me teweeg – heel ver weg. Iets waardoor
mijn hand naar de amulet rond mijn nek vliegt en ik lichtelijk ach-
teruitdeins.

Haven kijkt me vernietigend aan, vol woede. 'Je kunt het echt
niet hebben, hè? Dat ik iets heb wat jij niet hebt.' Ze schudt haar
hoofd. 'Mij maar waarschuwen uit Romans buurt te blijven, zodat
je hem voor jezelf hebt. Nou, ik heb nieuws voor je, Ever – ik ben
veranderd. Je kunt je niet eens voorstellen hoe erg.' Ik probeer mijn
hand los te trekken, achteruit te gaan en mezelf te bevrijden, maar
ze is te sterk voor me, te vastberaden. De blik in haar ogen vertelt
me dat ze nog niet klaar is met me. 'Je hebt hier niets te zoeken. Je
had niet moeten komen. Ik wil je hier niet hebben en Roman ook
niet. Zie je zelf niet hoe zielig je bent?' Ze kijkt veelbetekenend naar
mijn kin vol pukkels en de platte borstkas – het tegenovergestelde
van haar perfecte porseleinen huid en vrouwelijke rondingen.
'Waarom vertrek je niet gewoon, terug naar waar je vandaan
kwam? Ik leef tegenwoordig volgens mijn eigen regels en die zijn
als volgt: als jij niet maakt dat je wegkomt, als je hier langer blijft

dan ik wil of iets geks probeert, dan staat je iets te wachten.' Haar vingers klemmen zich strakker rond mijn pols tot ze haar duim raken en haar blik laat me geen moment los. 'Je ziet er afgrijselijk uit. Een wrak, een puistenkop met een vieze luizenbos.' Ze schudt haar hoofd met de glanzende lokken en de platina pluk in haar pony. 'Wat is er toch gebeurd, Ever? Heeft Damen zich bedacht? Wil hij niet langer de rest van de eeuwigheid met je doorbrengen en krijg je nou geen elixir meer?'

Ik open mijn mond om iets te zeggen, maar het blijft stil. Ik draai mijn hoofd om naar Roman en kijk hem aan, smekend me te helpen, maar met een handgebaar laat hij weten klaar met me te zijn. Nu hij weet dat ik niet Drina ben, mag ik het zelf uitzoeken.

Ik heb geen keus. Ik til mijn pols op – degene die zij zo stevig vasthoudt dat hij wit en gevoelloos wordt – en draai haar zo onverwacht om dat ze plotseling met haar rug tegen mij aan staat zonder zich te kunnen verzetten.

Met mijn lippen bij haar oor sis ik: 'Sorry, maar van dat soort praatjes ben ik niet gediend.' Ik voel hoe ze worstelt en zich probeert te bevrijden, maar dat is nutteloos. Niemand verslaat het monster, niemand...

Dan zie ik opeens de spiegel die voor ons hangt in een gouden lijst. Het beeld beneemt me de adem: Havens hatelijke blik die zo goed bij de mijne past – ik die zo woedend kijkt met een vertrokken gezicht – zo monsterlijk dat ik mezelf nauwelijks herken. Nu zie ik pas wat zij al die tijd al hebben opgemerkt: het verwilderde uiterlijk dat past bij wie ik ben geworden.

Mijn hand verslapt genoeg om haar niet meer tegen te houden. Ze draait zich vol razernij naar mij om, met haar vuist geheven en een plattegrond van alle zeven chakra's in gedachten.

Maar voor ze kan richten, ben ik verdwenen. Ik duw haar van me af en hoor nog net het verbazingwekkend harde gekraak van haar rug tegen de muur voor ik de straat op ren.

Ik blijf me voorhouden dat het wel goed komt met haar; onsterfelijken genezen wel weer.

Al vraag ik me af of dat voor mij ook nog steeds geldt.

Eenentwintig

Als ik bij de winkel aankom, verwacht ik Jude te vinden. Maar de deur zit op slot en het bordje hangt op GESLOTEN. Ik probeer de deur met mijn gedachten te openen, maar dat mislukt, dus moet ik de sleutel zoeken in mijn tas. Mijn handen trillen zo erg dat ik hem twee keer laat vallen voor ik hem in de deur kan steken. Eenmaal binnen, haast ik me langs de boekenplanken en cd-rekken. Ik vergeet het display met de engelenfiguren helemaal en bots er zo hard tegenaan dat ze op de grond vallen in een grote hoop gebroken ledematen en dikke glasscherven. Ik blijf niet staan om het op te ruimen; ik kijk er niet eens naar om. Ik loop verder, naar het kantoortje achterin en het bureau, waar ik de stoel naar achteren trek en me laat neerploffen.

Zo stort ik in, ineengezakt, met mijn voorhoofd op het hout van het tafelblad. Mijn hartslag en ademhaling weer rustig krijgen kost enorm veel moeite. Ik voel me afschuwelijk als ik bedenk hoe diep ik ben gezonken. De confrontatie van tien minuten geleden herhaalt zich steeds weer in mijn gedachten.

Een tijdje blijf ik zo zitten, tot mijn huid afkoelt en mijn hoofd helder wordt. Ik til mijn hoofd op en kijk om me heen. Dan pas merk ik dat de kalender van de muur is gehaald en vlak voor me op het bureau is neergezet. De datum van vandaag staat omcirkeld in rood met een vraagteken erbij en mijn naam onderstreept. Daarnaast staat: HEB JE HIER WAT AAN? in Judes rommelige handschrift.

Ik snap het meteen. De oplossing die ik zoek is nu, dankzij Jude, binnen handbereik. Het is zo ongelooflijk voor de hand liggend dat ik mezelf wel voor m'n kop kan slaan. Ik staar naar Judes slordige cirkel en het kleinere, gedrukte rondje in het midden dat symbool staat voor de maanfase. Het rondje is helemaal ingekleurd, wat betekent dat de maan vandaag weer onzichtbaar wordt.

Hekate komt weer tevoorschijn.

Opeens weet ik precies wat ik moet doen.

Ik had de raad van de tweeling niet moeten opvolgen om te wachten op de volle maan en de godin te vragen de duistere magie op te heffen. (Waarschijnlijk heb ik de koningin van de onderwereld daar juist kwaad mee gemaakt en is het daarom mislukt.) Nee, ik had tot vandaag moeten wachten, op de nieuwe maan, zodat ik terug kon naar de bron, terug naar stap één. Ik moet Hekate hebben, heerseres van zwarte magie, en een verbond met haar sluiten.

Ik trek de la open, laat *Het Boek der Schaduwen* links liggen en zoek naar een paar ingrediënten die ik nodig heb. Ik neem me voor er later voor te betalen terwijl ik diverse kristallen, kruiden en kaarsen in mijn tas laat vallen voor ik hem over mijn schouder hang. Zo loop ik naar het strand, naar de enige plek die me de privacy biedt die ik zoek, met genoeg water in de buurt voor een ritueel bad.

Binnen enkele tellen sta ik aan de rand van de rotsen met mijn tenen over de rand geklemd. Ik kijk uit over een oceaan die zo donker is, dat hij naadloos overloopt in de hemel. Zo'n nacht was het een maand geleden ook, toen ik hier met Damen kwam en ervan overtuigd was dat ik niets ergers kon doen dan mijn beste vriendin veranderen in een onsterfelijke. Ik had geen flauw idee wat me nog allemaal te wachten stond.

Ik volg het pad en kan niet wachten tot ik er ben. Voorzichtig loop ik langs uitstekende stenen en scherpe bochten. Mijn hart bonst en het zweet breekt me uit zodra ik dat vreemde gevoel in me voel branden. Ik weet dat ik moet opschieten voor het monster de controle weer overneemt. Ik zet mijn voeten diep af in het zand terwijl ik doorloop naar de grot, zeker wetend dat hij leeg is, net zoals we hem hebben achtergelaten. Het is net als Damen zei: de meeste mensen slijten hun hele leven zonder te zien wat er vlak voor hun neus gebeurt. Daarom hebben ze deze grot nooit ontdekt.

Ik laat mijn tas vallen, pak een lange, dunne kaars en een klein doosje lucifers. Het geknetter van de zwavelkop tegen het doosje past bij het ruisende geluid van de golven. Ik prik de kaars in het zand en leg de rest van mijn spullen klaar op een deken. Als alles netjes op volgorde ligt, trek ik mijn kleren uit en loop naar buiten.

Met mijn armen om me heen geslagen tegen de koude wind die langs mijn huid blaast, probeer ik me op te warmen. Ik negeer de uitstekende ribben die tegen mijn vingers prikken en de manier waarop mijn heupen naar buiten steken. Ik houd me voor dat het bijna voorbij is. Ik heb het bijna opgelost en niemand kan me ervan weerhouden te genezen. Zelfs het monster niet.

Ik ren naar de schuimkoppen in het water, knarsetandend tegen de pijnlijke, bijtende kou. Met mijn ogen dichtgeknepen tegen het prikkende zoute water duik ik in de golven. In mijn oren hoor ik een luid dreunend gezoem. Dan draai ik me op mijn rug als de ergste golven voorbij zijn en het water rustiger wordt. Mijn haar drijft om me heen, mijn lichaam is gewichtloos en bevrijd. Zo trek ik mijn knieën op en staar naar een hemel zo donker, zo grimmig, uitgestrekt en mysterieus dat ik het niet kan bevatten. Ik houd de amulet die ik van Damen heb gekregen stevig vast en roep de kristallen aan om me te beschermen en te helpen, om het monster lang genoeg op afstand te houden zodat ik kan doen wat ik moet doen. Ik vertrouw op Hekate en hoop maar dat er in elke duisternis een lichtpuntje is, net als bij yin en yang.

Steeds weer dompel ik me onder in het water tot ik me zuiver, schoon en herboren voel, klaar voor het ritueel. Ik waad naar de kust en mijn lichaam is drijfnat, al merk ik niets van de laag kippenvel. De kou is minder erg nu ik zeker weet dat ik over een paar seconden heb afgerekend met het monster en ik weer mezelf ben.

Langs de wanden van de grot dansen afwisselend de lichte en donkere schaduwen die de vlam van de kaars werpt. Ik reinig mijn athame, haal hem drie keer door de vlam en kniel neer in het midden van de magische cirkel die ik heb gemaakt. Met wierook in de ene hand en de athame in de andere, voer ik een ritueel uit dat lijkt op het vorige, maar dit keer met een extra spreuk:

> *Hekate, koningin van de onderwereld, magie en de duistere maan*
> *Ontbind deze spreuk en doof de duistere vlam, ik roep u aan*
> *Beschermvrouwe der heksen, drievuldige godin,*
> *Dit is mijn wil, mijn woord, mijn wens – en zo zal het zijn!*

Een krachtige windvlaag steekt op in de grot en ik hap vol ontzag naar lucht wanneer ik het klappende geluid van de donder hoor. De natuurlijke krachten zijn zo sterk dat ze de opeengestapelde stoelen omver drukken. De aarde begint te beven. Het is een ritmisch, seismisch schudden en trillen dat van heel diep uit de grond komt. Het wordt sterker, gewelddadiger en steeds wijder in zijn bereik. Langzaam barsten de lagen steen in de muren om me heen en stukken rots vallen naast me neer.

Alles stort in en valt uit elkaar tot er niets meer over is dan de grond waarop ik kniel, een grote berg puin en uitzicht op de donkere hemel.

De aarde beeft nog na als ik opsta en mijn dank uitspreek. Voorzichtig baan ik me een weg door alle stof en puinhoop, terwijl ik mijn hand laat glijden door een dikke bos glanzend haar. Meteen manifesteer ik een schone, nieuwe outfit die zo vlug verschijnt dat ik er zeker van ben dat mijn wens is vervuld.

Tweeëntwintig

'Zijn we er al?'

Met mijn vingers pulk ik aan de zachte, zijden blinddoek die Damen me heeft omgebonden. Het is suf en een formaliteit, want we weten allebei dat ik niet hoef te kijken om iets te kunnen 'zien'. Maar hij wil zijn geheim zo graag bewaren dat hij alle voorzorgsmaatregelen neemt, of ze nou zin hebben of niet.

Hij lacht zo melodieus dat mijn hart er sneller van klopt. Hij pakt mijn hand en verstrengelt zijn vingers in de mijne – het bijna-gevoel van zijn handpalm geeft me de warmste en heerlijkste tintelingen. Dat gevoel zie ik niet meer als vanzelfsprekend, vooral niet nu ik weet hoe het is om het kwijt te zijn.

'Ben je er klaar voor?' vraagt hij terwijl hij achter me komt staan en de blinddoek losknoopt. Hij laat hem vallen, strijkt mijn haar nog even glad en draait me dan om. 'Gefeliciteerd met je verjaardag!'

Ik glimlach – al voor ik mijn ogen heb kunnen openen. Ik weet zeker dat het geweldig is, wat het ook is.

Zodra ik het zie, valt mijn mond open. Ik houd een hand tegen mijn borst en mijn adem stokt in mijn keel. Het tafereel is zo wonderbaarlijk mooi dat het onmogelijk lijkt, zelfs voor Zomerland.

'Wanneer heb je dit gedaan?' Er valt zoveel te zien – een prachtig droombeeld, een schijnbaar oneindig veld vol schitterende, ro-de tulpen met een schattig paviljoen in het midden. 'Dit heb je toch niet nu net pas gemanifesteerd?'

Hij haalt zijn schouders op en kijkt me aan op een manier die me in vuur en vlam zet. 'Ik was dit al een tijdje van plan. Het paviljoen heb ik niet zelf verzonnen, maar wel aangepast. En de tulpen zijn er speciaal voor jou.' Hij kijkt me aan en trekt me naar zich toe. 'Ik wilde alleen maar dat je weer beter werd, zodat we er samen van konden genieten. Alleen jij en ik, weet je?'

Ik knik. Zijn liefdevolle, dankbare blik doet me blozen nu ik me opeens verlegen voel. 'Alleen jij en ik?' Ik houd mijn hoofd schuin. 'Bedoel je dat we ons niet hoeven haasten voor mijn zogenaamde surpriseparty?'

Damen lacht, knikt en neemt me mee het veld in vol heldere, le-vendige rode bloemen. 'Ze moeten nog van alles klaarzetten – ik heb beloofd dat we straks langskomen. Maar wat vind je ervan?'

Ik knipper een paar keer vlug omdat ik niet wil huilen. Niet hier. Niet nu. Niet in dit prachtige veld dat onze oneindige liefde sym-boliseert. Ik slik de brok in mijn keel weg. 'Ik vind... ik vind dat je de geweldigste jongen bent van de hele wereld. En dat ik ontzet-tend veel geluk heb je te kennen, van je te houden en ik... ik zou niet weten wat ik zonder jou moest beginnen. Ik ben je ook heel dankbaar dat je het niet hebt opgegeven.'

'Dat zou ik nooit doen,' zegt hij opeens serieus als hij me aan-kijkt.

'Je moet er toch even over getwijfeld hebben.' Ik draai me naar hem toe en bedenk hoe duister het werd, hoe erg het met me was. Stilletjes bedank ik Hekate dat ze mijn wens vervuld heeft en me alles heeft teruggegeven wat belangrijk is.

'Geen seconde.' Hij pakt mijn kin en stuurt mijn blik terug naar hem. 'Niet één keer.'

'Je had wel gelijk, weet je. Over die magie.' Ik bijt op mijn lip en kijk verlegen op.

Hij knikt alleen maar. Het is geen schokkende bekentenis; hij wist het toch al.

'Ik heb... ik heb een spreuk geprobeerd om iemand aan me te

binden en die... nou ja, die had zo'n beetje het tegenovergestelde effect. Ik heb mezelf per ongeluk aan Roman gebonden.' Ik slik, maar hij kijkt me aan zonder een spier te vertrekken en ik heb geen idee wat hij denkt. 'Eerst wilde ik het je niet vertellen, omdat... nou, ik schaamde me kapot. Het leek net... een soort obsessie te worden en...' Ik schud mijn hoofd, terugdenkend aan wat ik gezegd en gedaan heb. 'In elk geval was er nog maar één plek waar ik gezond en mezelf kon zijn: Zomerland. Daarom smeekte ik je dus om mee te gaan. Hier voelde ik me weer goed en bovendien mocht ik van het monster – eh, van de magie – niets tegen je zeggen op het aardse vlak. Telkens als ik het probeerde, kneep het de woorden af en kwam er niets uit. Waarmee ik alleen maar wil zeggen...'

Hij legt een hand tegen mijn wang. 'Ever,' fluistert hij, 'het zit wel goed.'

'Het spijt me,' mompel ik. Met zijn armen om me heen trekt hij me stevig tegen zich aan. 'Het spijt me echt ontzettend.'

'Maar het is nu voorbij? Je hebt het opgelost?' Hij maakt zich los en kijkt me aan.

'Ja.' Ik knik en veeg iets uit mijn oog. 'Het is weer in orde – ik ben beter en die obsessie voor Roman is voorbij. Ik... ik wilde het je alleen graag uitleggen. Het was vreselijk om je niet in vertrouwen te kunnen nemen.'

Hij leunt voorover en drukt zijn lippen tegen mijn voorhoofd. 'In dat geval, *mademoiselle*, als je mij de eer wilt doen...' Hij zwaait zijn arm in een wijde cirkel en buigt diep.

Ik glimlach, pak zijn hand vast en hij voert me mee door het veld naar dat schitterende tuinhuis. Het gebouw is zo prachtig en gedetailleerd dat ik ogen tekortkom.

'Wat is dit voor plek?' De vloeren zijn van wit marmer, opgepoetst en wel, en het koepeldak is versierd met geweldige schilderingen vol vrolijke, speelse engeltjes met roze wangen die zich tussen andere hemelse wezens bevinden.

Glimlachend trekt Damen me mee naar een crèmekleurige zitbank zo zacht en comfortabel dat het aanvoelt als een wolk van marshmallow. 'Dit is je verjaardagscadeau. En bijzonder genoeg toevallig ook meteen het cadeau voor die andere gedenkwaardige dag.'

Ik tuur hem aan en zoek in mijn herinnering door een lange lijst, maar ik heb geen idee. Het is nog geen jaar geleden sinds we iets hebben – niet in dit leven, in elk geval. Dus ik zou niet weten wat hij bedoelt.

'Acht augustus.' Hij knikt als hij me niet-begrijpend ziet kijken. 'Acht augustus 1608 om precies te zijn. De dag waarop we elkaar voor het eerst zagen.'

'Meen je dat?' Het nieuws verbaast me en mijn mond valt open.

'Dat meen ik.' Hij glimlacht, leunt achterover tegen de zachte kussens en trekt me mee. 'Maar je hoeft me niet te geloven. Je kunt het zelf zien.' Hij pakt een afstandsbediening van de grote tafel vlak voor ons en richt deze op een groot, rond scherm dat de hele muur aan de andere kant van de kamer vult. 'Sterker nog, je kunt meer doen dan alleen toekijken. Je mag het zelfs beleven als je dat wilt. De keuze is aan jou.'

Weer kan ik hem niet volgen. Wat gaan we doen?

'Ik heb er heel lang aan gewerkt, maar volgens mij is het klaar. Je moet mijn kleine uitvinding zien als een soort interactief theater. Je kunt achterover zitten en naar de voorstelling kijken, maar je kunt ook actief meedoen – wat je wilt. Maar er zijn wel een paar dingen die je moet weten. Ten eerste ligt de uitkomst vast, het script is al geschreven. Ten tweede,' hij laat zijn vinger over mijn wang glijden, 'zijn de eindes hier in Zomerland altijd goed en positief. Alle tragische of vervelende elementen zijn zorgvuldig weggehaald, dus maak je daar geen zorgen om. Misschien zit er zelfs wel een verrassing hier en daar. Voor mij wel, in elk geval.'

'Bedoel je dan echte verrassingen of heb je die zelf gemaakt?' Ik kruip tegen hem aan.

Vlug schudt hij zijn hoofd. 'Echte. Helemaal waar en onvervalst. Mijn herinneringen gaan, zoals je weet, nogal ver terug. Zo ver zelfs dat de details soms vervagen. Dus heb ik wat research gedaan in de Paleizen van Kennis en Wijsheid, noem het een opfriscursus. Zo werd ik toevallig herinnerd aan wat dingen die ik was vergeten.'

'Zoals?' Ik kijk vlug op en druk daarna mijn lippen op dat heerlijk zachte plekje in zijn nek, vlak boven zijn schouder. Het bijna-gevoel van zijn huid kalmeert me meteen, net als zijn warme, muskusachtige geur.

'Zoals dit.' Hij draait me nu zo dat ik het scherm zie in plaats van hem. We kruipen tegen elkaar aan en hij drukt op een knop. Het scherm komt tot leven. Het beeld is zo groot en multidimensionaal dat het voelt alsof we er middenin zitten.

Ik zie een druk stadsplein, geplaveid met keien. Mensenmassa's haasten zich overal naartoe – net als vandaag de dag – alsof ze een belangrijke afspraak hebben. Ik weet al waar we zijn. Ik zie weliswaar paarden en koetsen in plaats van auto's en de kleding is vrij formeel vergeleken met onze moderne, casual outfits, maar er zijn zoveel kooplieden luidkeels hun waren aan het slijten dat de overeenkomsten verbluffend zijn. Dit is een zeventiende-eeuwse winkelstraat.

Vragend kijk ik opzij naar Damen. Hij glimlacht en helpt me overeind, naar het scherm toe, zo vlug dat ik moet afremmen voor mijn neus tegen de kristallen plaat slaat. Dan leunt hij naar me toe en fluistert: 'Geloof erin.'

Dat doe ik.

Vol vertrouwen neem ik die grote stap en loop door, tegen het harde scherm aan dat opeens zacht en vloeibaar wordt en ons binnenlaat. Niet eens als buitenaards geklede figuranten, trouwens, maar meteen in passende kledij voor die eeuw, en als hoofdrolspelers.

Ik staar naar mijn handen die heel ruw zijn en vol eeltplekken zitten. Ik herken ze uit mijn tijd in Parijs, toen ik Evaline was, het dienstmeisje dat een saai leven vol zware arbeid te wachten stond tot Damen voorbijkwam.

Mijn handen glijden over de voorkant van mijn jurk. De stof prikt en de bescheiden, sobere snit doet weinig voor mijn figuur. Maar de jurk is schoon en gestreken, dus daar mag ik wel trots op zijn. Mijn blonde haren zijn gevlochten en naar achteren gebonden, maar hier en daar ontsnapt toch een eigenwijs plukje.

De koopman roept naar me in het Frans. Ik weet dat ik maar een rol speel hier en dat dit niet mijn moedertaal is, maar toch kan ik hem niet alleen verstaan, maar zelfs antwoord geven. Hij herkent me als een van zijn meest kritische klanten en geeft me een rijpe, rode tomaat die volgens hem de beste is. Ik draai hem rond in mijn hand en hij houdt me in de gaten terwijl ik de kleur en stevigheid beoordeel. Ik knik instemmend en zoek naar kleingeld in mijn zakje. Op dat moment botst iemand tegen me op, waardoor de vrucht uit mijn hand op de grond valt.

Ik staar naar de grond en kijk teleurgesteld naar het hoopje gebarsten, lekkende tomaat. Dat gaat mij een flinke duit kosten en het keukenpersoneel wil vast niet voor die prijs opdraaien. Ik draai me om, klaar om iemand een verwijt naar zijn hoofd te slingeren, maar dan zie ik dat hij het is.

Hij met de glanzende, donkere haren, de diepe, glinsterende ogen en het maatpak. Hij bezit de mooiste koets die ik hier ooit gezien heb – afgezien van de koningin. Zijn naam is Damen – Damen Auguste. En ik kom hem de laatste tijd wel erg vaak tegen.

Ik til mijn rok op en kniel in een poging te redden wat er te redden valt aan de tomaat. Maar een hand op mijn arm houdt me tegen. Een aanraking die me tot op het bot een gevoel van warmte en tintelingen bezorgt.

'Pardon,' mompelt hij terwijl hij voor me buigt en de koopman de schade vergoedt.

Ik ben ontzettend nieuwsgierig en mijn hart klopt vlug en bonkt tegen mijn ribben. De mengeling van warmte en tintelingen blijft hangen, maar toch draai ik me om en loop door. Hij speelt toch slechts een spelletje met me. Ik besef maar al te goed hoe groot het klassenverschil is. Dan haalt hij me in en roept: 'Evaline, wacht!'

Ik draai me om en kijk hem aan. Dit kat-en-muisspel kan zo heel lang doorgaan, al is het maar omdat het zo hoort. Tegelijkertijd weet ik ook dat ik me niet lang zal verzetten als hij het inderdaad volhoudt. Als hij maar niet zijn interesse verliest of een andere uitdaging zoekt.

Damen grijnst, legt zijn hand op mijn arm en denkt: zo is het ooit begonnen tussen ons. En zo is het een hele tijd doorgegaan. Wil je nu doorspoelen naar de interessante momenten?

Ik knik en voor ik het weet, sta ik voor een grote, vergulde spiegel, starend naar mijn spiegelbeeld. Mijn lelijke, simpele jurk is verruild voor eentje van een prachtige stof, zacht en zijdeachtig, die over mijn lichaam glijdt. De lage uitsnede toont mij bleke decolleté en de uitgebreide verzameling juwelen. Ze glimmen en glanzen zo mooi dat ik een tijdlang alleen maar kan staren.

Damen staat achter me en glimlacht goedkeurend terwijl hij mijn blik zoekt. Ik vraag me af hoe dit zo gekomen is – hoe kan een arm dienstmeisje zonder ouders terechtkomen in zo'n groot huis met zo'n aantrekkelijke, magische man? Dat is toch te mooi om waar te zijn?

Hij steekt zijn hand uit en leidt me naar een uitbundig gedekte tafel voor twee. Ik ben gewend die te bedienen, niet aan te schuiven. Damen zit naast me, zijn bedienden zijn al naar huis voor de avond. Ik zie hoe hij een geslepen kristallen karaf pakt, maar zo langzaam en voorzichtig – en met een trillende hand – dat hij een innerlijke strijd lijkt te voeren.

Hij kijkt me aan en ik zie de vertwijfeling op zijn gezicht. Hij fronst en zet de karaf terug op tafel. Dan pakt hij toch maar een fles rode wijn.

Mijn ogen worden groot, mijn mond valt open en ik snak naar adem. Ik kan niets uitbrengen. Opeens dringt de betekenis van die eenvoudige handeling tot me door. Je had het bijna gedaan! denk ik. Je was er zo dichtbij! Waarom zag je ervan af?

Als hij had doorgezet en me de onsterfelijkheidsdrank op dat moment al had gegeven, dan was alles anders geweest.

Maar dan ook echt alles.

Drina had me nooit kunnen doden. Roman zou me nooit hebben bedrogen. Damen en ik hadden lang en gelukkig kunnen leven, vanaf dat moment al – heel anders dan hoe het nu gelopen is.

Hij kijkt me aan, intens en indringend. Hij beantwoordt de vraag telepathisch terwijl hij zijn hoofd schudt. *Ik was er niet zeker van, ik wist niet hoe – en óf – je het zou accepteren. Ik vond niet dat ik je kon dwingen. Maar daarom heb ik je dit niet laten zien – ik wilde je alleen tonen dat je leven in Parijs misschien wel zwaar was, maar niet ongelukkig. We hebben genoeg magische momenten gedeeld – momenten als dit – en zo zouden er nog veel meer geweest zijn, als niet...*

Die zin maakt hij niet af; we weten hoe het eindigt. Voor ik mijn glas kan heffen voor een toost is het diner voorbij en hij begeleidt me naar huis. We moeten achterom en blijven staan bij de ingang voor de bedienden. Daar slaat hij zijn armen rond mijn middel en trekt me naar zich toe voor een kus zo vol passie en verlangen dat ik niet wil dat hij ooit stopt. Het gevoel van zijn lippen op de mijne, zo zacht en toch vastberaden, zo warm en uitnodigend... Diep vanbinnen gebeurt er iets met me – iets bekends, iets wat zo echt voelt...

Ik maak me los en staar hem aan met wijd open ogen. Mijn vingers tasten mijn zachte lippen af en de plek op mijn wang die ruw en gevoelig is van zijn stoppels. Er hangt geen sluier van energie tussen ons in – geen beschermend laagje. Ik voelde zijn huid direct tegen de mijne.

Hij glimlacht en laat zijn vingers van mijn wangen langs mijn hals glijden, naar mijn sleutelbeen. Dan doet hij hetzelfde met zijn lippen. Het is allemaal echt, denkt hij. De sluier is niet nodig; er is hier geen gevaar.

Ik kijk hem aan en mijn hersenen maken overuren als ik hierover nadenk. Betekent dat dan dat we hier – nu – wel samen kunnen zijn? vraag ik stilletjes, vurig hopend dat het antwoord ja is.

Damen haalt diep adem, verstrengelt zijn vingers in de mijne en raakt me aan op een manier die we al maanden niet meer hebben mogen voelen. Telepathisch zegt hij: ik ben bang dat dit een getrouwe weergave is van het verleden. We kunnen het script een beetje inkorten, maar niet veranderen. We kunnen niet improviseren en ook niets toevoegen dat nooit is gebeurd.

Ik knik een beetje teleurgesteld, maar ik ga graag verder waar we gebleven zijn. Ik trek hem naar me toe en kus hem, vastberaden te genieten van wat we wel kunnen doen, voor zolang het duurt.

Zo staan we te zoenen bij de bediendeningang. Hij in zijn dure, geweven zwarte vest en ik in mijn sobere dienstmeisjesjurk.

Daarna kussen we in de stallen – hij in een Engels jachtkostuum en ik in mijn strakke paardrijbroek met op maat gemaakt rood jasje en glimmend zwarte laarzen.

Even later staan we zoenend langs het water – hij in een eenvoudig, wit shirt en de zwarte pantalon uit die periode, en ik in onuitstaanbare puriteinse kledij.

Gevolgd door een veld vol rode tulpen, zo rood dat ze bijna passen bij de kleur van mijn lange, golvende haar. Hij draagt een dun, wit shirt en een gemakkelijke broek; ik een lichtrood onderjurkje van zijde dat strategisch is dichtgeknoopt. Af en toe nemen we pauze, zodat hij verder kan gaan met zijn schilderij – een veeg hier, een kloddertje verf daar – voor hij het penseel neergooit, me naar zich toe trekt en me weer zoent.

Iedere reïncarnatie is zo anders, maar toch lijkt het verloop steeds hetzelfde: we vinden elkaar, we worden halsoverkop verliefd en Damen, die niet overhaast te werk wil gaan, besluit eerst mijn vertrouwen te winnen voor hij me het elixir geeft. Steeds wacht hij net te lang, waardoor Drina de tijd had me op te sporen en uit de weg te ruimen.

Daarom verspilde je geen moment toen je me een jaar geleden vond na het auto-ongeluk, denk ik. Omringd door zijn warmte, met zijn armen om me heen en mijn wang tegen zijn borst gedrukt, zie ik het moment nu van zijn kant. Hoe hij me op het spoor kwam toen ik pas tien jaar oud was (met wat hulp van Romy, Rayne en Zomerland) en hoe hij geduldig gewacht heeft en enkele jaren later verhuisde naar Eugene in Oregon. Hij had zich net ingeschreven op mijn middelbare school toen het ongeluk plaatsvond en zijn plannen dwarsboomde.

Ik zie hem knielen naast het wrak van de auto. Hij aarzelt, hij piekert zenuwachtig en smeekt om advies. Als hij ziet hoe de zilveren draad waarmee de ziel aan het lichaam vastzit zich uitrekt en bijna dreigt te knappen, is zijn besluit snel genomen. Hij drukt de fles elixir tegen mijn lippen en laat me drinken, wekt me weer tot leven, om net als hij onsterfelijk te zijn.

Heb je er spijt van? Hij kijkt me aan en wil dat ik eerlijk ben.

Ik schud mijn hoofd. Glimlachend trek ik hem tegen me aan en we keren terug naar het veld vol rode bloemen.

Drieëntwintig

'Ben je zover?'

Damens vingers strelen over mijn lippen en het bijna echte gevoel van de aanraking doet me meteen weer denken aan een kus die zo echt en tastbaar was dat ik hem het liefst meteen mee terug sleur naar Zomerland om het hele avontuur opnieuw te beleven.

Maar dat kan ik niet maken – dat kunnen wij niet maken. We hebben het beloofd. Dit valt in het niet bij de verrassing die Damen me net voor mijn verjaardag gegeven heeft, maar iedereen zit te wachten en we kunnen niet meer terug.

Ik haal diep adem en staar naar het huis vlak voor ons, met de eenvoudige gevel. Het ziet er gezellig uit, op een verwelkomende, aantrekkelijke manier, ook al hebben zich hier een paar van de meest afschuwelijke momenten uit mijn recente verleden afgespeeld.

'Kunnen we niet teruggaan naar Parijs?' mompel ik half plagend. 'Je hoeft de vervelende stukken niet eens uit het verhaal te knippen. Echt. Ik trek liever die prikkende, bruine jurk aan en boen een paar latrines – of hoe die dingen toen ook heetten – dan dat ik dit doe.'

'Latrines?' Damen kijkt me hoofdschuddend aan en lacht. Het lieve geluid glijdt door me heen en zijn donkere ogen stralen. 'Sorry, Ever, maar ze hadden toen nog geen latrines. Geen badkamers, geen toiletten, geen wc's. Nee, het was de tijd van de nachtspiegel, ook bekend als ondersteek of po. Een soort keramieken pot die je onder het bed had staan. Neem van mij aan dat je je daar niet zoveel van wilt herinneren.'

Ik trek een grimas en kan me niet voorstellen hoe ontzettend smerig het moet zijn geweest om zo'n ding te gebruiken, laat staan hem te moeten schoonmaken. Ik huiver zichtbaar. 'Zie je nou wel? Kon ik dat maar aan Munoz uitleggen, dat geschiedenisles me niet zo aanspreekt omdat het verleden zijn charme verliest als je het zelf allemaal hebt moeten meemaken.'

Damen lacht met zijn hoofd achterover, waardoor zijn nek verleidelijk bereikbaar is en ik me moet inhouden om mijn lippen er niet tegenaan te drukken. 'Geloof me, we hebben het allemaal meegemaakt. Alleen hoeven de meeste mensen zich dat niet te herinneren, laat staan dat ze het opnieuw meemaken.' Hij kijkt me aan, nu weer ernstig. 'Maar, ben je zover? Ik weet dat het raar is en dat je haar nog steeds niet vertrouwt, maar iedereen zit te wachten. Laten we op z'n minst naar binnen gaan, zodat ze in elk geval de kans hebben "surprise" te roepen, oké?'

Afwachtend, warm en open kijkt hij me aan. Als ik nee zeg of zou aarzelen, zou hij me niet dwingen, dat weet ik. Maar dat doe ik niet. Want als ik eerlijk ben, heeft hij gelijk. Ik moet een keer die confrontatie met haar aangaan. Bovendien wil ik dat ze me recht aankijkt als ze probeert me haar ongeloofwaardige verhaal te vertellen.

Langzaam en met tegenzin knik ik en ik loop naar de deur. 'Vergeet niet verbaasd te reageren,' zegt hij. Hij klopt met zijn knokkels een keer, twee keer op de deur en fronst zijn wenkbrauwen als niemand opendoet en er geen afgesproken 'surprise!' klinkt.

Hij duwt de deur open en loopt voor me uit naar binnen, de gang in en verder naar de zonnige, gele keuken. Daar treffen we Ava aan, gekleed in een bruine, strapless jurk en goudkleurige sandalen. Ze schenkt een drank in die er verdacht rood uitziet.

'Sangria,' zegt ze hoofdschuddend en lachend. 'Kom op, Ever. Hoe lang duurt het voor je me weer vertrouwt?'

Ik pers mijn lippen op elkaar en haal mijn schouders op. Ik weet niet of dat ooit nog gaat lukken, ondanks alles wat Damen me verteld heeft. Ik moet het verhaal van haar horen, dan zie ik wel.

'Iedereen zit achter.' Ze knikt en kijkt me aan. 'En, was je verrast?'

'Door het gebrek aan een verrassing, ja.' Ik glimlach met moeite, dat lukt nog net en daar moet ze het mee doen. Het heeft niet eens te maken met wat ik van haar denk, maar meer met het feit dat ze met alle liefde de opvoeding en verzorging van de tweeling heeft overgenomen, waardoor Damen en ik weer tijd hebben voor elkaar.

'Dus het werkte wel!' Ze lacht triomfantelijk en neemt ons mee naar buiten waar de rest zit te wachten. 'We konden je alleen maar verrassen door precies het tegenovergestelde te doen van wat je verwachtte.'

Ik loop het terras op, en zie Romy en Rayne op het gras liggen, bezig kettingen te rijgen met kralen en kristallen uit een grote, glimmende schaal. De kettingen hangen ze om het Boeddhabeeld heen. Jude ligt naast hen op het gras met zijn ogen dicht, zijn gezicht naar de zon toe. Zijn armen zijn zo goed als nieuw dankzij Zomerland. Ik voel een golf van warmte, liefde en geborgenheid door me heen spoelen wanneer Damen tegen mijn schouder leunt en een kneepje in mijn hand geeft. Toch stelt het me een beetje teleur als ik kijk naar de groep mensen die zich mijn vrienden noemen.

Een jonge vrouw die ik niet aardig vind en nog niet durf te vertrouwen, de tweeling die een hekel aan mij heeft – de een wat meer dan de ander, maar toch – en een oude vlam uit een ver verleden die toevallig ook nog eens de eeuwige rivaal en tegenstander van mijn zielsverwant blijkt. Een ding vrolijkt me nog een beetje op: Miles. Als hij niet in Florence was, zou hij hier vast bij zijn geweest.

Maar Haven niet.

Nadat ik mezelf weer was, heb ik geprobeerd haar uit te leggen wat er aan de hand was. Maar ze was nog zo razend, dat ze alleen maar schreeuwde. Ik had weinig keus en moest haar tijd geven om af te koelen – ik hoop maar dat ze uiteindelijk bijdraait en inziet hoe Roman in elkaar steekt.

Nu ik hier sta, met dit zielige excuus voor een verjaardagsfeestje, dringt het pas echt tot me door dat ik haar kwijt ben. Haar vertrouwen, haar vriendschap. Ik heb geen idee of het nog goed komt. Ik bedoel, eindelijk hebben we meer gemeen dan ooit tevoren en kan ik alle geheimen met haar delen die ik tot nu toe niet kon vertellen – en dan verpest ik het zo erg dat ze me dumpt en kiest voor mijn onsterfelijke en eeuwige vijand.

Ik zucht zachtjes en bedenk dat ik het dieptepunt wel bereikt heb. Maar dan komt Honor door de schuifdeur naar buiten en ze loopt recht op Jude af. Ze laat zich naast hem op het gras vallen en fatsoeneert haar jurk dan zo nonchalant en op haar gemak dat mijn mond openvalt. Ik kan mijn verbijstering nauwelijks verbergen als ze zich omdraait en haar pols heen en weer beweegt in een vreemd, zwaaiend gebaar.

Onmerkbaar knik ik. Ik kan niets uitbrengen nu de brok in mijn keel weer opkomt en ik niet goed begrijp wat ik zie.

Zijn ze samen? Of gaan ze gewoon met elkaar om vanwege hun gedeelde interesse in magie? Snapte hij het echt niet toen ik zei dat we wel klasgenootjes zijn, maar absoluut geen vriendinnen en dat daar een groot verschil in zit?

Ik laat mijn blik over de groep glijden en kan niet geloven dat dit het is. Het resultaat tot nu toe. Na bijna een jaar in Laguna, waarin ik mijn best deed een sociaal leven op te bouwen, is mijn enige echte relatie die met Damen. En ik moet toegeven dat ik die tot het uiterste op de proef heb gesteld.

Ava schraapt haar keel en biedt drankjes aan. Volgens mij doet ze dat om normaal te lijken met Jude en Honor in de buurt, want zij zijn de enige twee die de waarheid over mij en Damen niet kennen – of in elk geval, niet alle details.

Ik schud mijn hoofd en wuif de gedachte weg. Het is beter zo, de enige manier ook. Hoe minder vriendschappen ik sluit, hoe makkelijker het afscheid straks is. En ik wéét dat dat waar is, al doet die gedachte weinig om het grote, gapende gat in mij te dichten.

Ik knijp in Damens hand en laat hem weten dat hij zich geen zorgen hoeft te maken; ik ben zo terug. Ik loop het huis in, eerst van plan naar de badkamer te gaan en water in mijn gezicht te plenzen in de hoop me beter te voelen. Maar als ik de deur zie naar Ava's zogenaamde heiligdom, kies ik voor die kamer. Ik zie verrast dat de eens paarse muren en indigo deur zijn geverfd in een nogal truttig kleurtje. Dit moet Romy's kamer zijn; Rayne zou hier nog niet dood gevonden willen worden.

Ik ga op de rand van het bed zitten en strijk het zachte, groene dekbed glad. Starend naar de grond denk ik terug aan de dag waarop alles veranderde. De dag waarop ik afscheid nam van Damen en zo stom was hem achter te laten bij Ava. Ik wist zo zeker dat ik de juiste beslissing nam – het enige juiste deed. Ik kon niet weten dat die ene beslissing zulke enorme gevolgen zou hebben voor de rest van mijn leven – de rest van de eeuwigheid.

Ik haal diep adem en leg mijn hoofd in mijn handen. Ik haal mezelf over op te staan, naar buiten te gaan, een beetje te kletsen over niks bijzonders en dan een goede smoes te verzinnen zodat ik weg kan. Ik wrijf in mijn ogen, haal mijn vingers door mijn haar en strijk mijn kleren glad. Net als ik mijn plan wil uitvoeren, komt Ava binnen. 'O, mooi. Ik hoopte al dat ik je eventjes alleen kon spreken.'

Ik pers mijn lippen op elkaar en moet me inhouden niet op haar af te stormen en haar in al haar chakra's te stompen. Al is het maar om te kijken aan welke kant ze nu eigenlijk staat. Maar ik doe het niet. Ik doe helemaal niets. Ik blijf zitten waar ik zit en wacht tot ze begint.

'Weet je, je hebt ergens wel gelijk.' Ze knikt, leunt tegen Romy's toilettafel met haar enkels gekruist, maar haar armen in een open en los gebaar langs haar zij. 'Ik ben ervandoor gegaan met het elixir. Ik heb Damen kwetsbaar en hulpeloos achtergelaten. Dat kan ik niet ontkennen.'

Mijn hart bonkt steeds harder en ik kijk haar aan. Ik wist het al en Damen heeft het me ook verteld, maar het is toch heel anders om het haar zelf te horen zeggen.

'Voor je daar conclusies aan verbindt, wil ik dat je weet dat er nog meer speelt. Wat jij ook gelooft, ik heb nooit met Roman onder een hoedje gespeeld. Ik was nooit zijn partner, nooit met hem bevriend en ik werkte op geen enkele manier met hem samen. Hij kwam ooit langs voor een reading, toen ik nog maar net begonnen was. Dat klopt. Maar de waarheid is dat zijn energie toen al zo vreemd was, zo verontrustend, dat ik hem stilletjes heb gezegend en heb weggestuurd. De reden waarom ik deed wat ik deed – waarom ik niet voor Damen heb gezorgd – die is ingewikkeld...'

'Dat zal best.' Ik trek een wenkbrauw op en schud mijn hoofd. Ik ga het haar niet gemakkelijk maken en ze komt ook niet weg met een onnodig gecompliceerde uitleg.

Ze knikt en laat zich niet van de wijs brengen. Mijn sarcasme doet haar weinig, zoals gewoonlijk. 'Ik geef toe dat ik me in eerste instantie nogal liet meeslepen door alle mogelijkheden van Zomerland, alle fantastische dingen die het te bieden had. Je moet begrijpen... ik ben zo lang op mezelf aangewezen geweest. Ik moest altijd hard werken om me te kunnen redden en alles te kunnen bereiken wat ik bereikt hebt, meestal zonder hulp van wie dan ook. Vaak genoeg kon ik maar net rondkomen...'

'Denk je nou echt dat ik medelijden met je heb? Zo ja, bespaar je de moeite dan maar. Echt. Het werkt toch niet.' Ik rol met mijn ogen en schud mijn hoofd.

'Ik geef je alleen wat achtergrondinformatie.' Ze haalt haar schouders op, haakt haar vingers in elkaar en strekt ze voor zich uit. 'Ik hoef je medelijden niet, geloof me. Ik heb een belangrijke les geleerd door verantwoordelijkheid te nemen voor mijn eigen leven. Ik wil je alleen uitleggen hoe ik reageerde op Zomerland, die eerste keer. Ik was betoverd door het idee dat je alles kon manifesteren wat je maar wilde hebben. Ik weet dat ik daarin ben doorgeslagen en ik weet dat je je eraan ergerde. Maar na een tijdje besefte ik dat ik een gigantisch huis vol schatten kon laten verschijnen in Zomerland zonder daar echt gelukkiger van te worden. Niet daar en ook niet hier op aarde. Toen besloot ik verder te zoeken, mezelf te verbeteren op een manier die ik nooit eerder heb geprobeerd. Ja, ik had hier mijn gewijde plek en mijn meditaties, maar pas toen ik mijn zinnen had gezet op toegang tot de Paleizen van Kennis en Wijsheid werd ik gedwongen al die loze woorden die ik al jaren riep ook echt in de praktijk te brengen. Dus gaf ik alles op en ik concentreerde me alleen nog daarop. Het duurde niet lang voor ik toegang kreeg en sindsdien heb ik niet meer achteromgekeken.'

Met toegeknepen ogen kijk ik haar aan. In mijn hoofd gonst het sarcastisch: wauw, bravo, Ava. Goed gedaan, hoor.

'Ik weet wat je bent, Ever. En wat Damen is. Ik ben het daar niet helemaal mee eens, maar het is niet aan mij me daarmee te bemoeien.'

'Is dat de reden dat je hem bijna had laten sterven? Ga je op die manier om met dingen die je niet goedkeurt? Dat klinkt toch als bemoeien, hoor.' Kwaad kijk ik op en ik graaf mijn tenen zo diep in het tapijt als ik kan.

Ze schudt haar hoofd en kijkt me kalm en strak aan. 'Ik wist hier niets van toen ik Damen die ene dag achterliet. Toen geloofde ik echt dat alles teruggedraaid zou worden – net als jij. Jij zou terugreizen in de tijd en Damen ook. Ik had mijn vermoedens over het elixir, maar wist het niet zeker, al was ik wel van plan het te drinken. Maar net toen ik dat wilde doen, bedacht ik me. Ik kon er niet mee doorgaan. De enorme impact ervan drong opeens tot me door – het idee om eeuwig te moeten leven.' Ze kijkt me aan. 'Dat is toch best heftig, of niet?'

Ik haal mijn schouders op. En ik rol met mijn ogen. Tot nu toe heeft ze niets gezegd waardoor ik anders over haar denk. Ik geloof ook nog steeds niet dat ze de onsterfelijkheidsdrank niet gedronken heeft.

'Uiteindelijk gooide ik het weg, ik riep de toegangspoort naar Zomerland op en begon daar mijn zoektocht naar antwoorden. Naar gemoedsrust.'

'Heb je die gevonden?' De cynische toon geeft al aan dat het me weinig kan schelen of het wel of niet zo is.

'Ja.' Ze glimlacht. 'Ik heb er vrede mee te weten dat we allemaal onze eigen reis hebben, onze eigen lotsbestemming. Nu weet ik in elk geval de mijne.' Ik zie haar gezicht stralen als ze verdergaat. 'Ik moet mijn talent en gaven gebruiken om mensen te helpen die dat nodig hebben. Ik moet leven zonder angst, erop vertrouwen dat ik altijd genoeg heb om mijn hoofd boven water te houden. En ik moet verder met de opvoeding van de tweeling, iets wat me nooit eerder is gelukt.' Ze kijkt me nu aan met een blik alsof ze me het liefst om de hals vliegt en knuffelt. Gelukkig haalt ze alleen een hand door haar haar en blijft ze op haar plek. 'Het spijt me wat er gebeurd is, Ever. Ik had nooit gedacht dat het zo zou gaan. Misschien keur ik niet goed wat jij en Damen zijn, maar het is niet aan mij daarover te oordelen. Jij hebt je eigen reis nog voor je.'

'O ja? En wat houdt die in?' Onze blikken kruisen elkaar en het verlangen naar het antwoord dat in mijn toon klinkt, verbaast me. Stiekem hoop ik dat ze een hint kan geven over mijn levensdoel. Want ik heb zelf geen flauw idee.

Ava haalt haar schouders op en haar vriendelijke, bruine ogen glinsteren. 'Nee, nee, nee.' Ze glimlacht en schudt haar hoofd. 'Dat mag je helemaal zelf ontdekken. Maar neem van mij aan, Ever, dat het iets belangrijks is.'

Vierentwintig

Als ik thuiskom, is het al laat. Damen biedt aan me te helpen de cadeaus naar boven te brengen, naar mijn kamer. Een deel van me zou dat fijn vinden, maar ik geef hem een kus op zijn wang en ga alleen naar binnen. Ik wil gewoon mijn heerlijk warme bed in duiken en in alle rust genieten van het laatste uur van mijn verjaardag.

Ik sluip de trap op, stilletjes en voorzichtig, in de hoop dat Sabine me niet hoort, want het licht in haar kamer is nog aan. Ik leg net het stapeltje cadeaus op mijn bureau als ze de gang en vervolgens mijn kamer in loopt.

'Van harte gefeliciteerd.' Ze glimlacht. Ze heeft een badjas aan van zo'n zachte badstof dat het net een wolk slagroom lijkt. Ze tuurt naar de wekker op mijn nachtkastje. 'Het is toch nog steeds je verjaardag, hè?'

'Zeventien.' Ik knik. 'En geen dag meer.' Ze komt de kamer verder binnen en gaat op mijn bed zitten terwijl ze staart naar de stapel cadeaus. Van Ava heb ik een paar boeken over het paranormale gekregen die ik al 'gelezen' heb zodra ik ze aanraakte. Jude gaf me een amethistgeode, van Rayne kreeg ik een T-shirt met de tekst ROEP NOOIT IETS AAN WAT JE NIET KUNT VERSLAAN (haha) en van Romy een shirt met een gekleurde spiraal erop, dat ze waarschijnlijk in dezelfde newagewinkel heeft gekocht. Honor gaf me een cadeaubon voor iTunes, met de gemompelde uitleg: 'Eh... omdat je volgens mij wel van muziek houdt, want je liep zoveel met die dopjes in je oren en zo.' En er staat een vaas met prachtige rode tulpen die Damen waarschijnlijk heeft gemanifesteerd voor hij naar huis reed.

'Dat is een behoorlijke opbrengst,' zegt ze, terwijl ik kijk naar de berg zoals zij die moet zien: als een bewijs van het feest, niet zozeer als herinnering aan wie er niet waren.

Ik laat me op mijn bureaustoel zakken en schop mijn sandalen uit. Ik voel aan dat ze niet zomaar bij me komt zitten en ik hoop dat ze opschiet.

'Ik houd je niet lang op – het is al laat en je bent vast moe,' begint ze met een goede inschatting van mijn bui.

Net als ik wil protesteren, al is het maar omdat het zo hoort, bedenk ik me. Het is best gezellig om weer eens met haar te kletsen en ik zie haar de laatste tijd toch al veel te weinig alleen, maar dit bezoekje zou ik dolgraag uitstellen tot morgen. Ik heb nu geen fut meer voor een van haar uitgebreide preken.

Dat deel van mijn bui voelt ze totaal niet aan. Ze laat haar toegeknepen ogen over me heen glijden en gaat ervoor. 'Hoe is het met je? Met je baan en met Damen? Ik zie je bijna niet meer de laatste tijd.'

Knikkend stel ik haar gerust, alles is prima, zeg ik met nadruk in de hoop dat het haar overtuigt.

Ze knikt en kijkt al opgeluchter. 'Je ziet er in elk geval goed uit. Je werd even zo graatmager dat ik...' Als ze haar hoofd schudt, zie ik een glimp van hoe bezorgd ze geweest is en ik voel me heel klein. 'Maar goed, je komt alweer wat aan. Je huid klaart ook al op, dus dat is mooi...' Ze bijt op haar lip alsof ze zoekt naar de juiste woorden. 'Luister eens, Ever. Toen ik voorstelde dat je deze zomer een baantje moest zoeken, bedoelde ik het niet helemaal zoals je het hebt opgevat. Ik dacht meer aan een parttime baan, iets voor een paar uurtjes per dag. Maar de laatste tijd...' Ze wacht even en schudt opnieuw haar hoofd. 'Volgens mij draai je meer uren dan ik. Je hebt nu nog maar een paar weken voor het schooljaar weer begint en ik denk dat het beter is als je je baantje opzegt. Dan kun je nog even naar het strand, genieten van je vakantie met je vrienden.'

'Welke vrienden?' Ik haal mijn schouders op, maar mijn ogen beginnen te prikken en mijn maag krimpt ineen. Ik heb het gezegd. Ik heb iets toegegeven wat zo pijnlijk is, dat zelfs Sabine haar ogen afwendt en naar de vloer staart. Ze haalt diep adem voor ze opkijkt en wijst naar de stapel cadeaus op mijn bureau. 'Sorry dat ik het zeg, maar het bewijs ligt op tafel.'

Ik doe mijn ogen dicht en schud mijn hoofd. Vlug veeg ik tranen weg met mijn mouw terwijl ik me omdraai en denk aan die ene vriendin die er vandaag niet was, die waarschijnlijk niet meer terugkomt, dankzij het monster en mij.

'Hé, is alles wel goed?' Ze steekt haar arm uit om me gerust te stellen, maar trekt hem terug als ze beseft dat ik liever niet aangeraakt word.

Ik haal diep adem en knik. Ze maakt zich al genoeg zorgen en ik wil haar hier niet bij betrekken. Want om eerlijk te zijn gaat alles goed met me. Zoals ze zei, mijn kleren hangen niet meer slap om me heen, mijn huid is gaaf, mijn relatie is gered en dat vreselijke monster, dat vreemde, akelige gevoel dat mij ooit in zijn macht had, is sinds die avond op het strand helemaal verdwenen. Het verlies van mijn familie zal ik altijd met me meedragen en binnenkort moet ik ook afscheid nemen van Sabine, maar ik heb altijd Damen nog. Als ik iets zeker weet na het afgelopen jaar, dan is het wel dat hij toegewijd is – aan mij, aan ons. Hoe erg het ook wordt, hij laat me niet in de steek. Meer kan ik niet wensen. Alle andere dingen zijn nu eenmaal zoals ze zijn.

Ik kijk Sabine aan en knik nu wat overtuigender, alsof ik het echt meen. Maanden geleden heb ik mijn besluit genomen en gekozen voor onsterfelijkheid. Ik kan niet meer achteromkijken, alleen nog vooruit, naar de rest van de eeuwigheid.

'Het zijn gewoon de verjaardagskriebels,' zeg ik. 'Je kent het vast wel – het gevoel alweer een jaartje ouder te zijn?' Mijn mond plooit zich tot een glimlach en zelfs mijn ogen stralen mee. Gelukkig is het aanstekelijk en Sabine glimlacht ook.

'Ik leef met je mee.' Ze lacht. 'Maar wacht maar tot je veertig wordt.' Ze staat op en loopt naar de deur met haar handen diep in de zakken van haar badjas. 'O, dat vergeet ik bijna. Ik heb iets op je toilettafel neergelegd.' Ze knikt naar het meubel. 'Die van mij – nou ja, ik hoop dat je verrast bent als je het ziet. Ik was er heel blij mee toen ik het vond, maar ik hoop ook dat je binnenkort wat tijd kunt vrijmaken in je drukke rooster, zodat we kunnen lunchen en winkelen.'

'Dat lijkt me leuk,' zeg ik knikkend. Als ik het hardop hoor, merk ik hoezeer ik dat meen. Het is te lang geleden dat wij twee meiden samen op stap gingen.

'O, en dat andere, die kaart...' Ze trekt een schouder op. 'Die vond ik vandaag. Hij lag onder de voordeur geschoven toen ik thuiskwam. Geen idee wie de afzender is, maar hij is in elk geval voor jou.'

Ik kijk naar de toilettafel en zie een rechthoekig pakje vlak naast een roze envelop staan. Het ding lijkt te gloeien, maar op een onheilspellende manier.

'Nou ja, ik wilde je nog even snel feliciteren.' Ze kijkt op de klok. 'Je hebt nog maar een paar minuutjes, dus geniet ervan!'

Zodra de deur dichtvalt, schiet ik overeind en ik pak het doosje op. De aanraking vertelt me precies wat erin zit.

Ik scheur het cadeaupapier eraf, laat de snippers op de grond vallen en trek het deksel los. Dan zie ik een dun, paars fotoalbum met daarin alle foto's die Riley gemaakt heeft tijdens ons uitje naar het meer. Ook de foto die ik in Zomerland zag, zit erbij. Ik blader door het album en vraag me af of zij dit zo geregeld heeft. Zou ze toekijken? Kan ze mij zien? Maar ik ga haar niet roepen, dat werkt toch niet meer. Ik veeg mijn tranen weg en fluister een zacht bedankje voor ik het album neerleg op mijn nachtkastje, waar het altijd dichtbij is en ik er steeds weer in kan kijken. Dan pak ik de envelop, waarop mijn naam geschreven staat in een officieel uitziend handschrift. Ik snak naar adem wanneer hij begint te flikkeren en gloeien in mijn hand. Er loopt een koude rilling over mijn rug die maar één ding kan betekenen: dit komt van hém.

Ik steek mijn nagel onder het randje en wil er snel van af zijn.

Ik kijk naar de roze voorkant vol glitters, doe de kaart open en laat mijn ogen vlug gaan over de typische, voorgedrukte tekst. Mijn blik rust op de linkeronderhoek van de kaart, waar Roman een berichtje heeft geschreven in zijn krullerige, schuine schrift. Er staat:

Het is tijd dat je krijgt waar je zo naar verlangt
Vandaag op jouw verjaardag reik ik je de hand
Kom naar mijn huis toe voor middernacht
Een seconde later is het aanbod niet meer van kracht
Ik hoop je snel te zien!
Roman
xoxo

Vijfentwintig

Wanneer ik bij Romans huis aankom, heb ik nog maar een paar minuten over. Twee, om precies te zijn. Ik hoop maar dat zijn klok het daarmee eens is. Dit keer trap ik de deur niet in, maar ik klop netjes met mijn knokkels en wacht af. Als dit echt om een wapenstilstand gaat, zoals hij beweert, dan kan ik me maar beter gedragen.

Ik wacht en tel de seconden mee op mijn horloge. Het zachte geluid van schuifelende voeten zegt me dat het zover is. Die laatste spreuk heeft zijn werk wél gedaan.

De deur zwaait open en hij staat voor me met zijn stralend blauwe ogen, glimmend witte tanden en gebruinde huid. Een zwart, zijden geval – wat ze ooit een kamerjas noemden – hangt losjes over zijn schouders en toont me zijn brede, ontblote borst, goed getrainde buikspieren en een oude, versleten spijkerbroek die laag op zijn heupen hangt.

Meer heb ik niet nodig. Die korte glimp van dat lekkere lijf vlak voor me is genoeg om mijn lichaam te laten trillen. Mijn knieën knikken, mijn hartslag versnelt zich op een afschuwelijke en akelig herkenbare manier. Nu pas begin ik het te begrijpen: het monster is niet weg! Ik heb het niet verjaagd of vernietigd! Het lag gewoon te wachten, diep weggestopt, op het juiste moment, zijn

175

krachten sparend en aansterkend tot het weer kon ontwaken!

Ik slik en dwing mezelf te knikken alsof er niets aan de hand is. Ik voel zijn blik over me glijden, alles in zich opnemend, en ik weet dat ik hier doorheen moet, wat er ook gebeurt. Alles wat ik wil heb ik binnen handbereik; ik mag nu niets verkeerd doen.

Hij gebaart dat ik binnen mag komen en houdt zijn hoofd schuin. 'Je bent gelukkig nog net op tijd,' zegt hij, mij bestuderend.

Ik ben nog niet halverwege de gang of ik blijf staan en denk na. Er verschijnt een brede grijns op zijn gezicht terwijl alle kleur uit het mijne wegtrekt. 'Net op tijd waarvoor, eigenlijk? Waar gaat het om?' Ik druk me tegen de muur als hij langs me glipt en me gebaart hem te volgen.

'Om je verjaardag, natuurlijk!' Hij lacht, kijkt om en schudt zijn hoofd. 'Damen is zo'n sentimentele sukkel – hij zal vast iets heel bijzonders gedaan hebben op je speciale dag. Maar dat is niets bij hoe speciaal ik hem kan maken.'

Ik blijf staan en geef niet toe. Mijn handen en benen trillen hevig, alsof ze zo uit de kom kunnen schieten, maar ik houd mijn stem onder controle en laat niets merken. 'Als je je houdt aan je belofte en me geeft wat ik wil, is dat speciaal genoeg. Je hoeft me geen stoel aan te bieden en een drankje sla ik toch af. Dus waarom spoelen we niet meteen door naar het grote moment?'

Hij kijkt me aan, zijn ogen halfdicht van plezier en zijn mondhoeken omhoog gekruld. 'Wauw, Damen mag van geluk spreken.' Hij laat zijn vingers door zijn blonde krullen glijden als hij zijn hoofd schudt. 'Geen tijdrovend voorspel voor jou. Zo te merken slaat onze kleine Ever de voorafjes liever over om meteen aan het hoofdgerecht te beginnen. Geloof me, *love*, daar kan ik helemaal inkomen.'

Uitdrukkingsloos blijf ik hem aankijken, ook al schokken zijn woorden me diep. Die duistere vlam diep in mij brandt steeds feller en wordt extra aangewakkerd door zijn aanwezigheid.

'Als je niet wilt zitten of iets drinken, prima, maar ik wel. En aangezien ik de gastheer ben van dit gezellige avondje, zul je mij dat plezier maar moeten gunnen.'

In een wolk van zwarte zijde beweegt hij soepel naar de bijkeuken, waar hij achter de bar gaat staan en een zwaar, kristallen glas vult met een flinke hoeveelheid rode drank. Hij schudt het glas voor mijn neus heen en weer, waardoor de opaalkleurige vloeistof sprankelt en glanst terwijl hij tegen het glas klotst. Ik herinner me hoe Haven zei dat deze versie krachtiger was dan Damens elixir en ik vraag me af of het waar is. Misschien hebben zij daardoor een voorsprong. Zou dat bij mij dan ook werken? Of word ik dan even gevaarlijk en gestoord als zij?

Ik wrijf mijn lippen over elkaar en doe mijn best rustig te blijven. Mijn vingers bewegen nerveus en ongecontroleerd. Het duurt niet lang meer voor ik de controle over mezelf verlies.

'Het spijt me dat je zulke problemen hebt met Haven.' Knikkend heft hij zijn glas en hij neemt een lange, rustige slok. 'Maar mensen veranderen nu eenmaal. De meeste vriendschappen duren niet eeuwig.'

'Ik heb het nog niet opgegeven.' Het klinkt zekerder dan ik me voel. 'We komen er vast wel uit,' voeg ik toe. Het vreemde, zinderende gevoel straalt door me heen als hij zijn hoofd opzij draait, waardoor de ouroborostatoeage in en uit beeld flitst.

'Weet je dat zeker, *love*?' Zijn vingers strelen langs de steel van zijn glas terwijl hij zijn ogen over me laat glijden op die langzame, intieme manier van hem. Zijn blik rust op de diepe V-hals van mijn jurk. 'Niet om het een of ander, *darling*, maar ik ben het niet met je eens. Uit eigen ervaring weet ik dat als twee grietjes hetzelfde willen... tja, dan vallen er vanzelf klappen. Of erger, zoals je weet.'

Ik doe een stap naar hem toe – niet het monster, maar ikzelf (al heeft het geen bezwaar) – en houd mijn blik strak op hem gericht. 'Haven en ik willen niet hetzelfde. Zij wil jou en ik wil iets heel anders.'

Hij gluurt naar me over de rand van zijn glas, dat alles verhult behalve de blauwe ogen. 'O ja? Wat dan wel?'

'Dat weet je best.' Ik haal mijn schouders op en beweeg mijn hand van mijn heup naar achter mijn rug, waar hij hem niet ziet trillen en beven. 'Daarom liet je me toch hierheen komen?'

Hij knikt en zet het glas neer op een onderzetter van gouden kralen. 'Toch wil ik het je graag horen zeggen. Ik wil de woorden horen, van jouw lippen naar mijn oren.'

Ik haal diep adem en kijk naar zijn zwoele blik, de uitnodigende lippen en de brede borstkas, waarna mijn blik omlaag getrokken wordt naar zijn buikspieren en verder. 'Het tegengif,' antwoord ik. Het kost moeite en ik vraag me af of hij weet wat er binnen in mij gebeurt. 'Ik wil het tegengif,' herhaal ik, nu vastberadener. 'Zoals je weet.'

Voor ik iets kan doen, staat hij naast me met een kalm gezicht, zijn handen slap langs zijn zij. Ik voel de koele rilling als een prettig gevoel. 'Als je maar weet dat ik je heb uitgenodigd met de beste bedoelingen. Ik heb gezien hoe je de afgelopen maanden hebt moeten lijden, en ik wil stoppen met dit alles en jou geven wat je wilt. Ook al was het vermakelijk genoeg. Voor mij, althans.' Hij haalt zijn schouders op. 'Ik wil weer verder, Ever, net als jij. Terug naar Londen, in mijn geval. Dit stadje is me te relaxed en te sloom. Ik heb meer actie nodig.'

'Ga je weg?' Ik flap de woorden er zo vlug uit dat ik niet zeker weet waar ze vandaan komen – van mij of het monster.

'Vind je dat erg?' Hij kijkt me grijnzend en onderzoekend aan.

'Echt niet.' Ik kijk kwaad, rol met mijn ogen en draai me weg, in de hoop dat hij de trilling in mijn stem niet gehoord heeft.

'Ik zal het niet al te persoonlijk opvatten.' De tatoeage flitst zichtbaar als hij glimlacht en de kraalogen van de slang richten zich op mij terwijl de gespleten tong beweegt. 'Voor ik ga, heb ik nog wat dingen af te ronden. En omdat je nu toch jarig bent en alles, wilde ik met jou beginnen. Je krijgt wat je wilt hebben. Dat éne wat je het allerliefst wilt, wat niemand anders – dood of levend – je kan geven...' Hij laat een vlugge vinger over mijn arm glijden; de herinnering daaraan blijft hangen wanneer hij zich alweer heeft omgedraaid.

Ik kijk hem na, wetend dat ik nu geen fouten mag maken, dat kan ik niet laten gebeuren. Ik help mezelf herinneren aan het magische gevoel van Damens lippen een paar uur eerder en hoe dichtbij ik ben dat weer terug te krijgen. Als ik mezelf maar onder controle houd.

Roman draait zich om en gebaart met een vinger dat ik moet

meekomen. Als ik twijfel, klinkt er een afkeurend geluid. 'Geloof me, *love*, ik ben niet van plan je te besodemieteren of je mee te sleuren naar mijn slaapkamer.' Hij schudt zijn hoofd en lacht. 'Daar is straks nog genoeg tijd voor als je dat wilt. Op dit moment wil ik eerst iets testen. Nu we het er toch over hebben, heb je ooit een leugendetectortest gedaan?'

Waar heeft hij het over? Het moet een valstrik zijn, denk ik met mijn ogen op zijn rug gericht, terwijl hij door de gang en keuken naar de achterdeur loopt, naar buiten. We komen langs het bubbelbad naast het terras en staan dan bij een ruimte die eruitziet als een omgebouwde garagebox. Vanbinnen is het een combinatie tussen een magazijn vol antieke spullen en het laboratorium van een verstrooide professor.

'Niet om het een of ander, *love*, en het is niet gemeen bedoeld, maar je liegt vrij vaak, vooral als het jou het best uitkomt. Ik ben een integer iemand en aangezien ik je heb beloofd te geven wat je het allerliefste wilt in de hele wereld, lijkt het mij niet meer dan eerlijk dat we allebei weten wat dat precies is. Want er is toch iets aparts gaande tussen jou en mij. Moet ik je soms helpen herinneren aan hoe je me besprong toen je hier de laatste keer was?'

'Het is...' Ik kom niet ver; hij houdt een hand omhoog.

'Toe,' grijnst hij, 'spaar me je smoesjes. Ik heb een veel betere manier om te weten te komen wat ik wil horen.'

Ik tuit mijn lippen. Ik heb op tv genoeg misdaadseries gezien om het apparaat te herkennen waar hij me naar leidt. Verwacht hij nou echt dat ik me laat vastsnoeren en meewerk aan een test die hij toch wel manipuleert?

'Ja, dág.' Ik draai me om en wil vertrekken. 'Je moet me op mijn woord geloven, anders hoeft het niet.'

Ik ben al bij de deur als hij reageert. 'Er ís nog wel een andere methode...'

Ik blijf staan.

'En nee, die kan ik niet manipuleren, vooral niet bij mensen als jij en ik. Trouwens, het sluit toevallig wel heel mooi aan bij al dat metafysische alles-bestaat-uit-energie-en-is-met-elkaar-verbonden-geleuter waar jij zo van houdt.'

Ik slaak een zucht en tik met mijn voet op de grond. Niet alleen om te laten merken hoe ongeduldig ik ben, maar ook in de hoop een beetje extra energie kwijt te raken.

Maar Roman laat zich niet opjutten of haasten. Hij volgt zijn eigen planning in zijn eigen tempo. Afwezig plukt hij aan een los draadje van zijn kamerjas voor hij weer naar mij kijkt. 'Weet je, Ever, het zit zo. De wetenschap heeft bewezen dat de waarheid altijd sterker is dan een leugen. Altijd. Als je de twee naast elkaar zou kunnen leggen en meten, als een soort wedstrijdje, zeg maar, dan wint de waarheid altijd. Wat vind je daarvan?'

Ik rol met mijn ogen, een gebaar dat antwoord geeft op die vraag en ook uitdrukt wat ik tot nu toe van de rest van zijn verhaal vind.

Niet dat het Roman iets kan schelen. Die blijft zijn spelletje spelen. 'Er is toevallig een heel eenvoudige manier om dat te testen. Eentje die niet gemanipuleerd kan worden en die niet meer van je vereist dan je lichamelijke inzet. Wil je dat proberen?'

Eh... nou nee! denk ik en dat wil ik ook zeggen. Maar het monster ontwaakt en houdt me tegen, waardoor Roman vrolijk verder kan gaan.

'Zou je zeggen dat jij en ik even sterk zijn? Dat ons soort nauwelijks onderscheid kent in lichamelijke krachten tussen mannen en vrouwen?'

Daar heb ik nooit echt bij stilgestaan en dat ben ik nu ook niet van plan te doen. Dus haal ik mijn schouders op.

'Oké. In dat geval wil ik je iets laten zien dat je vast interessant vindt. Voor de duidelijkheid: ik probeer je niet te belazeren, het is geen spelletje, er gebeurt niets. Ik meen het als ik zeg dat ik je wil geven wat je het allerliefste wilt hebben. Dit is de beste manier die ik kan bedenken om uit te vinden wat dat is. Ik ga wel eerst, dan kun je zien dat ik niets te verbergen heb, om het zo te zeggen.'

Hij gaat staan en tilt zijn arm op tot schouderhoogte. Dan knikt hij. 'Ga je gang. Leg twee vingers op mijn arm en duw hem naar beneden terwijl ik me verzet en tegendruk geef. Geen rare trucjes, dat beloof ik. Je ziet het vanzelf.'

Ik kijk hem aan en zie de uitdagende blik. Ik heb geen keuze, ik moet doen wat hij vraagt, want hij is de enige die kan leveren wat ik nodig heb. Ik moet het spel meespelen, volgens zijn regels, op zijn manier.

De stevig gespierde, zongebruinde arm hangt voor me in de lucht en wil graag aangeraakt worden. Ik kan het niet opbrengen, zoveel zelfbeheersing heb ik niet meer over, maar ik klem mijn kaken op elkaar en doe mijn best. Ik duw met mijn vingers op zijn arm en voel de koele tinteling door de zijdezachte stof van zijn mouw stralen. De duistere vlam in mij vonkt en vlamt feller op.

Zacht en zwoel fluistert hij in mijn oor: 'Voel je dat?'

Ik voel niet veel meer dan het doordringende ritme nu het gevoel de kop opsteekt en mijn lichaam in de fik zet. De hitte die niets liever wil dan door hem afgekoeld te worden.

'Mooi. Stel me nu maar een vraag – een eenvoudige vraag die ik met ja of nee kan beantwoorden. Je moet het antwoord al wel weten. Geef me even om me te concentreren en dat antwoord zowel hardop als in gedachten te formuleren, en dan druk je mijn arm omlaag met twee vingers.'

Na een blik op mijn horloge, kijk ik hem aan. Mijn knieën knikken steeds heviger en ik houd het niet lang meer vol.

Met zijn arm nog omhoog, knikt hij me bemoedigend toe. 'De waarheid maakt sterker; leugens verzwakken. Die theorie kun je nu op mij testen, dan doe ik het zo bij jou. Dat is de enige manier om te bewijzen wat je écht wilt hebben, Ever. Dus ga je gang, vraag me wat je wilt. Ik zal zelfs mijn gedachten niet langer afschermen, zodat je ze kunt lezen en zien dat ik je niet bedrieg.'

Hij staart me aan en mijn hart klopt nu nog sneller, bonkend tegen mijn ribben tot ik niet meer... ik kan niet meer...

'Stel me een vraag, Ever.' Hij kijkt me indringend aan. 'Vraag me alles wat je wilt. Hoe sneller we dit gehad hebben, hoe sneller jij aan de beurt bent en we weten waar jij het meest naar verlangt op de hele wereld.'

Ik probeer me te beheersen, te focussen, maar het is nutteloos. Ik kan er niet meer tegen, ik kan zijn spelletje niet langer meespelen.

'Wil je liever meteen verder?' Zijn blik glijdt langzaam over me heen. 'Wil je liever dat ik jou nu meteen test?'

Hij wacht en geeft me een ogenblik om me te herstellen. Ik haal diep adem en stuur een schietgebedje naar Hekate om me bij te staan, kracht te geven en te krijgen waarvoor ik kwam. Maar als ik naar Roman kijk, besef ik dat Hekate me verlaten heeft. Ik sta er alleen voor.

'Het gaat je toch om het tegengif, hè?' Hij draait zich naar me toe en ik voel zijn adem op mijn wang, zijn lippen zo dichtbij. 'Dat is toch wat je het allerliefste wilt, waar je het meest naar verlangt?'

Ja! Het komt vanuit mijn diepste kern en ik schreeuw het uit – mijn gedachten herhalen het zo krachtig dat ik zeker weet dat hij het ook hoort.

Maar dat is niet zo.

Ik heb het niet hardop gezegd.

De klank van het woord stuitert rond in mijn hoofd tot hij verdwenen is.

De tweede keer dat Roman me aankijkt, bezwijk ik.

De duistere vlam laait op en zet mijn lichaam in brand. Mijn vingers willen hem aanraken, willen zijn huid voelen en krabben en over zijn gladde, goudgebruinde borstkas glijden.

'Voorzichtig, *love*.' Hij grijpt mijn polsen vast en trekt me tegen zich aan. Zijn lippen zijn vochtig, zijn ogen toegeknepen. 'Ik heb het niet zo op schrammen, ook al genezen ze nog zo snel.' Hij houdt me van zich af en bekijkt mijn lichaam op een hongerige, roofdierachtige manier, alsof hij zo kan aanvallen. 'Dit soort onzin, daar doen we ook niet aan.' Hij lacht, maakt de amulet los en smijt hem een hoek van de kamer in waar hij met een smak neerkomt, stuitert en wegrolt.

Het kan me niets schelen. Alleen het gevoel van zijn vingertoppen over mijn rug is belangrijk, de manier waarop hij zijn gezicht verbergt in mijn haren en zijn neus tegen mijn nek drukt en diep inademt om mijn geur op te snuiven. Hij kijkt me aan met vlammende ogen voor hij me optilt en op de bank laat zakken. Zijn kamerjas glijdt van zijn schouders en hij maakt zijn spijkerbroek los terwijl mijn handen zijn huid strelen en hem naar me toe trekken. Ik kan niet wachten tot ik zijn lippen op de mijne voel in een innige kus.

Daarom hap ik naar lucht als hij me wegduwt en mijn handen om zijn nek vandaan haalt. 'Rustig aan, *darling*. Jij houdt niet van voorspel, weet je nog? Daar hebben we straks ook nog genoeg tijd voor. Laten we eerst even doen wat gedaan moet worden. Want je wacht hier nu toch algauw... wat zal het zijn... vierhonderd jaar op, is het niet?'

Hongerig trek ik hem naar me toe – ik wil hem voelen, zijn huid proeven – mijn lichaam zindert, kromt zich, wanhopig hem te voelen. Mijn lippen kunnen niet wachten, zo gretig wil ik hebben wat hij me kan geven. Ik wil dat hij naar mij verlangt zoals ik naar hem. Ik doe er alles voor als hij me maar kust... Maar dan dringt het tot me door wat dat precies is...

Hij steunt zijn knie tussen de mijne in, maakt zijn broek los en neemt een gemakkelijke houding aan. 'Dit doet maar heel eventjes zeer, schatje, en dan...'

Hij kijkt me aan en de wereld staat stil. Zijn ogen stralen zijn verlangen uit, zijn lippen net dat beetje uit elkaar en die blik – de blik die ik zo graag wilde zien, waar ik naar verlangde, die nu alles voor me betekent.

Ik weet nu dat hij naar mij verlangt, mij nodig heeft, net als ik hem.

Ik trek hem omlaag tegen me aan, wanhopig zijn heupen tegen de mijne te voelen. Hij buigt voorover en fluistert vol bewondering: 'Drina...'

Met een ruk maak ik me los en ik kijk hem vol verwarring aan. In zijn ogen zie ik wat hij ziet: de vuurrode haren, een porseleinen huid en smaragdgroene ogen. Een spiegelbeeld dat niet bij mij hoort.

'Drina,' mompelt hij. 'Drina, ik...'

Mijn lichaam reageert nog steeds op hem en moedigt hem aan verder te gaan en me aan te raken, maar mijn hart schrikt terug en doet niet meer mee. Er is iets mis – heel, heel, heel erg mis. Diep in mij probeert iets mijn aandacht te trekken. Het is een heel zwak, klein stemmetje, ver weg. Het knaagt aan me. Maar dan trekt hij aan mijn jurk en de gedachte verdwijnt.

Ik zie de afwezige blik in zijn ogen en realiseer me hoe dichtbij ik ben. Ik krijg mijn grote cadeau – wat ik het allerliefste wilde hebben – en het duurt niet lang meer.

Ergens besef ik dat vanaf dat moment alles anders zal zijn.

Alles.

Alles zal anders zijn.

Hij duwt mijn benen verder uit elkaar en ik bereid me voor op de pijn. Daarbij draai ik mijn hoofd weg, naar de spiegel aan de muur. Hierin zie ik een meisje met rood haar, een lichtgevend witte huid, smaragdgroene ogen en een grijns zo beestachtig dat ik hem meteen herken.

Dit is wat hij ziet als hij naar me kijkt.

Maar dit ben ik niet! Ik ben dit niet zelf!

'Ben je er klaar voor, *love*?' Roman kijkt me aan vol verwachting.

Mijn hoofd knikt instemmend en mijn lichaam beweegt zich naar hem toe, maar ook dat ben ik niet zelf. Het monster heeft mijn lijf overgenomen, maar het heeft niets te zeggen over mijn hart en ziel.

Roman zei het eerder al: de waarheid wint altijd.

Gelukkig weet mijn ziel wat de waarheid is.

Met mijn ogen dicht concentreer ik me op mijn hartchakra en ik zie het draaiende, groene wiel van energie voor me dat vanuit mijn borst begint te stralen en steeds groter wordt en verder reikt, totdat...

Weer mompelt Roman mijn naam, alleen is het niet mijn naam, maar die van haar. Zijn stem is zwoel, vol hoop en gretigheid. Hij kan niet wachten en heeft geen flauw idee waar ik mee bezig ben, dat ik – op dit moment in elk geval – gewonnen heb.

Ik trek mijn knie omhoog zo hard als ik kan. Mijn oren suizen als hij doodsbenauwd gilt, zijn handen beschermend voor zich houdt en zijn ogen naar achteren rollen in zijn hoofd. Ik glip weg van de bank, gehaast en vlug, want hij heeft maar een paar tellen nodig om te genezen en zijn krachten terug te vinden.

'Waar heb je het verstopt?' Ik trek mijn kleren ongeduldig aan en knoop de amulet weer rond mijn nek. Zonder te kijken weet ik dat hij me nu weer ziet als mezelf: de blondine met blauwe ogen. 'Waar is het?' vraag ik streng, terwijl ik het kleine, opgeruimde laboratorium rondkijk.

Hij kijkt omlaag en inspecteert de boel terwijl hij moppert. 'Verdomme, Ever!'

Daar heb ik geen tijd voor. 'Zeg me waar het ligt!' gil ik, nog steeds met mijn concentratie op mijn hartchakra gericht en mijn hand op de amulet rond mijn hals.

'Ben je gek geworden?' Hij trekt zijn spijkerbroek aan en kijkt woest. 'Je haalt zo'n rotstreek uit en dan verwacht je dat ik je help?' Hij schudt zijn hoofd. 'Vergeet het maar. Je had het tegengif al kunnen hebben, je had tien minuten geleden al weg kunnen zijn, maar jij hebt je keuze gemaakt, Ever. Geheel op eerlijke wijze. Ik had het je zomaar gegeven. En nee, het slingert hier niet ergens rond, dus haal de boel alsjeblieft niet overhoop om het te vinden. Serieus zeg, hoe dom denk je dat ik ben?' Hij trekt zijn jasje aan en knoopt hem strak dicht over zijn borst, alsof hij me niet nog een keer per ongeluk in de verleiding wil brengen. Het monster in mij schreeuwt nog steeds om aandacht, maar dat kan me niet schelen. Het mag dan nog leven, maar mijn hart en ziel hebben de touwtjes in handen. 'Ik had je het tegengif zo overhandigd, maar jij nam je besluit. Dat jij nou op het laatste moment toch ineens je hart volgt...' Veelbetekenend trekt hij een wenkbrauw op, alsof hij weet waar mijn kracht vandaan komt. 'Dat verandert er niets aan. Je koos voor mij, Ever. Ik ben wat je het allerliefste wilde hebben. Maar na die stunt van je, krijg je geen van beide.' Hij schudt zijn hoofd. 'Er volgt geen tweede kans na zo'n klotestreek.'

Ik sta voor hem en de duistere vlam brandt nog steeds. Het duwt me naar die blauwe ogen toe, naar het warrige, blonde haar, de vochtige lippen en de slanke, soepele heupen...

'Nee,' mompel ik en deins achteruit. 'Ik wil jou niet. Ik heb nooit naar je verlangd,' zeg ik met nadruk. 'Dat was ik niet – het was iets... iets anders. Dit was niet mijn schuld, ik had er niets over te zeggen!'

Ik pers mijn lippen op elkaar. Ik kan maar op één manier ontkomen, maar niet terwijl hij kijkt. Ik wil geen verdere argwaan wekken. Maar ja, mijn benen zullen niet veel meer doen dan richting zijn bed lopen, dus daar heb ik niks aan.

Met de amulet tegen mijn borst gedrukt, concentreer ik me op de glinsterende, gouden sluier. Ik stel me de toegangspoort naar Zomerland voor en zie hem openzwaaien. Net als ik naar binnen wil gaan, hoor ik nog: 'Arme Ever, begrijp je dan niet dat er allang geen verschil meer is tussen jou en je... monster? Jij bént het monster. Het is jouw eigen, duistere kant, je schaduwkant. Nu zijn jullie samen één.'

Zesentwintig

Ik kom terecht in het geurende bloemenveld, met tegenzin en een schuldgevoel. Ik had het niet moeten doen, niet op die manier. Roman had me niet mogen zien verdwijnen. Maar hoeveel keuze had ik nou?

Mijn vastberadenheid was verzwakt, weggehakt door het monster in mij. Een paar tellen langer en zijn aanwezigheid had me kapotgemaakt. Dan was ik er geweest, net als alles wat ik belangrijk vind.

Weet je wat het is? Roman heeft gelijk. Hij heeft helemaal gelijk. De reden dat ik verloor, waarom het me niet gelukt is te krijgen wat ik wil, is omdat het monster en ik hetzelfde wezen zijn. Er is geen verschil tussen ons. Het monster bepaalt wat we doen en beslist alles. Ik ben slechts een passagier die het voertuig niet kan afremmen en die ook niet kan uitstappen. Ik weet niet meer wat ik moet doen of bij wie ik moet zijn. Wat ik wel weet is dit:

De spreuk die alles terug moest draaien, is mislukt, net als het verzoek aan Hekate.

En Damen? Die kan me ook niet redden.

Hij mag niet weten hoe dicht bij die weerzinwekkende daad ik was.

Hij kan me ook niet de komende eeuwen blijven beschermen tegen mezelf.

Ik ben zo diep gezonken, zo ver gezakt, dat ik niet meer kan opstaan. Ik kan mijn leven niet meer terug op de rails krijgen. Ik kan niet teruggaan naar de wereld en alles op het spel zetten.

Dus wandel ik doelloos rond, zonder bestemming en zonder benul wat ik moet doen als ik er ben. Ik loop op mijn gemak langs de regenboogkleurige rivier zonder me te haasten. Ik merk het amper wanneer de rivier ophoudt en de grond onder mijn voeten verandert in een zacht, drassig, modderig pad.

Nauwelijks registreer ik dat de temperatuur van de lucht een paar graden koeler wordt en de lichtgouden glinstering opeens compacter is en lastig om doorheen te kijken.

De schok is dan ook groot als ik het zie. Als ik besef dat ik op die plek sta waar de mist altijd het dikst is, waar je makkelijk de weg kwijtraakt tot je niet meer terug kunt. Ik kijk naar de bekende, kromme vorm, de gerafelde, versleten touwen en de houten latten vol splinters. De vorm beweegt in en uit zicht met de mist, maar ik weet precies waar ik ben.

Dit is de brug die leidt naar het hiernamaals.

De Brug der Zielen.

Ik kniel neer en zak half weg in de vochtige, modderige aarde. Zou het een teken zijn? Ben ik hier geëindigd met een reden en moet ik de brug dit keer wel oversteken?

Stel dat dit mijn kans is, eentje die me vorige keer is ontnomen? Een speciaal aanbod voor vaste klanten, waarbij niemand lastige vragen stelt?

Ik steek mijn hand uit naar de brug, naar een oud, versleten touw dat eruitziet alsof het elk moment kan knappen. In het midden van de brug wordt de mist dikker, zo compact dat het einde van de brug gehuld is in een witte, geheimzinnige wolk. Ik heb Riley moeten overhalen deze brug over te steken. Het is dezelfde brug die mijn ouders en Buttercup moesten oversteken om naar het hiernamaals te gaan. Als het hen gelukt is om veilig aan de andere kant te komen, hoe erg kan het dan zijn?

Ik bedoel, wat gebeurt er als ik nu opsta, mijn kleren afklop, diep ademhaal en begin te lopen?

Misschien is dit wel de oplossing voor alle problemen en kom ik zo van het monster af. Misschien doof ik zo de duistere vlam en kan ik ook weer bij mijn familie zijn, en dat allemaal door een voet voor de ander te zetten.

Een paar stappen verwijderd van hun warme, verwelkomende omhelzing.

Een paar stappen en ik ben weg van Roman, Haven, de tweeling, Ava en de vreselijke puinhoop die ik heb aangericht.

Een paar stappen en ik vind de rust die ik zoek.

Even serieus. Het kan toch geen kwaad? Mijn familie staat me toch gewoon op te wachten aan de andere kant, zoals je in al die paranormale tv-series altijd ziet?

Ik omklem het touw en trek mezelf overeind. Mijn benen trillen en ik leun een heel klein beetje naar voren om beter zicht te hebben. Hoe ver zou ik moeten gaan voor ik niet meer terug mag? Riley zei destijds dat ze tot halverwege was gekomen voor ze zich omdraaide en mij ging zoeken. Toen raakte ze gedesoriënteerd in alle mist en kon de brug niet meer vinden, althans, niet meteen.

Maar stel nou dat ik gewoon doorloop, helemaal verder naar de Andere Kant... kom ik dan op dezelfde plek terecht als zij? Of werkt het als een goederentrein die opeens wisselt van spoor, waardoor ik uitkom in de eeuwige duisternis, in Schaduwland, in plaats van het hemelse hiernamaals?

Ik haal diep adem en beweeg me. Ik til een voet op van de natte ondergrond en wil een stap zetten als ik plotseling een golf van kalmte voel. Het is vredig en het kan maar één ding betekenen – er is maar één persoon die dit effect op me heeft. Het effect is zo anders dan de tintelingen en warmte van Damen, dat het me niet verbaast Jude opeens naast me te zien staan.

'Je weet toch waar dat naartoe leidt, hè?' Hij gebaart naar de zacht schommelende brug en probeert zijn stem helder en beheerst te houden, terwijl zijn trillende hand hem verraadt.

'Ik weet waar andere mensen uitkomen.' Ik kijk van hem naar de brug en haal mijn schouders op. 'Maar ik weet niet of dat voor mij ook werkt.'

Hij knijpt zijn ogen half dicht en neemt me nauwlettend in zich op voor hij behoedzaam verdergaat. 'De brug leidt naar het hiernamaals. Voor iedereen. Zonder uitzondering. Een dergelijk oordeel wordt alleen maar op het aardse vlak geveld, niet hier.'

Erg overtuigend klinkt het niet, want hij weet niet wat ik weet. Hij heeft niet gezien wat ik zag. Hoe kan hij weten wat er wel of niet van toepassing is op mij?

'En toch.' Hij knikt als hij mijn gedachten luid en duidelijk ontvangt. 'Volgens mij moet je hier helemaal niet over nadenken op dit moment. Het leven is al zo kort, weet je. Zelfs op die dagen dat het eindeloos lang lijkt. Als het eenmaal voorbij is, was het maar een flits, een klein stipje op de eeuwige tijdlijn. Neem dat maar van mij aan.'

'Voor jou misschien. Niet voor mij.' Als ik hem aankijk, is dat open en uitnodigend. Als hij wil, mag hij alles weten. Ik wil hem het hele verhaal vertellen, alles uitleggen. Alles wat ik al die tijd al geheimhoud voor hem. Hij hoeft het maar te vragen en ik biecht alles op. 'Voor mij is het wel meer dan een klein stipje.'

Hij wrijft over zijn kin en fronst zijn wenkbrauwen terwijl hij probeert te bevatten wat ik zeg.

Meer hoeft hij niet te doen. Zijn verlangen dit te begrijpen is genoeg. Het komt allemaal naar boven. Alles. Een complete stortvloed aan woorden en informatie, zo vlug en gehaast dat het er verward en door elkaar uitkomt. Helemaal terug naar die eerste dag, vlak na het auto-ongeluk, toen Damen me het elixir gaf en me veranderde in wat ik nu ben, tot en met de waarheid over Roman, wie hij werkelijk is en hoe hij ervoor gezorgd heeft dat Damen en ik nooit echt samen kunnen zijn. Ava en de tweeling en de complexe geschiedenis die hen bindt. Haven die dankzij mij ook een bovennatuurlijk gedrocht is geworden. De chakra's en hoe je onze soort kunt vernietigen als je de zwakke plek maar kent. En uiteraard vertel ik hem over Schaduwland, de eeuwige leegte waar alle onsterfelijken eindigen – en het enige wat me ervan weerhoudt die brug over te steken. De woorden stromen uit me, ik kan ze niet tegenhouden. Niet dat ik het probeer. Het is fijn om alles te kunnen onthullen en het feit dat hij zijn best doet rustig te blijven, spoort mij aan verder te gaan. Hij wil me laten uitpraten en niet voor die tijd al in paniek raken.

Als ik over Roman vertel, over die walgelijke aantrekkingskracht die ik voelde, over de duistere vlam die nog steeds in mij brandt en het vernederende moment waaraan ik zojuist ternauwernood ontsnapt ben, kijkt hij me aan. 'Ever, alsjeblieft, rustig aan. Ik kan het allemaal niet uit elkaar houden.'

Ik knik. Mijn hart bonkt, mijn wangen lopen rood aan en ik sla mijn armen om me heen. Mijn haren plakken in lange, piekerige, vochtige plukken tegen mijn wangen, schouders en rug aan, zwaar geworden door de dikke dauwdruppels die maar blijven vallen. Een enorme rij nieuwkomers verschijnt bij de brug en kan niet wachten om over te steken. De oude brug buigt door en schommelt terwijl ze stevig doormarcheren. Uit hun ogen straalt een wonderlijk, prachtig licht.

'Kunnen we misschien ergens anders naartoe gaan?' Hij knikt naar de lange rij mensen. Even vraag ik me af of er een ramp heeft plaatsgevonden. 'Ik voel me hier niet op mijn gemak.'

'Jij kwam hier uit jezelf naartoe, hoor.' Ik haal mijn schouders op en reageer defensief, vooral na alle onthullingen. Ik bedoel, ik leg net mijn hele ziel bloot, mijn complete, grote geheim. Hij weet alles en heeft alles kunnen zien en dan zegt hij alleen maar: rustig aan en kunnen we hier weg? Ik schud mijn hoofd en rol met mijn ogen. Het is niet de reactie waarop ik hoopte. 'Echt waar. Ik heb je niet gevraagd hier te komen, je was er ineens.'

Hij kijkt me aan, niet van zijn stuk gebracht door mijn veranderde houding. Zijn mondhoeken vertonen een grijns. 'Nou, dat ook weer niet...'

Wat bedoelt hij daarmee?

'Ik hoorde je noodkreet en kwam kijken. Ik zocht jou, maar niet deze plek.'

Ik knijp mijn ogen tot spleetjes en wil hem tegenspreken, maar dan herinner ik me mijn eerste ontmoeting met de tweeling, die ongeveer net zo verliep.

'Ik wilde heus niet oversteken.' Mijn wangen gloeien van schaamte. 'Ja, oké, ik heb er misschien even over nagedacht, maar dat was heel even en niet eens serieus. Nou ja, niet echt. Ik was vooral nieuwsgierig, dat is alles. En trouwens ken ik een paar mensen die aan de andere kant wonen en soms mis ik ze best wel...'

'Dus dacht je even op de thee te gaan?' Het klinkt plagerig, maar de woorden vallen zwaar. Zwaarder dan hij denkt.

Ik schud mijn hoofd en staar naar mijn voeten vol modderspetters.

'Wat dan wel? Wat hield je tegen, Ever? Had het met mij te maken?'

Ik haal diep adem, en nog een keer. Het duurt even voor ik hem aankijk. 'Ik... ik was het echt niet van plan. Nou, het leek even verleidelijk, maar ik was toch wel gestopt. Ook als je niet was verschenen.' Ik haal mijn schouders op en mijn blik zoekt de zijne. 'Deels omdat het niet eerlijk is zoveel onafgemaakte dingen achter te laten, zoveel fouten die iemand anders dan moet goedmaken, en deels omdat ik weet wat er gebeurt met een onsterfelijke ziel en waar die terechtkomt. Ik kan nog zo hard geloven dat ik niet beter verdien, maar daarom hoef ik dat einde nog niet te versnellen. Ik heb gezien hoe het daar is, die plek die mij te wachten staat. En het lijkt niet op de plek waar mijn familie zich bevindt. Als ik hen ooit nog terug wil zien, vrees ik dat ik een betere kans maak dat via jou te proberen dan door die brug over te steken, en bovendien...'

Hij kijkt me afwachtend aan.

Ik zucht en stamp op de grond. Wat nu komt is de belangrijkste reden en ik wil het hardop zeggen, hoe hij zich er ook bij voelt. Ik recht mijn rug en kijk hem aan. 'Bovendien kan ik dat Damen niet aandoen.' Ik kijk Jude vlug aan voor ik mijn hoofd omdraai. 'Ik kan hem niet in de steek laten, vooral niet na...' Ik slik de brok in mijn keel weg en wacht even. 'Niet na alles wat hij voor mij gedaan heeft.' Ik wrijf over mijn armen voor wat warmte, ook al heb ik het niet echt koud. Het voelt gewoon raar. Raar en ongemakkelijk.

Jude knikt alleen maar en stelt me gerust. Hij legt zijn hand op mijn onderrug en neemt me mee terug naar de wereld van Laguna, ver weg bij die brug en de lange rij zielen die blij oversteken naar de andere kant.

Zevenentwintig

'Oké, luister.' Jude laat de motor draaien terwijl hij zich naar me toe draait. 'Je gaat nu eerst naar binnen en biecht alles op.' Met opgeheven vinger snoert hij me de mond zodra ik iets wil zeggen. 'Je gaat zitten en vertelt het hele verhaal, inclusief alle details. Ondanks jouw ervaringen met Ava, geloof ik dat je in goede handen bent, van wat ik zo gezien en gehoord heb. Echt waar. Ze is intelligenter dan je denkt en ze doet dit soort dingen nu al in diverse incarnaties. Bovendien kan ik niemand anders bedenken die je echt kan helpen zonder bevooroordeeld te zijn.'

'Wat weet jij van haar eerdere incarnaties?' Ik voel een koude rilling over mijn rug glijden. 'Ik bedoel, behalve wat ik je verteld heb?'

Hij kijkt me lang aan, zo lang zelfs dat ik bijna de stilte wil verbreken, maar dan zegt hij: 'Ik ben in de Paleizen van Kennis en Wijsheid geweest. Ik weet ongeveer alles wel.'

Ik slik en probeer niet in paniek te raken. Tuurlijk, ik heb hem net zelf toegang gegeven tot mijn diepste geheimen, maar ik heb hem niet álles verteld.

Hij haalt zijn schouders op en lijkt mijn aarzeling niet te merken. 'Zodra je hier klaar bent, ga je naar Damen. Het maakt mij niet uit wat je hem vertelt, dat moet je zelf weten. Maar je hebt hem behoorlijk op de proef gesteld de laatste tijd en hoe ik ook over hem denk...' Hij wacht en schudt dan zijn hoofd. 'Laat ook maar. Je moet dit gewoon doen. Je bent nog niet beter – dat heb je vanavond wel bewezen. Je hebt zijn steun nodig om hier doorheen te komen. Dat is ook wel zo eerlijk. O, en neem ook meteen een paar dagen vrij. Ik meen het, ik kan het wel aan. Honor heeft aangeboden te helpen in de winkel, dus die kan ik altijd nog vragen.'

Ik knik en waardeer zijn nobele gebaar, waarbij hij zichzelf weg-cijfert en me aanmoedigt terug te gaan naar zijn rivaal van de laat-ste paar eeuwen. Zeker wetend dat we klaar zijn, pak ik de deur-hendel en wil het portier openen. Dan legt hij een hand op mijn been, buigt naar me toe en zegt: 'Er is nog iets.'

Ik kijk hem aan en zie een ernstige uitdrukking op zijn gezicht verschijnen. Zijn koele vingers geven me een zacht kneepje in mijn knie.

'Ik beloof je dat ik je relatie met Damen niet zal saboteren, maar dat wil niet zeggen dat ik het erbij laat zitten. Vierhonderd jaar lang het meisje van je dromen mislopen zit me niet echt lekker de laat-ste tijd.'

'Dus... dus dat weet je ook?' Mijn stem begeeft het en mijn hand schiet naar mijn keel.

'Bedoel je de staljongen uit Parijs, de Britse graaf, de parochiaan uit New England en de schilder die beter bekend is als Bastiaan de Kool?' Hij kijkt me recht aan, twee blauwgroene ogen die branden met het verlangen van vier eeuwen. 'O ja.' Hij knikt. 'Ik weet er al-les van. En meer.' Ik schud mijn hoofd en weet niet wat ik moet zeg-gen of doen. Hij haalt zijn hand van mijn knie en legt hem tegen mijn wang. 'Zeg nou niet dat je het zelf niet voelt – ik weet dat het zo is. Ik zie het in je ogen en aan hoe je reageert als ik je aanraak. Zelfs aan de manier waarop je reageerde toen je mij met Honor zag. Was dat vandaag?' Hij werpt een blik op zijn pols, maar draagt geen horloge. Hij haalt zijn schouders op en wuift het weg. 'Ik heb geen interesse in Honor, niet zoals jij denkt. Het is meer een ding tus-sen leraar en leerling, een soort vriendschap, dat is alles.' Hij houdt zijn hoofd schuin terwijl zijn vingers, die zachte vingertoppen, over mijn wang strelen, zo verleidelijk en geruststellend. Ik kan me niet wegdraaien, zelfs al zou ik dat willen. 'Er is niemand anders.

Ik wil alleen maar jou. Het kan best zijn dat jij dat gevoel nu niet deelt, maar ik wil dat je weet dat er geen beperkingen zijn. Er is niets wat ons uit elkaar houdt. Niets behalve jij, dus. Het is jouw beslissing.' Hij trekt zich terug, maar het gevoel van zijn aanraking blijft hangen en hij kijkt me indringend aan. 'Wat je ook besluit, ik weet zeker dat je dit niet kunt ontkennen.' Hij steekt zijn hand weer uit. 'Toch?'

Als hij me nogmaals aankijkt, houdt hij zijn hoofd zo schuin dat een aantal dreadlocks over zijn schouder glijden en voor zijn gezicht hangen. Hij trekt de wenkbrauw met het litteken een klein beetje omhoog en zijn glimlach tovert de kuiltjes tevoorschijn in zijn wangen. Als hij me op díé manier aankijkt, voelt het als een uitdaging die ik niet kan aangaan.

Ja, natuurlijk voel ik iets als hij me aanraakt. Tuurlijk, hij is sexy en schattig en iemand op wie ik kan rekenen, dat ontken ik ook niet. En ja, ik kwam al een paar keer in de verleiding wat hem betreft. Maar toch, als ik het bij elkaar optel is het nog niets vergeleken bij wat ik voor Damen voel. Dat was het nooit, dat gaat ook niet gebeuren. Damen is de ware voor mij. Al doe ik maar één ding goed op deze rare, hectische dag, dan is het dat ik eerlijk wil zijn tegen Jude, ook al wordt hij erdoor gekwetst.

'Jude...' begin ik. Hij drukt een vinger tegen mijn lippen en houdt me tegen.

'Ga naar binnen, Ever.' Hij knikt, veegt een pluk haar uit mijn gezicht en stopt die achter mijn oor. Daar blijven zijn vingers iets te lang hangen, alsof hij niet bij me weg wil. 'Leg het bij, maak je spreuk ongedaan, vind het tegengif voor het tegengif en doe wat je nog meer moet doen. Wat je ook voor me voelt en welke beslissing je uiteindelijk ook neemt, het gaat mij er vooral om dat jij gelukkig bent. Je moet alleen weten dat ik het niet heb opgegeven en dat voorlopig ook niet van plan ben. Blijkbaar heb ik er al vierhonderd jaar op zitten, dus kan ik het net zo goed volhouden. De laatste paar eeuwen was het een oneerlijke strijd, maar met hulp van Zomerland ben ik dit keer wat beter uitgerust. Ik ben weliswaar niet onsterfelijk – en daar zou ik denk ik zelf ook niet voor kiezen – maar je weet wat ze zeggen: kennis is macht. Ja, toch? Dankzij jou en de Paleizen van Kennis en Wijsheid heb ik daar in ieder geval genoeg van.'

Ik haal diep adem, stap uit en loop Ava's huis binnen zonder te kloppen. Ik heb haar niet van tevoren gebeld of gewaarschuwd dat ik kwam en de wijzers van de klok geven aan dat het aan de late kant is voor een spontaan bezoekje, maar het verbaast me niet dat Ava in de keuken bezig is een verse pot thee te zetten. Ze glimlacht. 'Hallo Ever, ik verwachtte je al. Ik ben blij dat je het gered hebt.'

Achtentwintig

Ava duwt uit gewoonte een bord met koekjes naar me toe, zonder na te denken. Dan schudt ze haar hoofd en gniffelt terwijl ze hem weer weg wil halen. Dat lukt haar niet voor ik een koekje van onder uit de stapel weet te trekken. Ze zijn lichtbruin van kleur, rond, zacht en versierd met een suikerlaag in dikke vierkantjes. Ik breek een stukje af en leg het op mijn tong en herinner me dat dit mijn favoriete koekjes waren in de tijd dat ik nog volop kon genieten van snoep en al het andere voedsel.

'Je hoeft ze niet te eten om mij een plezier te doen, hoor.' Ze brengt haar theekopje naar haar mond en blaast een, twee keer voor ze een slokje neemt. 'Geloof me, de tweeling vindt ze lekker genoeg, dus ik voel me niet beledigd als je geen interesse hebt.'

Ik haal mijn schouders op. Het liefst vertel ik haar dat ik het af en toe mis normaal te zijn. Dan pak ik iets te drinken en te eten en koop ik lekkere dingen in de winkel in plaats van ze te manifesteren, al is het maar om te bewijzen dat ik het nog kan eten. Maar die bui duurt nooit erg lang en de laatste tijd heb ik dat alleen nog 's avonds laat als ik moe ben en me verloren voel, zoals nu. Op andere momenten moet ik er niet aan denken ooit weer zo gewoontjes te zijn.

Toch vertel ik haar niets. In plaats daarvan vraag ik hoe het met de tweeling gaat. Dan breek ik een tweede stuk van mijn koekje. Vroeger smaakte het heerlijk zoet en kruimelig, niet zo smaakloos en kartonachtig als nu. Maar dat ligt aan mij – het recept is niet veranderd.

'Weet je, dat is best grappig,' antwoordt ze en ze zet haar kopje neer. Ze leunt naar me toe, haar vingers spelen met de geweven groene placemat alsof ze hem strijkt met haar handen. 'We zijn al zo snel gesetteld dat het net lijkt alsof de tijd heeft stilgestaan. Wie had dat kunnen denken?' Ze schenkt me een halve glimlach en schudt haar hoofd over hoe het gelopen is. 'Ik weet dat reïncarnatie vooral te maken heeft met karma en losse eindjes uit ons verleden, maar ik had nooit gedacht dat het zo letterlijk bedoeld werd. Voor mij, althans.'

'En hun magie – keert die al terug?'

Ze haalt langzaam en diep adem en grijpt weer naar haar kopje. Ze klemt haar vingers stevig om het oortje, maar tilt het nog niet op. 'Nee, nog niet. Maar misschien is dat zo erg niet.'

Ik kijk haar vragend en niet-begrijpend aan.

'Nou ja, zoveel voordeel heeft het jou ook niet opgeleverd, toch?'

Ik laat mijn handen in mijn schoot vallen, waar ik ze ineensla en uit elkaar trek en aan mijn vingers frunnik. Mijn ineengedoken, zenuwachtige houding zegt haar genoeg.

'Uiteraard heb ik ook magie beoefend – dat lijkt me duidelijk.' Ze laat haar tong aan één kant uit haar mond hangen en houdt haar hand omhoog alsof ze een strop vast heeft. Dan barst ze in lachen uit als ze mij ziet staren. Ze wiebelt met een vinger. 'Toe, niet zo ernstig, jij.' Ze grijnst kort, zo'n tandpastaglimlach. 'Ik kan dat verleden toch niet veranderen, dus ik zit er niet mee. Elke stap die we nemen leidt ons naar de volgende en die is hier.' Ze laat haar hand plat op tafel vallen. 'Mijn ervaringen uit vorige levens en de toegang die ik dankzij jou heb tot Zomerland en de Paleizen van Kennis en Wijsheid hebben me geholpen meer te begrijpen. Dingen die ik tot nu toe alleen kon gissen.'

'O ja? Zoals wat?' Ik val meteen terug in mijn oude, ruziezoekende gewoonte en geef haar niet eens de kans te praten zonder een bijdehante onderbreking van mij.

Maar Ava negeert het, zoals gewoonlijk, en gaat gewoon verder alsof ik niets heb gezegd. 'Ik heb geleerd dat magie, net als manifesteren, een vorm is van energiemanipulatie. Bij manifesteren gaat het vooral om materie, maar bij magie – zeker in de verkeerde handen...' Ze pauzeert en kijkt me veelbetekenend aan, alsof ze wil zeggen: jouw handen, dus – tenzij ik het me verbeeld. 'Als ze niet correct wordt uitgevoerd, zonder de juiste bedoelingen, dan manipuleert magie juist mensen. En daar begint alle ellende.'

'Had de tweeling me daar maar voor gewaarschuwd,' mompel ik. Misschien mag ik hen niet de schuld geven, maar toch.

'Misschien zijn ze dat vergeten te zeggen, maar Damen heeft je toch wel gewaarschuwd?' Ze kijkt me aan en haar opgetrokken wenkbrauw en opgeheven kin vertellen me dat ze me niet gelooft. 'Ever, als je hier kwam voor hulp – wat ik maar aanneem, gezien het tijdstip en de omstandigheden – laat me die dan ook bieden. Laat me je helpen. Je hoeft geen smoesjes te verzinnen, ik ben er niet om een oordeel te vellen. Je hebt een fout gemaakt, maar daarmee ben je niet de eerste en je zult ook niet de laatste zijn. Ik geloof best dat jij vindt dat jouw fout gigantisch is, onoverkomelijk zelfs. Maar in tegenstelling tot wat jij gelooft, kan zoiets altijd ongedaan worden gemaakt. Zo'n spreuk is bijna nooit zo gevaarlijk als we denken. Beter gezegd: daar zijn we zelf bij.'

'Wil je soms zeggen dat ik het mezelf aandoe?' Het protest komt snel en natuurlijk naar boven, maar zonder gevoel. Ik wuif het terzijde met een polsbeweging en zucht. 'Weet je, voor iemand die zo vaak hulp nodig heeft als ik, zou je denken dat ik er beter in ben die ook aan te nemen.' Ik rol met mijn ogen en schud mijn hoofd – een gebaar dat zuiver gericht is op mijzelf.

Ze haalt haar schouders op en pakt een havermoutkoekje van de stapel, waar ze een rozijn van afplukt en in haar mond stopt. 'Het is altijd lastig voor eigenwijze mensen.' Ze glimlacht en kijkt me aan. 'Maar dat hebben we nu wel gehad, hè?' Ze ziet me knikken. 'Het punt is, Ever, zowel bij manifesteren als magie draait alles om de bedoeling, het resultaat dat je wilt bereiken. Die intentie is je belangrijkste wapen. Je hebt vast eerder gehoord van de Wet van Aantrekking?' Ze wrijft over haar zijden mouw voor ze verdergaat.

'Dat we datgene aantrekken waarop we ons het hardst concentreren? Zo werkt dit ook. Als je je focust op je angst, is er meer om bang voor te zijn. Als je je richt op wat je níét wilt, dan krijg je meer van wat je niet wilt. Als je je energie stopt in anderen manipuleren, dan word je zelf gemanipuleerd. Hoe meer aandacht je iets schenkt, hoe meer je daarvan terugkrijgt. Anderen je wil opleggen zodat zij iets doen wat ze normaal gesproken zouden weigeren... Ten eerste werkt dat niet en ten tweede heeft het een boemerangeffect. Het heeft gevolgen voor je karma, zoals alles wat je doet. Alleen werkt het niet in je voordeel, tenzij je ervoor openstaat een paar belangrijke levenslessen te leren...'

Ava praat door, maar ik ben blijven steken bij het stuk over karma en het boemerangeffect. Iets dergelijks zei de tweeling ook ooit: het is niet juist magie te gebruiken voor egoïstische, kwade bedoelingen. Karma achterhaalt je vanzelf, in drievoud.

Ik slik en pak mijn kopje thee vast, terwijl haar volgende woorden nog nauwelijks doordringen. 'Ever, je moet beseffen dat je je tot nu toe hardnekkig verzet hebt. Tegen mij, toen ik je wilde helpen. Tegen Damen, die zich steeds meer zorgen maakte. Ook tegen Roman en alle vreselijke dingen die hij je heeft aangedaan...' Ze steekt een vinger op als ze ziet dat ik haar wil tegenspreken. 'Het ironische van die situatie, van dat verzet, is dat je zoveel tijd en energie kwijt bent aan de concentratie op alles wat je niet wilt, dat je precies die dingen weet aan te trekken.'

Volgens mij snap ik er niks meer van. Moet ik me dan niet verzetten tegen Roman? Ik bedoel, hal-lo! Moet je kijken wat er gebeurde, of bijna gebeurde, toen ik bijna stopte met tegenstribbelen!

Ze recht haar rug en slaat beide handen om haar kopje heen. Ze begint opnieuw. 'Alles bestaat uit energie.'

Dat klinkt bekend.

'Jouw gedachten bestaan uit energie en energie trekt dingen aan. Soort zoekt soort. Dus dan zijn je gedachten over alles waar je bang voor bent ook de oorzaak ervan dat die dingen gebeuren. Je manifesteert ze zelf door je er constant op te concentreren. Eenvoudiger gezegd, in de woorden van de oude alchemisten – wat heel toepasselijk is voor jouw situatie: zoals boven, zo ook beneden; zoals vanbinnen, zo ook vanbuiten.'

'En dat was eenvoudig?' Ik schud mijn hoofd en laat mijn thee ronddraaien in het kopje. Het had net zo goed Chinees kunnen zijn.

Ze glimlacht geduldig en vriendelijk. 'Het betekent dat we om ons heen vinden wat zich binnen in ons afspeelt. Ons innerlijk en onze gedachten worden weerspiegeld in ons dagelijks leven. Er valt niet aan te ontkomen, Ever, het is gewoon zo. Wat jij alleen niet beseft is dat die magie niet ergens daarbuiten bestaat, maar hierbinnen.' Ze slaat een vuist tegen haar borst en kijkt me aan alsof ze een ingeving krijgt. 'Magie is niet in handen van de godin of de koningin. De enige reden dat Roman macht over jou heeft is omdat je hem die zelf hebt gegeven. Je stond het toe. Ja, ik weet dat hij je bedrogen heeft en ik weet ook dat hij ervoor zorgt dat je niet samen kunt zijn met Damen. Dat moet vreselijk zijn, maar je moet je niet langer verzetten tegen een voldongen feit. Richt je niet langer op Roman en alles wat hij gedaan heeft. Pas dan kun je dat akelige verbond met hem verbreken. Na een tijdje mediteren en jezelf reinigen, heeft hij geen grip meer op je en kan hij je niets meer doen.'

'Toch heeft hij nog steeds het tegengif... Hij zal...' begin ik, maar het heeft geen zin. Ava is op dreef en ze is nog niet klaar.

'Dat klopt. Hij heeft het tegengif en waarschijnlijk geeft hij je dat niet zomaar. Maar die situatie kun jij niet veranderen. Je kunt je er druk om maken en spreuken opzeggen, maar het verandert er niets aan. Sterker nog, dat maakt het juist erger. Daardoor wordt hij het middelpunt van jouw wereld – precies het resultaat dat je niet wilt bereiken. En neem van mij aan dat Roman dat maar al te goed doorheeft. Hij doet zijn best je aandacht te trekken, dat wil elke narcist graag. Maar als je dit wilt oplossen en verder wilt gaan met je leven, hou er dan mee op. Stop je energie niet langer in dingen die je niet wilt bereiken. Verspil die niet langer aan Roman. Weiger dat spel te spelen en kijk wat er gebeurt.' Ze leunt naar voren en veegt een pluk van haar kastanjebruine haren achter haar oor. 'Weet je wat ik denk? Als hij jou ziet omgaan met de situatie, waarbij je gewoon geniet van het leven en doet wat je kunt ondanks alle beperkingen, dan is het voor hem ook niet interessant meer en geeft hij het wel op. Maar wat je nu doet... je kunt net zo goed rauw vlees voeren aan een tijger – je geeft hem precies wat hij nodig heeft en voldoet aan zijn belangrijkste behoefte. Dat monster zit in jou, Ever, omdat jij het hebt gecreëerd. Maar geloof me, je bent er zo weer van af.'

'Hoe dan?' Ik snap best wat ze net zei. Eenmaal uitgelegd, klinkt het volkomen logisch. Maar toch voel ik die vreselijke drang nog vlak onder mijn huid tintelen. Ik kan moeilijk geloven dat ik die kwijtraak door ergens anders aan te denken. 'Ik heb geprobeerd de spreuk terug te draaien en het werd alleen maar erger. Ik vroeg Hekate om hulp en dat leek even te helpen, maar toen ik Roman vanavond weer zag...' Mijn hoofd verschiet van kleur en mijn hele lichaam wordt heet bij de angstaanjagende herinnering aan wat er bijna gebeurd is. 'Laten we zeggen dat ik toen zeker wist dat ook dat niet had geholpen. Het monster was levend en wel en had er zin in. Ik snap best wat je zegt, hoor, althans, dat denk ik. Maar hoe kan het helpen als ik ergens anders aan denk? Ik bedoel, Hekate heeft het voor het zeggen en ik zou niet weten hoe ik van haar af moet komen.'

Ava kijkt me rustig aan en zegt op lage toon: 'Daar ga je dus de fout in. Hekate doet niets; jij hebt het voor het zeggen. Al die tijd al. Ik zeg dit niet gemakkelijk, vooral omdat ik weet hoe vervelend mensen het vinden dit te horen, maar het monster is geen invloed van buitenaf die zich in je heeft genesteld. Je bent niet bezeten door een demon – je bent het zelf. Het monster is jouw eigen duistere kant.'

Hoofdschuddend val ik tegen de rugleuning van de stoel. 'Fantastisch. Helemaal geweldig. Dus ik voel me gewoon aangetrokken tot Roman? Fijn, Ava, dank je wel.' Ik zucht geïrriteerd en laat haar duidelijk zien dat ik met mijn ogen rol.

'Ik zei toch dat mensen het niet graag horen.' Ze haalt haar schouders op. Mijn botte opmerkingen doen haar weinig. 'Maar je moet toegeven dat hij toch best knap is, zeer charmant zelfs... oppervlakkig gezien, dan.' Ze glimlacht alsof ze verwacht dat ik instem. Dat doe ik niet, maar ze haalt slechts haar schouders op. 'Maar dat bedoel ik niet. Je kent het yin-yangsymbool wel, hè?'

Ik knik. 'De cirkel rondom staat voor het geheel. De zwarte en witte delen stellen de twee energiesoorten voor die alles laten gebeuren.' Ik haal mijn schouders op. 'O, en elk bevat een kleine stip van de ander...' Ik schuif heen en weer op mijn stoel nu ik begrijp waar ze heen wil, maar niet weet of ik haar wil volgen.

'Precies.' Ze knikt. 'Geloof me, bij mensen geldt dat ook. Een voorbeeld. Je hebt een meisje dat een paar fouten gemaakt heeft,' ze kijkt me insinuerend aan, 'en ze zit zo diep in de put dat ze zich alle liefde en steun van haar vrienden niet waard acht. Ze weet zeker dat ze er alleen voorstaat, alles zelf en op haar eigen manier moet goedmaken. Ze raakt geobsedeerd door haar kwelgeest en sluit zelfs iedereen om zich heen buiten, zodat ze zich helemaal kan richten op de vijand die ze haat. Al haar aandacht gaat naar hem toe, tot... Nou ja, je snapt ook wel dat ik het over jou heb en je weet hoe dat eindigt. Wat ik wil zeggen is dat we allemaal een klein, duister puntje in ons hebben. Iedereen, zonder uitzondering. Als je je zo volledig toewijdt aan die donkere kant van jezelf, dan komt die Wet van Aantrekking weer om de hoek. Soort zoekt soort. Vandaar die monsterlijke aantrekkingskracht van Roman.'

'Een duister puntje?' Zoiets heb ik eerder gehoord, slechts een paar uur geleden. 'Bedoel je zoiets als een... schaduwkant?'

'Sinds wanneer citeer jij Jung?' Ze lacht.

Ik kijk haar door toegeknepen ogen aan. Wie?

'Dr. Carl Jung.' Ze lacht weer. 'Hij heeft geschreven over de schaduw. Volgens hem is dat de onbewuste en onderdrukte kant van onszelf. Het deel dat we het liefst verdringen. Hoe kwam je daarop?'

'Van Roman.' Ik sluit mijn ogen en schud mijn hoofd. 'Hij is me altijd tien stappen voor. Hij zei ongeveer hetzelfde als jij, dat ik zelf het monster ben. Dat was zijn laatste spottende opmerking voor ik vluchtte.'

Ze knikt en houdt haar wijsvinger in de lucht. Dan sluit ze haar ogen. 'Even kijken of ik...'

Voor ik het weet, heeft ze een oud, in leer gebonden boek in haar handen.

'Hoe...' Met open mond en grote ogen staar ik haar aan.

Ze grinnikt. 'Alles wat je in Zomerland kunt doen, kan hier ook, weet je. Heb jij mij dat niet geleerd? Maar dit was geen rechtstreekse manifestatie, slechts telekinese. Het boek komt van de plank in de kamer hiernaast.'

'Ja, maar toch...' Ik staar naar het boek, verbaasd met het snelle resultaat. Ze heeft zoveel geleerd en toch kiest ze ervoor zo te wonen. Het is gezellig en comfortabel, maar vrij simpel vergeleken met de standaardluxe van Orange County. Ik tuur oplettend naar haar. Ze draagt nog steeds de ruwe citrien aan een eenvoudig zilveren kettinkje rond haar nek, niet de protserige gouden sieraden en juwelen die ze in Zomerland liet verschijnen – ook al kan ze nu manifesteren wat ze maar wil. Zou ze dan toch veranderd zijn? Misschien is ze niet meer helemaal de Ava die ik toen leerde kennen.

Ze gaat anders zitten, legt het boek op tafel en bladert naar de juiste bladzijde, waar ze met haar vinger de regel volgt. 'Iedereen draagt een schaduw met zich mee. Hoe minder deze tot uiting komt in het bewuste leven van het individu, hoe donkerder en compacter hij wordt... De regel in de psychologie stelt: wanneer een innerlijke situatie niet bewust wordt gemaakt, komt zij buiten het individu voor als het lot... dat een onbewuste belemmering vormt die zelfs onze beste bedoelingen tegenwerkt... enzovoort.' Ze klapt het boek dicht en kijkt me aan. 'Althans, dat zegt dr. Carl G. Jung en wie zijn wij om hem tegen te spreken?' Ze glimlacht. 'Ever, we hebben het zelf in de hand of we onze lotsbestemming bereiken en al onze capaciteiten benutten. Daar zijn we zelf bij. Weet je nog wat ik net zei: zoals vanbinnen, zo ook vanbuiten? De dingen waaraan we denken, waarop we ons concentreren, zullen altijd – altijd – om ons heen weerspiegeld worden. Mijn vraag is dus: waar wil je je op richten? Wie wil je vanaf nu zijn? Welke bestemming hoop je te bereiken? Je hebt een doel, een pad te volgen. Ik weet niet welk, maar ik heb zo'n voorgevoel dat het groots en belangrijk is. Je bent nu een beetje van dat pad geraakt, maar als je me toestaat, dan help ik je terug het zadel in. Je hoeft het maar te zeggen.'

Ik staar omlaag naar het theekopje en het verkruimelde koekje. Alles wat ik tot nu toe gedaan heb, elke domme en onverstandige stap, heeft me hiernaartoe gebracht. Naar Ava's keuken. De laatste plek die ik zou verwachten.

Met mijn vinger volg ik de rand van het kopje rond en rond. Ik weeg mijn keuzes af – al zijn het er niet veel – en til dan mijn hoofd op om haar aan te kijken. Glimlachend zeg ik: 'Oké.'

Negenentwintig

Voor ik kan kloppen, staat Damen al klaar. Maar ja, dat heeft hij altijd al gedaan. Letterlijk en figuurlijk, bedoel ik. De afgelopen vier eeuwen was hij er voor me, net als nu – dit keer met blote voeten, een openhangende badjas en zijn haar warrig op een wel heel sexy manier. Hij kijkt me aan door halfdichte, slaperige ogen.

'Hoi,' zegt hij met ruwe stem, nog maar net wakker.

'Ja, hoi.' Ik glimlach, loop langs hem naar binnen, naar de trap. Ik pak zijn hand vast en trek hem mee. 'Je meende het echt dat je weet wanneer ik in de buurt ben, hè?'

Zijn vingers pakken de mijne steviger vast en zijn vrije hand glijdt door zijn glanzende bos haar om het in model te krijgen. Ik glimlach en moedig hem aan het zo te laten. Zelden zie ik hem op die manier, slaperig, slordig en een beetje onverzorgd. Ik moet zeggen, het heeft wel wat.

'Wat is er?' Hij volgt me zijn 'speciale kamer' in, wrijvend over zijn kin terwijl ik de verzameling antieke spullen bewonder.

'Om te beginnen: ik ben genezen.' Ik draai met mijn rug naar de ernstige Picasso-versie van hem en kijk liever naar de sexy, schattige, echte Damen. Onze blikken ontmoeten elkaar. 'Ik bedoel, ik ben er nog niet helemaal bovenop, maar het gaat de goede kant uit. Als ik me aan de stappen hou, duurt het niet lang meer.'

'Stappen?' Hij leunt tegen het oude, fluwelen zitbankje en laat zijn blik onderzoekend over me heen gaan. Meteen strijk ik ongemakkelijk met mijn handen over mijn jurkje en bedenk dat ik voor ik me hierheen haastte best de tijd had kunnen nemen om nieuwe, leuke kleding te manifesteren die wat minder gekreukt is.

Het gesprek met Ava en de serie zuiverende, genezende meditaties gaven me zoveel energie dat ik me niet kon inhouden. Ik kon niet wachten het hem te vertellen en weer bij hem te zijn.

'Ava heeft me een soort vastentijd van zuivering voorgeschreven,' zeg ik lachend. 'Maar dan geestelijk, niet met groene thee. Ze zegt dat ik er... nou ja, beter en gebalanceerder van word. Zo goed als nieuw.'

'Ik dacht dat je gisteren al genezen was? Althans, dat zei je tegen me in Zomerland.' Hij houdt zijn hoofd schuin.

Ik knik en concentreer me op het moment in Zomerland met hem – niet op de reis na die afschuwelijke ervaring met Roman, toen ik Jude tegenkwam. 'Ja, maar nu voel ik me nog beter, sterker. Wat meer mezelf.' Ik kijk hem aan en weet dat ik verder moet. Het hoort allemaal bij dit reinigende ritueel om alles op te biechten, weer goed te maken. Zo anders is het niet dan een gewoon twaalfstappenplan. Maar ja, ik was ook niet zo heel anders dan iedere andere junk met een hardnekkige verslaving.

'Volgens Ava was ik verslaafd aan negativiteit.' Ik slik en dwing mezelf hem diep in zijn ogen te kijken. 'Het was niet alleen de magie of Roman. Volgens haar was ik verslaafd aan doemdenken over mijn angsten en alle slechte dingen in mijn leven. Je weet wel, al mijn verkeerde beslissingen en hoe wij door mij niet samen kunnen zijn en dat soort dingen. Doordat ik me daarop concentreerde, trok ik het juist aan. De duisternis, het negatieve en dus ook Roman, en ik sloot mensen om wie ik echt geef buiten. Jou, bijvoorbeeld.'

Terwijl ik naar hem toe loop, denkt een deel van mij: vertel het hem dan! Vertel hem hoe je tot die conclusie gekomen bent. Vertel hem wat er is gebeurd tussen jou en Roman – hoe duister en verknipt je bent geworden!

Een ander deel van mij – waarnaar ik wel luister – zegt: Je hebt genoeg gezegd, het is tijd om de draad op te pakken. Hij zit echt niet te wachten op alle smerige details.

Hij komt naar me toe, pakt mijn handen en trekt me tegen zich aan. Hij beantwoordt mijn blik met de woorden: 'Ik vergeef het je, Ever. Ik zal je altijd vergeven. Ik weet dat het niet makkelijk was dit te zeggen en ik waardeer het enorm.'

Ik slik. Dit is mijn kans – de laatste kans. En hij kan het beter van mij horen dan van Roman. Net als ik wil beginnen, laat hij zijn hand over mijn rug glijden en de gedachte is weer weg. Ik concentreer me op het gevoel, zijn warme adem op mijn wang, het zachte bijna-gevoel van zijn lippen tegen mijn oorlelletje en de geweldige tinteling en hitte die door mijn lichaam stroomt, van mijn kruin tot aan mijn tenen. Zijn lippen raken de mijne, duwend en drukkend, met het gebruikelijke laagje energie tussen ons in. Ik stoor me er niet meer aan en wil het zelfs helemaal niet merken. Vanaf nu wil ik genieten van wat we wel hebben.

'Wil je een potje vrijen in Zomerland?' vraagt hij half serieus. 'Dan mag jij de muze zijn en ben ik de schilder...'

'Zodat je me zoveel kunt zoenen dat je het schilderij nooit af krijgt?' Ik maak me los en lach, maar hij trekt me terug.

'Maar... ik heb je toch al geschilderd.' Hij grijnst. 'Mijn enige werk van belang.' Hij ziet me niet-begrijpend opkijken en voegt toe: 'Je weet wel, het hangt nu ergens in het Getty Museum?'

'O ja.' Ik lach als ik terugdenk aan die magische nacht, toen hij een portret van mij schilderde, magisch en engelachtig. Ik wist zeker dat ik dat niet verdiende, maar ik wil niet meer zo denken. Als Ava gelijk heeft met haar 'soort zoekt soort' en de Wet van de Aantrekking, dan voel ik me liever aangetrokken door Damen dan door Roman, en dat begint hier. 'Het ligt waarschijnlijk in een ondergronds laboratorium zonder ramen en onder constante bewaking met honderden kunstgeschiedenisexperts eromheen die het onderzoeken om te bepalen wie het geschilderd heeft en waar het in hemelsnaam opeens vandaan kwam.'

'Denk je dat echt?' Hij staart voor zich uit, gecharmeerd van het idee.

'Dus...' mompel ik met mijn mond tegen zijn kaaklijn en mijn vingers plukkend aan de kraag van zijn badjas. 'Wanneer vieren we jouw verjaardag eigenlijk? En hoe kan ik ooit een beter cadeau ver-zinnen dan jij deed?'

Hij draait zijn hoofd weg en zucht, zo'n heel diepe zucht, eentje die meer emotioneel dan lichamelijk is van aard. Heel melancho-lisch, vol verdriet en spijt.

'Ever, maak jij je nou maar niet druk om mijn verjaardag. Ik heb die niet meer gevierd sinds...'

Sinds zijn tiende! Natuurlijk! Die vreselijke dag die zo goed be-gon, maar waarop hij gedwongen was toe te kijken hoe zijn ouders werden vermoord. Hoe kan ik dat vergeten?

'Damen, ik...'

Ik wil me verontschuldigen, maar hij wuift het weg. Hij draait zich om naar het Velázquez-schilderij met hem op een steigerend, wit paard met dikke, krullende manen. Hij verschuift het aan een punt van de grote, sierlijk vergulde lijst alsof het al de hele tijd scheef heeft gehangen – wat niet zo is.

'Je hoeft geen sorry te zeggen.' Hij kijkt me niet aan. 'Echt niet. Ik denk gewoon dat het minder betekent om het elk jaar te vieren als je er al zoveel hebt meegemaakt.'

'Is dat voor mij straks ook zo?' Het lijkt me zo raar om niets te geven om je eigen verjaardag. Of erger nog: te vergeten welke dag het ook alweer was.

'Als het aan mij ligt niet.' Hij draait zich om en kijkt alweer vro-lijk. 'Elke dag wordt een feest, vanaf nu. Dat beloof ik je.'

Hij meent het zoals hij het zegt, maar ik kijk naar hem en schud mijn hoofd. Ja, ik ben echt van plan mijn energie te zuiveren en me te richten op alle goede, positieve dingen die ik wil bereiken. Maar het leven is zoals het is, dat is de waarheid. Het is lastig, ingewikkeld en niet een beetje rommelig, met wijze levenslessen en fouten die je nu eenmaal moet maken. Teleurstellingen en overwinningen wis-selen elkaar af en het is niet elke dag feest. Volgens mij snap ik nu pas echt dat daar niets mis mee is. Ik bedoel, volgens wat ik gezien heb, heeft zelfs Zomerland een duistere kant. Een eigen versie van een schaduw, een klein, duister stipje in het midden van al dat licht. Althans, zo zag ik het.

Ik kijk naar Damen en weet dat ik het hem moet vertellen. Waarom heb ik dat nog niet gedaan? Maar dan gaat mijn mobieltje af. We kijken elkaar aan en roepen in koor: 'Raad eens!' Het is een spelletje om te zien wiens telepathische krachten sterker en sneller zijn en we moeten binnen een seconde antwoord geven.

'Sabine!' Ik knik en neem aan dat ze wakker werd, mijn lege bed ontdekte en nu zo kalm mogelijk probeert uit te vinden of ik ontvoerd ben of zelf ben weggegaan.

Een fractie van een seconde later roept Damen: 'Miles.' Het klinkt allesbehalve vrolijk en speels en opeens kijkt hij bezorgd en ernstig.

Ik pak mijn mobieltje uit mijn tas en ja hoor, op het display staat de foto die ik van Miles heb gemaakt in zijn Tracy Turnblad-outfit, stralend en speciaal poserend.

'Hoi, Miles.' In mijn oor weerklinkt gezoem, geklik en een hoop ruis – de typische geluiden van een intercontinentaal telefoongesprek.

'Heb ik je wakker gemaakt?' vraagt hij met een klein stemmetje heel ver weg. 'Zo ja, nou, wees dan maar blij dat je mij niet bent. Mijn biologische klok loopt al dagen verkeerd. Ik slaap als ik zou moeten eten en eet als ik moet... Ach, laat ook maar, want dit is Italië en het eten is hier echt verrukkelijk. Ik eet de hele dag door! Nee, ik meen het. Ik weet niet hoe die gasten hier dat doen, want ze blijven er goddelijk uitzien. Het is niet eerlijk. Een paar dagen *la dolce vita* hierzo en ik ben meteen vadsig en opgeblazen. Maar toch, ik vind het fantastisch! O, echt waar. Het is hier geweldig! Maar goed, hoe laat is het bij jullie?'

Ik kijk de kamer rond, maar zie nergens een klok. Ik haal mijn schouders op. 'Nog vroeg. Bij jou?'

'Ik heb geen flauw idee, maar het zal wel middag zijn. Gisteravond ben ik naar een te gekke nachtclub geweest – wist je dat je hier niet eens eenentwintig hoeft te zijn om te drinken of een club te bezoeken? Ik zeg het je, Ever, dit is het goede leven. Die Italianen kunnen er wat van. Nou ja, ik vertel je de rest allemaal wel als ik terug ben, dan speel ik het zelfs voor je na als je wilt, dat beloof ik. Maar goed, de kosten van dit telefoontje bezorgen mijn pa waarschijnlijk al een rolberoerte, dus ik draai er niet langer omheen.

Zeg even tegen Damen dat ik naar dat adresje van Roman ben geweest en... hallo? Ben je daar nog? Kun je me horen?'

'Ja, ik ben er nog. Je valt af en toe weg, maar... Oké, daar ben je weer.' Ik draai me met mijn rug naar Damen en loop een paar passen bij hem vandaan. Vooral omdat ik niet wil dat hij de angstige uitdrukking ziet die mijn gezicht nu aanneemt.

'Oké, nou... Ik ging dus naar die tent waar Roman het steeds maar over had. Sterker nog, ik kom er nu net vandaan en... Ik moet je zeggen, Ever, ik heb er een aantal buitengewoon vreemde dingen gezien. En dan bedoel ik echt bi-zar. Laat ik het zo zeggen: iemand heeft een hoop uit te leggen als ik straks terug ben.'

'Bizar – hoe dan?' Ik voel Damen vlak achter me staan. Zijn energieveld verandert van relaxed naar een verhoogde alarmfase.

'Gewoon, bizar. Meer ga ik er niet over zeggen, maar... o, shit... kun je me nog horen? Ik ben je weer kwijt. Luister... ik... Dus, ik heb je een paar foto's gestuurd per e-mail. Wat je ook doet, wis ze niet voor je ze bekeken hebt. Oké? Ever? Ever! O, achterlijke telef...'

Ik slik en druk op de rode knop. Damen legt zijn hand op mijn arm en vraagt: 'Wat had hij?'

'Hij heeft me een paar foto's gestuurd,' zeg ik op lage toon zonder mijn ogen af te wenden. 'Er is iets wat we echt moeten zien.'

Damen knikt en zijn gezicht verandert naar een uitdrukking van gelatenheid, alsof het moment waarvoor hij vreesde eindelijk is aangebroken. Hij wacht nu nog op de gevolgen, op mijn reactie, zodat hij de schade kan opnemen.

Ik klik om de startpagina te openen, ga naar mijn mailprogramma en wacht tot het icoontje stopt met bewegen en Miles' e-mail wordt getoond. Zodra het bericht verschijnt, houd ik mijn adem in en tik op het schermpje. Ik wacht en vraag me af wat er komt. Mijn knieën begeven het bijna als ik het zie.

De foto.

Beter gezegd: de foto van het schilderij. Fotografie was destijds nog niet uitgevonden en dat duurde nog een paar honderd jaar. In elk geval houd ik het nu in mijn hand – een pronkende afbeelding waar hij onmiskenbaar op te zien is. Met haar. Samen poserend.

'Hoe erg is het?' vraagt hij verstijfd en met zijn ogen alleen op mij. 'Is het zo erg als ik denk?'

Ik werp hem een vlugge blik toe, maar kijk dan weer naar het scherm waar ik mijn ogen niet van kan afhouden. 'Dat hangt ervan af wat je denkt,' mompel ik. Ik denk terug aan hoe ik me voelde toen ik die dag in Zomerland naar zijn verleden mocht kijken. Ik voelde me misselijk en stikjaloers toen ik zag hoe hij en Drina een relatie kregen. Maar nu... nu is dat niet meer zo. Dit ligt heel anders. Ja, natuurlijk ziet Drina er beeldschoon uit – ze is altijd bloedmooi geweest. Zelfs tijdens haar lelijkste en gewelddadigste momenten zag ze er superknap uit – aan de buitenkant, althans. Ik durf te wedden dat ze in elk tijdperk even prachtig was, of ze nou gekleed ging in korsetten of hoepelrokken. Maar Drina hoort bij het verleden. Ze is er niet meer en de gedachte aan haar – zelfs een afbeelding van haar – doet me weinig. Sterker nog, het doet me helemaal niets.

Waar ik me wel aan stoor, is Damen. De manier waarop hij daar staat en staart naar de schilder – zo arrogant, ijdel en... nou ja, zo puur zelfingenomen. Ergens kan ik wel een glimp opvangen van dat ruige dat ik leuk vind aan hem, maar dat is hier niet zo speels als ik het ken. Niet zozeer het 'laten-we-spijbelen-en-naar-de-racebaan-gaan', maar veel meer het idee van 'dit-is-mijn-wereld-en-je-mag-blij-zijn-dat-ik-jouw-aanwezigheid-tolereer'.

Ik staar naar hen tweetjes, Drina ingetogen op een stoel met hoge leuning, haar handen netjes gevouwen op schoot en haar jurk en kapsel versierd met zoveel juwelen, linten en glimmende dingen dat het ieder ander belachelijk zou staan en Damen achter haar met een hand op de rugleuning, de ander langs zijn zij, zijn kin opgeheven, zijn wenkbrauw opgetrokken op een koele, hooghartige manier. Hoe langer ik naar het plaatje staar, hoe meer ik het gevoel krijg dat er iets met hem is – iets aan die ogen dat ik... nou... eigenlijk sadistisch of zelfs wreed zou noemen. Alsof hij er alles voor over heeft om te krijgen wat hij wil, ongeacht de gevolgen.

Damen heeft het vaak genoeg gehad over hoe hij vroeger was, een rasechte, op macht beluste narcist. Maar het is één ding om erover te horen en iets anders om het met eigen ogen te zien.

Miles stuurt nog drie andere portretten mee, maar die bekijk ik alleen oppervlakkig. Het interesseert Miles vooral dat Damen en Drina honderden jaren geleden al op doek zijn vastgelegd, en dat ze er op elk portret – die volgens de naamplaatjes eeuwen na elkaar zijn gemaakt – mysterieus genoeg, even jong en aantrekkelijk uitzien. Hem kan de houding van Damen, zijn pose en de blik in zijn ogen, natuurlijk weinig schelen. Dat is alleen een verrassing voor mij.

Ik geef mijn mobieltje door aan Damen en zie zijn vingers licht trillen als hij het aanpakt. Hij kijkt vlug de foto's door en geeft de telefoon terug. 'Ik heb het zelf meegemaakt; ik hoef die schilderijen niet nog een keer te zien,' zegt hij op beheerste, lage toon.

Ik knik en laat de mobiel in mijn tas zakken, waar ik er veel te lang over doe om hem op de goede plek te stoppen. Alles om Damen niet aan te hoeven kijken.

'Nu heb je het dus gezien. Het monster dat ik ooit was.' Zijn woorden raken me rechtstreeks in mijn hart.

Ik slik en laat mijn tas vallen op het dikke, geweven kleed, een waardevol antiek kleed dat in een museum thuishoort en niet geschikt is voor dagelijks gebruik. Zijn aparte woordkeuze doet me denken aan mijn gesprek met Ava. Iedereen heeft een monster, een schaduw in zich – zonder uitzondering. De meeste mensen doen hun hele leven lang hun best die kant te verdringen en weg te stoppen. Maar ja, als je zo lang leeft als Damen, dan komt die kant vast vaker naar boven.

'Het spijt me,' zeg ik en ik besef dat ik het echt meen. Het verleden doet er niet toe. Het gaat om het heden, om nu. 'Ik... ik had het gewoon niet zien aankomen en het overviel me een beetje. Ik heb je nooit eerder zo gezien.'

'Niet eens in Zomerland?' Hij kijkt me aan. 'Niet in de Akashakronieken?'

Ik schud mijn hoofd. 'Nee, die stukken heb ik snel doorgespoeld. Ik kon er niet tegen om je met Drina samen te zien.'

'En nu?'

'Nu...' Ik zucht. 'Drina doet me niets meer. Jij wel.' Ik wil grinniken om de spanning te breken, maar het werkt niet echt.

'Als ik me niet vergis, is dat al een hele vooruitgang.' Hij glimlacht, trekt me naar zich toe en houdt me stevig vast.

'En Miles?' Ik kijk op naar hem, naar de lijnen van zijn wenkbrauwen, zijn rechte kaaklijn en ik krabbel met mijn vingertoppen over de uitstekende stoppeltjes. 'Wat moeten we tegen hem zeggen? Hoe leggen we dit uit?' Mijn aarzeling, mijn korte afwijzing van zijn oude identiteit is nu helemaal verdwenen. Het verleden maakt ons tot wie we nu zijn, maar bepaalt niet wie we uiteindelijk worden.

'We zullen hem de waarheid vertellen.' Hij knikt en klinkt vastberaden, alsof hij het meent. 'Als het zover is, vertellen we hem de waarheid. En als alles blijft gaan zoals nu, dan duurt dat niet erg lang meer.'

Dertig

'Oké, ik wil dat je nu probeert je eigen energie aan te sturen. Zuiver haar, til haar tot een hoger niveau en versnel de deeltjes zoveel je kunt. Lukt dat, denk je?'

Ik knijp mijn ogen dicht in opperste concentratie. Dat versnellen vond ik altijd al het lastigst. Ik weet nog goed dat Jude me dit wilde leren, zodat ik Riley weer zou zien. Maar hoe hard ik het ook probeerde, mijn energie bleef net langzaam en sloom genoeg, net troebel genoeg om gedachten en figuren te zien van enkele wezens die over de aarde zwerven. Niet van hen die de brug zijn overgestoken, degenen die ik het liefst wil zien.

'Stel je met elke inademing een prachtig, genezend en schemerend wit licht voor dat je lichaam doorspoelt, vanaf je kruin helemaal omlaag naar je tenen. Zodra je uitademt, moet je je voorstellen dat alle restjes negativiteit, alle twijfels en alles dat lijkt op "kan niet" je lichaam verlaten. Zie die dingen voor je als een dikke, vieze, klonterige stroom grijze smurrie als je wilt – dat werkt bij mij het best.' Ava grinnikt en haar stem klinkt als een glimlach.

Ik knik en omdat mijn ogen dicht zijn, kan ik me alleen maar voorstellen dat de tweeling ook knikt. Ze hebben Ava net zo omarmd als Damen – ze aanbidden haar en doen alles wat ze zegt. Ze waren niet erg blij te horen dat *Het Boek der Schaduwen* niet meer voorkomt in hun lessen, ook al heb ik ze alsnog mijn waarschuwende verhaal verteld over hoe magie verkeerd kan uitpakken. Ik heb opgebiecht hoe erg het kan zijn als je bedoelingen niet duidelijk zijn en je gezonde verstand wordt overheerst door een obsessie. Maar het duurde niet lang voor de meisjes opmerkten dat zij nooit zulke stomme dingen zouden doen als ik. Ze zouden nooit een ritueel uitvoeren tijdens de nieuwe maan. Zouden alleen maar materie willen manipuleren, nooit mensen. Toch hield Ava voet bij stuk, en daarom zijn we nu gezamenlijk aan het mediteren en zuiveren.

Ik doe mijn best en stel me het witte licht voor dat door me heen straalt, terwijl ik alle negatieve rommel uitstoot die zich heeft verzameld. Zo gaat het al een paar weken en ik zie al een enorm verschil in mijn uiterlijk en hoe ik me voel. Belangrijker nog: ik kan weer dingen manifesteren en met Damen communiceren via telepathie. Ik weet dat het voor mijn eigen bestwil is om aan deze groepsmeditatie mee te doen en hiermee kom ik dichter bij het doel dat ik mezelf heb gesteld. Ondanks al die dingen, dwalen mijn gedachten algauw af naar gisteren, toen ik een dag vrij nam om samen met Damen op het strand te liggen.

We legden onze handdoeken naast elkaar neer, zo dichtbij dat de randen over elkaar heen lagen. Naast mij lag een grote hoop ongelezen tijdschriften en naast hem een gemanifesteerde, op maat gemaakte surfplank (aangezien zijn oude plank gesneuveld is tijdens het instorten van de grot een paar weken geleden). Verder een koeltas met een paar flessen elixir en een iPod die heen en weer ging, maar waarnaar ik het meest luisterde. We waren vastbesloten te genieten van de zomer zoals we die gehoopt hadden mee te maken, maar wat tot nu toe niet gelukt was. Lekker genieten van een lange, ontspannende dag op het strand, net als al die andere stelletjes.

'Wil je surfen?' Hij kwam overeind van de handdoek en pakte de plank.

Ik schudde mijn hoofd. Wat surfen betreft, is het beter voor alle partijen dat ik blijf liggen en alleen maar toekijk.

Dus dat deed ik. Ik zag hem naar het water lopen, leunend op

mijn ellebogen, terwijl hij zo vlug en moeiteloos over het zand rende dat ik me afvroeg of niemand anders zo gehypnotiseerd zat te
kijken als ik.

Ik bleef hem volgen toen hij de surfplank in het water liet vallen en weg peddelde, waarna hij het redelijk middelmatige, bijna
platte water van de oceaan wist te veranderen in een opeenvolging
van bijna perfecte golven. Net toen ik tevreden besloot de tijdschriften en iPod links te laten liggen en van hem te genieten,
kwam Stacia naast me staan. Ze stopte een pluk van haar lange haren, met verse highlights van de kapper, achter een oor, hees haar
designstrandtas hoger op haar schouder en trok de zonnebril uit
haar haren op haar neus, ter bescherming. 'Jezus, Ever. Je geeft
licht!'

Ik slikte, haalde een paar keer diep adem en knipperde, maar
meer kreeg ze niet. Geen enkele hint dat ik haar gezien of gehoord
had. Vastbesloten haar te negeren en te doen alsof ze onzichtbaar
was, bleef ik naar Damen kijken.

Ze bleef nog even staan en maakte wat afkeurende, klakkende
geluidjes terwijl ze haar blik over me liet glijden. Maar ze kreeg
snel genoeg van haar spelletje en liep verder het strand op. Ze koos
een plekje dichter bij het water, waar ik haar nog steeds kon zien.

Toen deed ik het. Ik ging in tegen alles wat Ava me geleerd heeft
om assertiever te zijn en om haar en iedereen die net zo is als zij,
uit mijn hoofd te zetten, en alleen maar mijn eigen, positieve in-
stelling te voelen. Ik herhaalde haar woorden in gedachten en keek
omlaag naar mijn lichaam. Ik besloot dat ze gelijk had. Nog geen
twee minuten eerder voelde ik me lekker in mijn vel, blij dat mijn
ongezonde, uitgemergelde lijf nu weer rondingen en een laagje vet
had. Maar ik kon er niet omheen: ik was erg wit. Zo verblindend
wit dat je wel een zonnebril moest opzetten. Je zou het melkfles-
wit kunnen noemen. Nou ja, daar kwamen mijn lichtblonde haren
en de witte bikini nog eens bij en het resultaat was schrikbarend.
Ik had net zo goed een spook kunnen zijn.

Op dat moment was ik zo ver heen, zo overtuigd van haar negatieve opmerking over mij, dat ik een heel lange sessie nodig had
van die diepe ademhalingen waar Ava zo dol op is om er weer van

af te komen. Zo makkelijk was het niet en ik zag hoe zij en Honor constant met elkaar fluisterden. Stacia lachte zo hard mogelijk voor extra effect en gooide haar haar een paar keer over haar schouder of schudde haar hoofd, terwijl ze in de gaten hield wie er allemaal keken. Steeds kwam ze terug bij mij, gniffelend en met haar ogen rollend, haar hoofd schuddend vol afkeer en alles wat ze kon verzinnen om te laten merken hoe walgelijk ze me vond. Ik had eenvoudig kunnen luisteren en mijn kwantumafstandsbediening kunnen pakken om te horen wat ze wel of niet zei, maar ik besloot het niet te doen.

De verleiding was er, vooral sinds ik weet van Honors plannen om Stacia van haar troon te stoten en haar eigen staatsgreep te plegen dit laatste jaar. Vooral nu ze het zo 'geweldig' doet – volgens Jude althans – in de cursus voor de ontwikkeling van paranormale gaven. Ze leert dingen zo vlug en grondig en heeft al zoveel technieken onder de knie, dat Jude besloten heeft haar privéles te geven. Maar toch heb ik het niet gedaan – ik heb ze niet afgeluisterd. Daar krijg ik vanzelf weer mee te maken als school begint. Dus richtte ik me op Damen en genoot van zijn soepele bewegingen in het water, zo elegant en sierlijk. Zijn lichaam glinsterde bijna in de zon; de smakelijke combinatie van een bronzen huidskleur, de zachte, ronde spierballen en zijn ongelooflijk geweldige uiterlijk toen hij het water uit kwam met de surfplank onder zijn arm en recht op mij af liep.

Stacia's harde, fonkelende gestaar deed me niets, net als haar hoge, mierzoete begroeting toen hij langsliep. Hij liet zijn surfplank op het zand vallen en grote druppels van het zoute water vielen op mijn buik toen hij zich bukte om mij te kussen. Ik negeerde hoe ze ingespannen bleef kijken om niets te missen terwijl hij zich naast me op de handdoek liet zakken en me opnieuw zoende. Het laagje energie pulseerde ter bescherming tussen ons in, maar dat konden zij niet zien.

Althans, dat dacht ik. Tot ik mijn hoofd optilde en merkte hoe Honor naar ons keek, of vooral naar Damen. Haar blik leek op die van Stacia, zo treuzelend en vol verlangen, maar in haar geval ook van begrip en kennis, alsof zij iets wist of kon zien.

Daarna keek ze mij aan met een flauwe glimlach rond haar mond die zo vlug weer verdween dat ik me afvroeg of ik hem echt had gezien. Wat bleef hangen was een onheilspellend gevoel, tot ik me van haar wegdraaide, terug naar Damen...

'Ever? Hal-lo!' Ava roept me terwijl Romy giechelt en Rayne nors moppert. 'Ben je er nog? Lukt het met de zuiverende ademhalingen?'

De herinnering aan het strand stort ineen en opeens ben ik weer terug in Ava's huisje.

Ik schud mijn hoofd en kijk haar aan. 'Eh... nee, ik werd een beetje afgeleid, geloof ik.'

Ze haalt haar schouders op – een van die aardige leraren die geen strafpunten uitdelen. 'Dat kan gebeuren,' zegt ze. 'Kunnen we je ergens mee helpen?'

Ik kijk naar de tweeling en schud mijn hoofd. 'Nee, hoor. Alles is oké.'

Ze tilt haar handen hoog boven haar hoofd en rekt zich uit. Eerst links, dan rechts, langzaam en op haar gemak. 'Wat denk je, wil je het proberen?'

Ik pers mijn lippen onzeker op elkaar. Ik weet niet of het lukt, maar ik kan het proberen.

'Mooi. Ik geloof dat het tijd wordt.' Ze glimlacht. 'Wil je gezelschap of ga je liever alleen?'

Een blik op de tweeling vertelt me dat ze hun schoenen, de zoom van hun jurk en de afbeeldingen aan de muur interessanter vinden dan mij. De vorige keren dat ik probeerde hen naar Zomerland te brengen, zijn mislukt en ik wil ze niet weer teleurstellen. 'Eh... ik probeer het wel in mijn eentje, als je dat goedvindt.'

Ava kijkt me een poosje aan, drukt haar handpalmen tegen elkaar en wenst me een goede reis. 'Doe voorzichtig, Ever. Succes.'

De woorden echoën nog in mijn hoofd als ik ver voorbij het bloemenveld neerkom bij de grote deuren van de Paleizen van Kennis en Wijsheid. Ik klop mijn broek af, kom overeind en voel me gezuiverd, zo goed als nieuw, helder en helemaal genezen. Ik hoop maar dat ik nu wel naar binnen mag.

Ik hoop dat ik de constant veranderende gevel weer mag zien.

Ik beklim de steile trap en wil geen seconde verliezen en al helemaal niet twijfelen. Ik staar omhoog naar het kolossale gebouw met de imposante zuilen, het gigantische, schuin aflopende dak en haal opgelucht adem wanneer het begint te veranderen en flikkeren. Ik zie een aantal van 's werelds mooiste, heiligste plekken voorbij glijden en de deuren zwaaien open.

Yes! Het lukt!

Ik mag weer naar binnen!

Zo loop ik eindelijk weer over de glimmende, marmeren vloer, langs de enorme rij tafels en banken met andere mensen die op zoek zijn. Ze zitten over hun vierkante, kristallen tabletten gebogen, op zoek naar antwoorden. Ineens snap ik dat ik niet zo anders ben dan zij. We zijn hier allemaal met dezelfde reden: een persoonlijke zoektocht.

Ik sluit mijn ogen en denk stilletjes: laat me eerst dankbaar zijn dat ik deze tweede kans krijg en weer naar binnen mag. Ik weet dat ik een tijdje in de knoop zat en de weg kwijt was, maar ik heb een hoop geleerd en ik beloof dat ik het nooit meer zo verpruts. Maar om heel eerlijk te zijn is mijn zoektocht niet veranderd. Ik moet nog steeds aan Romans tegengif zien te komen, zodat Damen en ik... nou ja... samen kunnen zijn. Roman blijft de sleutel, de enige die het spul kan leveren. Ik wil weten hoe ik hem moet benaderen, hoe ik met hem moet omgaan om te krijgen wat ik wil, zonder dat ik... eh... zonder hem te manipuleren of spreuken te gebruiken of weer zoiets stoms te doen. Dus eh... wat ik wil zeggen is dat ik moet weten hoe ik hem moet aanpakken. Ik heb geen idee waar ik moet beginnen. Dus als je me kunt helpen, me een hint kunt geven, me kunt laten zien wat ik moet weten om hem op een goede manier te benaderen, dan zou ik dat heel erg waarderen.

Ik houd mijn adem in en beweeg niet. Ergens in de verte hoor ik gezoem, een zacht, kolkend geluid dat om me heen draait. Als ik mijn ogen open, sta ik in een gang. Niet die met de oneindige loper en het braille van hiërogliefen van laatst, maar deze is korter, net een gangpad dat leidt naar je stoel in een stadion of concertzaal. Als ik verder loop en bij het einde aankom, zie ik inderdaad een stadion of amfitheater. Maar hier staat maar één enkele stoel en die is toevallig voor mij.

Ik ga zitten en leg de deken naast me over mijn benen. Ik kijk rond naar de muren en zuilen die er oud en brokkelig uitzien, alsof het gebouw eeuwenoud is. Moet ik iets doen? Moet ik iets in gang zetten? Maar dan verschijnt een kleurrijk, flitsend hologram vlak voor me.

Ik leun voorover en tuur naar het zwakke beeld van een gezin – de moeder is bleek en koortsachtig en ligt op haar rug. Ze vergaat van de pijn, gilt het uit en smeekt God haar mee te nemen. Die wens gaat in vervulling, nog voor ze de kans heeft gehad haar zojuist geboren zoon vast te houden. Ze blaast haar laatste adem uit en is verdwenen. Haar ziel stijgt op en verder, terwijl iemand anders de kleine, trappelende nieuwgeboren jongen schoonmaakt, inbakert en overhandigt aan een vader die alleen kan rouwen om de dood van zijn vrouw en het kind geen blik waardig acht.

Een vader die niet over de dood van zijn vrouw heen komt en zijn zoon hiervan de schuld geeft.

Een vader die begint te drinken om de pijn te verdoven. Als dat niet werkt, wordt hij gewelddadig.

Een vader die zijn jonge zoontje in elkaar slaat vanaf de dag dat hij kan kruipen, tot hij een keer een gevecht aangaat met iemand die groter en sterker is. Een gevecht dat hij niet kan winnen. Zijn in elkaar geslagen, gebroken, bebloede lichaam wordt achtergelaten in een steegje, maar hij heeft een laatste glimlach op zijn lippen nu de verlossing die hij zocht eindelijk komt. Hij laat een hongerig, verwaarloosd kind achter dat algauw wordt ondergebracht bij de kerk.

Een kind met een olijfkleurige huid, grote blauwe ogen en een bos goudblonde krullen die alleen van Roman kunnen zijn.

Dit moet mijn tegenstander, mijn vijand, mijn eeuwige Nemesis zijn – al kan ik hem niet langer haten. Ik voel zelfs medelijden als ik zie hoe hij, kleiner en jonger dan de rest, zijn best doet erbij te horen, in de groep te passen en het anderen naar de zin te maken. Hij wil gezien en geliefd worden, maar het eens verwaarloosde, mishandelde kind wordt het slaafje, het loopjongetje en de favoriete zondebok.

Zelfs als Damen de onsterfelijkheidsdrank maakt en iedereen

laat drinken om hen te beschermen tegen de pest, is Roman de laatste in de rij. Ze hebben hem over het hoofd gezien tot Drina hem naar voren schoof en erop stond dat hij de laatste druppels kreeg.

Ik moet blijven tot het einde en zie de honderden jaren voorbijgaan waarin hij een steeds grotere hekel aan Damen krijgt. Eeuwen vol liefde voor Drina die niet wordt beantwoord, eeuwen waarin hij sterker wordt en zo deskundig dat hij alles en iedereen kan krijgen – behalve degene die hij echt wil. Degene die ik hem heb afgenomen, voor altijd en eeuwig. Ook dat zie ik voorbijkomen, al was dat niet nodig.

Het monster is zeshonderd jaar geleden geboren, toen zijn vader hem sloeg, Damen hem negeerde en Drina aardig tegen hem was. Hij zou anders geleefd kunnen hebben, had betere keuzes kunnen maken, maar alleen als iemand hem dat had geleerd. Je kunt iemand immers niet geven wat je zelf niet hebt.

Het hologram eindigt, de beelden verdwijnen en de lampen doven. Ik weet nu wat ik moet doen.

Zonder verdere uitleg weet ik hoe ik dit moet aanpakken.

Ik kom overeind, knik uit dankbaarheid en haast me terug naar het aardse vlak.

Eenendertig

Ik rijd de oprit op en zet de auto neer. Even voel ik een vlaag van zenuwen en mijn hoofd tolt. Moet ik dit wel doorzetten? Krijg ik de kans om iets te zeggen? Of gooit ze me net zo hard het huis uit als de emo-look van vorig jaar?

Ik weet het pas als ik het probeer. Eerst probeer ik mijn rust te vinden, me te centreren en mijn innerlijke kracht op te roepen door het stralend witte, genezende licht door me heen te laten glijden, zoals Ava me geleerd heeft. Ik tik voor de zekerheid tegen de amulet onder mijn jurkje, spring uit de auto en loop naar de voordeur. Ik weet niet eens zeker of ze hier nog woont nu ze zo vol zelfvertrouwen en energie zit en de hele wereld voor haar open ligt. Maar ik moet ergens beginnen en ik klop aan.

'Dag.' Ik glimlach en kijk over de schouder van de huishoudster naar binnen. Vanaf hier lijkt alles nog hetzelfde, wat wil zeggen: de gebruikelijke chaos en rommel. 'Is Haven thuis?' Ik klink hoopvol, alsof ze daardoor eerder ja zegt.

Ze knikt, houdt de deur voor me open en gebaart naar boven, naar Havens kamer. Ik haast me de trap op in de richting die ze aanwijst, zodat ik geen tijd heb om te twijfelen of om te keren. Ik klop twee keer op haar kamerdeur.

'Wie is daar?' Ze klinkt geïrriteerd, alsof ze helemaal niet op bezoek zit te wachten. Kun je nagaan hoe ze zal reageren als ze merkt dat ik het ben.

'Zo, zo...' bromt ze cynisch, met de deur ver genoeg open om me helemaal te bekijken zonder me binnen te laten. 'De laatste keer dat ik je zag, wilde je...'

'Aanvallen.' Ik knik en hoop haar te verrassen door het toe te geven zonder iets te verbergen. 'Nu we het daar toch over hebben...' Niet dat ze me laat uitpraten.

'Wat ik eigenlijk wilde zeggen was: mijn vriendje verleiden. Maar je hebt gelijk, uiteindelijk ben ik de enige die je hebt aangeraakt.' Ze grijnst, maar niet op een blije, vrolijke manier. Nee, niet bepaald. 'Dus, wat kan ik voor je doen, Ever? Kom je de klus afmaken?'

Ik kijk haar zo open en eerlijk mogelijk aan. 'Nee, helemaal niet. Om eerlijk te zijn hoopte ik het te kunnen oplossen. Ik wil het uitpraten en bijleggen.' Even huiver ik – eenzelfde riedeltje heb ik bij Roman ook eens opgevoerd en toen pakte het niet al te best uit.

'Bijleggen?' Ze houdt haar hoofd schuin en trekt een wenkbrauw op. 'Jij? Ever Bloom? Het meisje dat zich voordeed als mijn beste vriendin, die ervandoor ging met de jongen die ik leuk vond... eh, hal-lo... Damen?' Ze schudt haar hoofd als ik niet-begrijpend opkijk. 'Mocht je het vergeten zijn – ik had hem als eerste geclaimd, maar jij dook erbovenop en kaapte hem voor m'n neus weg. Ik bedoel, ja, uiteindelijk maakte het niks uit en is dat wel goed gekomen, maar toch. Zelfs daarna, toen je alles had wat je hartje begeerde, was het niet genoeg voor jou. Dus ging je ook nog achter Roman aan, want blijkbaar is één superaantrekkelijke onsterfelijke niet genoeg voor je. O ja, en je bent zo gefocust op je doel dat je mij maar uit de weg ruimt als dat nodig is. En nu ben je opeens van gedachten veranderd, waardoor je voor mijn neus staat om het allemaal uit te praten? Heb ik dat goed? Is dat wat je wilt zeggen?'

Ik knik. 'Zo ongeveer, maar dat is niet alles en ik wil dat je alles weet. Ik heb namelijk geprobeerd Roman te betoveren, waardoor hij zou doen wat ik wilde en me zou geven wat ik nodig heb. Die spreuk is totaal mislukt en heeft mij juist aan hem gebonden, al begrijp ik zelf nog steeds niet hoe dat kon.' Ik trek mijn neus op bij de herinnering alleen al. 'Dat is de enige reden dat ik deed wat ik deed. Ik zweer het je. De magie nam de controle over en ik kon niet meer nadenken. Ik deed dat niet echt zelf – niet helemaal.' Ik schud mijn hoofd. 'Ik weet ook wel hoe geschift het klinkt en het is niet eenvoudig uit te leggen, maar ik werd gedwongen door een soort kracht van buitenaf.' Ik kijk haar aan en hoop vurig dat ze me gelooft. 'Ik kon er niets aan doen.'

Ze kijkt naar me met haar hoofd schuin en een opgetrokken wenkbrauw. Dan grijnst ze vals. 'Een toverspreuk? Denk je dat ik dat echt geloof?'

Ik knik en blijf haar aankijken. Ik zal haar alles vertellen, wat ze maar wil, om haar vertrouwen terug te krijgen. Maar niet hier, niet in de gang. 'Denk je dat ik misschien...' Ik gebaar naar haar kamer.

Ze fronst, knijpt haar ogen half dicht en denkt erover na. Dan houdt ze de deur net ver genoeg open zodat ik naar binnen kan glippen. 'Onthou dit: als je ook maar één beweging maakt die me niet zint, dan haal ik je onderuit voor je beseft wat er gebeurt.'

'Relax.' Ik laat me op haar bed vallen, net als vroeger – ook al is alles nu helemaal anders. 'Ik voel me vandaag niet gewelddadig, geloof me. Sterker nog, dat geldt vanaf nu voor elke dag. Ik ben echt niet van plan je iets aan te doen. Ik wil gewoon rust en het liefst onze vriendschap terug, maar als dat niet gaat, dan ten minste een wapenstilstand.'

Ze leunt tegen haar toilettafel met haar armen strak over haar zwartleren korset geslagen, dat ze stevig vastgesnoerd heeft boven haar kanten jurk. 'Sorry Ever, maar na alles wat wij hebben meegemaakt, is dat niet zo eenvoudig. Waarom zou ik je vertrouwen? En alleen je woord is niet goed genoeg.'

Ik haal diep adem en laat mijn hand over de gebloemde sprei glijden, verbaasd te zien dat ze die nog steeds heeft. 'Geloof me,' zeg ik als ik haar aankijk. 'Ik snap het, echt waar. Maar Haven...' Ik schud mijn hoofd en begin opnieuw. 'Als ik eerlijk ben, kan ik niet uitstaan wat er met ons gebeurd is. Ik mis jou, ik mis onze vriendschap. En ik vind het vreselijk dat het gedeeltelijk mijn eigen schuld is.'

'Gedeeltelijk?' Ze rolt met haar ogen en schudt haar hoofd. 'Sorry dat ik het zeg, maar denk je niet dat het wat meer de waarheid is als je toegeeft dat het helemaal en volledig jouw schuld is?'

Weer kijk ik haar recht en strak aan. 'Oké, ik neem het grootste deel van de schuld op me, maar niet alles. Maar daar gaat het niet om, Haven. Toegegeven, ik kan Roman niet uitstaan. En geloof me dat ik zo mijn redenen heb. Maar ik snap dat hij je vriendje is en dat ik niets kan zeggen om je te overtuigen, dus ik probeer het niet eens meer. Ik weet ook dat je dat niet gelooft, vooral niet na wat je die vorige avond hebt gezien. Maar luister... zoals ik al eerder zei: dat was ik niet zelf.'

'O ja, natuurlijk. Dat kwam door die vervelende toverspreuk,' zegt ze sarcastisch voor ze met haar ogen rolt. Ik ga gewoon verder.

'Ik weet dat je me niet gelooft en dat het hartstikke geschift klinkt. Maar zeker gezien de situatie en zo, moet juist jij toch weten dat de gekste dingen soms waar zijn.'

Ze kijkt naar me met een vertrokken mond. Dit keer lijkt ze mijn woorden te overwegen, niet alleen weg te wuiven.

'Jij en ik, we staan aan dezelfde kant. Ik hoop dat je dat over een tijdje ook inziet. Geloof me, ik wil je geluk niet in de weg staan. Ik zou nooit iemand van je afpakken – ook al zag het er even zo uit. Ik... nou ja... ik hoop gewoon dat we weer vriendinnen kunnen zijn, dat we daaraan kunnen werken, ondanks alles wat er is gebeurd. Ik bedoel... ik weet dat alles nu anders is. Ik verwacht ook niet anders na alles wat we hebben meegemaakt. En je hebt het druk met je baantje en met die eh... andere onsterfelijken...' Ik kan even niet op hun namen komen.

'Rafe, Misa en Marco,' mompelt ze geërgerd.

'Die, ja. Maar dan nog – over een paar weken begint het schooljaar en is Miles terug. Ik dacht gewoon dat we misschien... ik bedoel, het hoeft niet elke dag als je niet wilt, maar misschien kunnen we af en toe samen lunchen. Je weet wel, net zoals altijd.'

'Dus het is een wapenstilstand tijdens de lunch?' Haar irissen met de caleidoscoop van schildpadkleuren staan strak op mij gericht.

'Nee,' zeg ik hoofdschuddend. 'Ik wil echt vrede. Ik hoop alleen dat er af en toe een lunch bij zit.'

Ze fronst en pulkt aan haar nagelriemen, ook al weet ik dat onsterfelijken helemaal geen last meer hebben van nijnagels. Het is een excuus om mij niet aan te kijken en me te negeren terwijl ze nadenkt over het voorstel.

'Het wordt nooit meer zoals het vroeger was,' zegt ze uiteindelijk als ze opkijkt. 'Niet alleen vanwege dat gedoe met Roman – wat echt, serieus, niet oké was. Maar ook omdat ik tegenwoordig anders ben. En ik vind het leuk om anders te zijn. Ik wil niet meer zo zijn als voorheen, de zielige, sneue loser die ik was.'

'Je was nooit een loser en ook niet sneu. Alleen af en toe wat verdrietig.' Ze wimpelt me af.

'Er is zoveel veranderd. Misschien wel te veel. Ik weet niet of ik me daar overheen kan zetten.'

Ik knik en realiseer me dat ook. Toch hoop ik dat ze het wil doen.

'En ja, Misa, Rafe en Marco zijn cool, hoor, begrijp me goed, maar we hebben niet zo heel veel gemeen, behalve dat we onsterfelijk zijn en in dezelfde winkel werken, weet je? We hebben zo'n andere achtergrond, zulke totaal andere voorkeuren. Ze kennen de meeste van mijn favoriete bands niet eens en dat vind ik best irritant.'

Ik knik en haal mijn schouders op alsof ik het begrijp – beter dan wie ook.

'Nou had ik ook nooit het gevoel dat jij en ik zoveel interesses delen, maar jij snapt me tenminste, weet je? Niet dat we hetzelfde leuk vonden, maar je accepteerde me zoals ik ben, zonder te oordelen. Dat betekende heel veel... nou ja, in elk geval wel iets voor me.'

Ik pers mijn lippen op elkaar en wacht op de rest, want ze is nog lang niet klaar.

'Dus... Ik miste jou ook wel een beetje.' Ze kijkt naar me en haalt haar schouders op. 'Het zou leuk zijn de rest van de eeuwigheid in elk geval één vriendin te hebben. Weet je zeker dat we Miles niet ook onsterfelijk kunnen maken?'

'Nee!' roep ik al voor ik doorheb dat ze een geintje maakt.

'Jezus, ben je altijd zo opgefokt?' Ze lacht, laat haar armen langs haar zij vallen en ploft neer op de zitzak met luipaardprint. Ze is een hoopje kant met leer en ze drapeert haar jurk netjes om zich heen voor ze haar hoofd op haar hand leunt. 'Het kan hem wel helpen bij het acteren, trouwens. Dan krijgt hij de beste rollen.'

'En hoe lang duurt dat wel niet?' Ik kijk haar aan. 'Zelfs in Hollywood zullen mensen het merken als hij er nooit ouder uitziet dan achttien.'

'Dat heeft Dick Clark geen kwaad gedaan.'

Ik tuur haar aan en vraag me af wie dat is.

'De oudste tiener van Amerika? *New Year's Rockin' Eve?*'

Ik haal mijn schouders op; er gaat nog steeds geen belletje rinkelen.

'Laat maar.' Ze lacht. 'Ik heb bedacht dat er veel meer van ons zijn dan wij denken. Acteurs, modellen... Ik bedoel, serieus hoor. Hoe kun je sommigen van hen anders verklaren?'

'Een hoop geluk, goede genen, veel plastische chirurgie en een pakketje Photoshop.' Ik grinnik. 'Dat denk ik tenminste.'

'Weet je, even tussen jou en mij gezegd, Roman vertelt me maar weinig details. Hij houdt een hoop achter.'

Joh, je meent het.

'Ik vroeg hem een keertje hoeveel er van ons zijn en hoeveel hij zelf onsterfelijk heeft gemaakt, maar hij draaide zich om en mompelde alleen iets vaags. Dat hij dat wel wist, maar de rest van de wereld er nog achter moest komen of zoiets. Ik kon vragen tot ik een ons woog; meer wilde hij niet zeggen. Hij bleef dat zinnetje maar herhalen tot het me zo irriteerde dat ik het erbij liet.'

'Is dat wat hij zei?' Ik probeer niet al te paniekerig te klinken, maar slaag daar niet in. 'Zei hij echt dat hij dat wist, maar de rest van de wereld daar nog wel achter zou komen?' Ik hap naar lucht. Die onheilspellende toon bevalt me niet. Het zit me niet lekker.

Haven kijkt me aan en wil al terugkrabbelen als ze mijn blik ziet en hoort hoe mijn stem omhoogschiet. Misschien heeft ze net iets te veel gezegd. Haar loyaliteit ligt niet meer bij mij en als ze moet kiezen, wint Roman. 'Of misschien zei hij dat ík daar nog wel achter zou komen? Voor mij een vraag, voor hem een weet – zoiets?' Ze plukt aan het kant van haar mouw en trekt haar schouders op.

'Waarschijnlijk moeten we maar helemaal niet over Roman praten, aangezien jij hem haat en ik van hem hou. Als we vriendinnen willen zijn, moet dat maar in een Roman-vrije zone, toch? We spreken gewoon af het oneens te zijn.'

Een Roman-vrije zone. Wat een heerlijk idee! denk ik, maar ik zeg het niet hardop.

'Hou je van hem?'

Ze kijkt me heel lang aan voor ze haar hoofd laat hangen en bekent: 'Ja. Echt waar.'

'En is dat... wederzijds?' Ik vraag me af of Roman van iemand kán houden, vooral aangezien niemand hem ooit geleerd heeft hoe dat werkt en hij nooit ware liefde heeft gekend of gekregen voor zover ik heb kunnen zien. Het is moeilijk iemand iets te geven wat je zelf niet kent. Zelfs zijn gevoelens voor Drina hadden niets te maken met liefde, niet echt. Het was meer een obsessie met iets wat hij niet kon krijgen. Het glinsterende, glimmende voorwerp dat altijd net buiten je bereik blijft. Dat is het gevoel dat hij probeert na te bootsen bij mij en Damen, alleen werkt het niet. Met of zonder tegengif zal hem dat niet lukken. Wat Damen en ik delen gaat veel dieper.

'Eerlijk gezegd?' Ze kijkt me aan. 'Ik weet het niet. Als ik moest gokken, zou ik zeggen nee, hij houdt niet ook van mij. Ik bedoel, hij houdt zijn gevoelens geheim en doet meestal alsof hij ze totaal niet heeft. Maar soms... zo af en toe heeft hij wat ik zijn sombere bui noem. Dan sluit hij zich urenlang op in zijn kamer en praat hij met niemand. Ik heb geen flauw idee wat hij dan aan het doen is. Ik probeer het te respecteren en hem de ruimte te geven, maar ik ben wel nieuwsgierig. Maar ja, als ik het nou lang genoeg volhou, dan leert hij me te vertrouwen en binnen te laten...' Ze haalt haar schouders op. 'Misschien verandert het dan wel.'

Het verbaast me hoe rustig ze hieronder is. Veel zelfverzekerder dan ik haar ooit heb meegemaakt.

Ze staart naar de strategisch gescheurde legging die ze onder haar jurk draagt en frummelt aan een van de gaten. 'Weet je, Ever, in elke relatie houdt één iemand meer van de ander. Toch? Ik bedoel, de vorige keer, met Josh, was hij dat. Hij hield meer van mij dan ik van hem. Wist je dat hij nadat ik hem dumpte zelfs een liedje voor me geschreven heeft in de hoop me terug te winnen?' Ze trekt haar wenkbrauwen op en schudt haar hoofd. 'Het was best goed en ik voelde me natuurlijk gevleid, maar het was al te laat. Bovendien was ik al verliefd op Roman, van wie ik meer hou dan hij van mij. Hij gaat met me om en het is gezellig. Er is ook geen ander meisje in beeld of zo – nou ja, jij dan...' Ze kijkt naar me met toegeknepen ogen. Even voel ik een huivering, maar dan lacht ze en wuift het weg. 'Het punt is, wat je ook denkt en hoe het er van buiten ook uitziet, het is nooit echt gelijk verdeeld. Zo werkt dat niet. Iemand is actief en de ander passief, kat en muis. Zo gaat dat. Dus, Ever, wie van jullie houdt meer van de ander – jij of Damen?'

Op die vraag ben ik niet voorbereid, ook al had ik hem kunnen zien aankomen. Als ik zie hoe ze geduldig afwacht, met haar hoofd schuin en haar vingers die een pluk haar ronddraaien tot ik antwoord geef, begin ik maar wat onzin te mompelen. Uiteindelijk resulteert dat in: 'Tja, eh... ik weet niet... Ik heb er nooit zo over nagedacht, geloof ik. Ik bedoel, ik heb daar nooit iets van gemerkt...'

'Echt niet?' Ze leunt achterover tot ze op haar rug ligt en kijkt naar haar plafond met de sterren die – weet ik uit ervaring – 's nachts licht geven. 'Ik wel.' Ze blijft staren naar de sterrenhemel. 'En mocht je het willen weten, het is Damen, niet jij. Damen is degene die meer houdt van jou dan andersom. Hij zou alles voor je doen. Jij gaat er gewoon in mee.'

Tweeëndertig

Kon ik maar zeggen dat Havens woorden me niets deden. Dat ik haar bewering kon ontkennen en mijn pleidooi ook nog zo overtuigend wist te brengen dat ze me meteen geloofde. Maar in werkelijkheid deed ik weinig en ik zei niets. Ik haalde mijn schouders op en deed alsof ik het negeerde terwijl ze haar iPod aanzette en allerlei liedjes afspeelde die ik nooit eerder gehoord had, van bands die ik niet kende. We bladerden door wat tijdschriften en hingen rond zoals we dat vroeger deden, in die goeie ouwe tijd. Althans, daar leek het op als je een vlugge blik in haar kamer had geworpen. Diep vanbinnen wisten we allebei dat alles nu anders was geworden.

Toen ik was vertrokken en bij Damen zat, echoden Havens woorden nog steeds door mijn hoofd: wie van ons houdt meer van de ander? Om eerlijk te zijn denk ik er vandaag ook nog vaak aan. Tijdens het ontbijt met Sabine liet het me al niet los en terwijl ik de nieuwe voorraad spullen in de winkel zette en achter de kassa stond, stelde ik me de hele tijd diezelfde vraag: hij of ik? Zelfs tijdens 'Avalons' drie opeenvolgende readings – en die waarmee ik nu bezig ben – spookte die vraag nog door mijn hoofd.

'Wauw, dat was...' Mijn cliënt kijkt me aan met grote ogen. 'Dat was echt, werkelijk heel bijzonder.' Ze schudt haar hoofd en pakt haar handtas. Nog steeds straalt haar gezicht een mengeling uit van opwinding, twijfel en het verlangen alles gewoon te geloven. De gebruikelijke blik na een reading.

Ik knik en glimlach beleefd terwijl ik de tarotkaarten verzamel die ik op tafel heb uitgespreid. Dat is voor de show, ik gebruik ze niet. Het is makkelijker met voorwerpen te werken, daardoor is de reading afstandelijker. De meeste mensen schrikken zich rot als ze weten dat iemand zonder enige moeite in hun hoofd kan kijken, hun diepste gevoelens ziet en hun gedachten hoort. Laat staan dat ik met een simpele aanraking hun lange, ingewikkelde levensgeschiedenis voor me zie.

'Het is gewoon... je bent zoveel jonger dan ik verwachtte. Hoe lang doe je dit al?' Ze slingert haar tas over haar schouder, maar kijkt me nog steeds onderzoekend aan.

'Die helderziendheid is een gave,' zeg ik, ook al heeft Jude me gevraagd dat niet te doen. Dat zou mensen kunnen ontmoedigen zich op te geven voor zijn cursus paranormale ontwikkeling. Maar die cursus stelt toch al niet veel meer voor dan hij en Honor, dus veel kwaad kan het volgens mij niet. 'Er zit geen leeftijdsgrens aan.' In gedachten spoor ik haar aan niet zo te staren en door te lopen. Ik heb plannen, ik wil weg. Elke minuut van mijn avond is volgeboekt en als ze langer treuzelt, dan komt mijn planning in het gedrang. Dan bemerk ik een sceptische blik en ik voeg er vlug aan toe: 'Daarom zijn kleine kinderen er zo goed in, die staan nog open voor alle mogelijkheden. Pas later, als ze leren hoe de maatschappij neerkijkt op dit soort dingen, sluiten ze dat buiten omdat ze erbij willen horen. Hoe ging dat bij u? Had u geen onzichtbaar vriendje als kind?' Ik kijk haar aan en weet het antwoord al, omdat ik het zag toen ik haar aanraakte.

'Tommy!' Ze slaat een hand voor haar mond, verrast dat ik dat weet, maar nog meer dat ze die naam zomaar roept.

Ik glimlach; ik had het al gezien. 'Hij was toch echt – voor u althans? Hij heeft u door moeilijke momenten heen geholpen.'

Met grote ogen staart ze me aan voor ze haar hoofd schudt. 'Ja, hij... eh... ik had vroeger last van nachtmerries.' Ze trekt haar schouders op en kijkt rond alsof ze zich schaamt voor die bekentenis. 'Toen mijn ouders gingen scheiden was alles zo... onzeker. Financieel, emotioneel. Toen verscheen Tommy en hij beloofde me te steunen en alle monsters op een afstand te houden. Dat deed hij ook. Ik geloof dat ik hem niet meer kon zien vanaf mijn...'

'Tiende.' Ik sta op, ten teken dat de sessie voorbij is en zij ook moet vertrekken. 'Om eerlijk te zijn is dat wat ouder dan bij de meeste mensen, maar dan nog. U had hem niet meer nodig en dus... verdween hij.' Ik knik, trek de deur open en gebaar naar de gang, waarna ze hopelijk doorloopt naar de kassa om te betalen.

Maar dat doet ze niet. Ze draait zich naar mij toe. 'Je moet mijn vriendin ontmoeten. Echt. Die gaat door het lint! Ze gelooft niet in dit soort dingen en zat me al te pesten dat ik een reading liet doen. Maar ik ga zo met haar uit eten – met z'n viertjes – en...' Ze valt even stil om op haar horloge te kijken en grijnst dan. 'Ze zou zo hier moeten zijn, als ze er niet al is.'

'Ja, leuk.' Ik glimlach alsof ik het meen. 'Maar ik moet zo weg en...'

'O, kijk, daar is ze al! Perfect!'

Ik zucht en staar omlaag. Kon ik het manifesteren maar gebruiken om mensen te laten betalen en ophoepelen – al is het maar deze ene keer.

Het duurt nog wel even voor ik weg ben – al heb ik nog geen idee hoeveel langer, tot ze haar handen als een toeter voor haar mond houdt en roept: 'Sabine! Hé, hierzo! Ik wil je even aan iemand voorstellen!'

Spontaan voelt mijn hele lichaam ijskoud aan. In de zin van: hallo ijsberg, mag ik je voorstellen aan de Titanic. Ik sta als aan de grond genageld.

Voor ik iets kan doen om het tegen te houden, komt Sabine op me af. Ze heeft eerst helemaal niet door dat ik het ben. Dat komt niet door de zwarte pruik; die draag ik niet. Niet meer sinds ik vond dat Avalon eruitzag als een freak. Ze herkent me niet omdat ik wel de laatste persoon ben die ze hier verwacht te zien. Ze tuurt en knippert zelfs nog als ze vlak voor me staat met Munoz naast haar. Hij kijkt trouwens even geschokt als ik me voel.

'Ever?!' zegt Sabine vol ongeloof, alsof ze net wakker wordt uit een diepe slaap. 'Wat...' Heftig schudt ze haar hoofd, alsof ze het leeg wil schudden en ze begint opnieuw. 'Wat is hier aan de hand? Ik begrijp er niets van.'

'Ever?' Haar vriendin kijkt van haar naar mij met toegeknepen ogen die argwanend heen en weer schieten. 'Maar... ik dacht dat je zei dat je Avalon heette?'

Ik haal diep adem en knik. Alles valt in duigen. Mijn leventje vol zorgvuldige leugens, geheimen en voorzichtigheid is nu voorbij. 'Ik heet ook Avalon.' Ik knik en ontwijk Sabines blik. 'En Ever. Dat hangt ervan af.'

'En waarvan dan wel?' protesteert mijn cliënt, alsof ze persoonlijk geraakt en gekwetst is door mijn bedrog. Haar aura vlamt op en flikkert, alsof ze niet alleen aan mij twijfelt, maar ook aan alles wat ik haar het afgelopen uur heb verteld, ook al waren mijn voorspellingen nog zo precies. 'Wie ben je dan in vredesnaam?' Ze staart naar me alsof ze me wil aangeven bij... nou ja, ze weet nog niet zo goed waar, maar ze zal er zeker iemand op aanspreken.

Sabine heeft zich ondertussen hersteld. Op kalme, beheerste toon en een beetje als een advocaat verklaart ze: 'Ever is mijn nichtje. En ze heeft blijkbaar aardig wat uit te leggen.'

Als ik daarmee wil beginnen – althans, niet met de volledige uitleg, niet op de manier die zij denkt – maar als ik in elk geval iets wil zeggen dat iedereen hopelijk kalmeert en een einde maakt aan de ongemakkelijke situatie, komt Jude naar ons toe. 'Is alles goed gegaan met de reading?'

Ik werp een blik op mijn cliënt, Sabines vriendin. Ik weet dat mijn energie zo enorm is verbeterd en aangesterkt dankzij Ava's zuiverende en genezende meditatietechnieken, dat dit een van mijn beste readings ooit was. Toch zag ik dit dan weer niet aankomen. Wat ik wel 'zie' is dat ze nu eigenlijk niet meer wil betalen, nu ze weet dat ik nichtje-met-strafblad van haar collega ben, die bijverdient als Avalon, de onbetrouwbare helderziende. Dus geef ik haar geen kans te antwoorden, maar zeg vlug: 'O, maak je geen zorgen. Deze reading was gratis.' Jude knijpt zijn ogen tot spleetjes en gluurt van mij naar haar, maar ik knik driftig. 'Echt waar, maak je geen zorgen, ik betaal.'

De cliënt is er tevreden mee, Jude wat minder, maar voor Sabine maakt het niet uit. Ik zie haar aura onrustig flitsen en haar half dichtgeknepen ogen staren me streng aan. 'Ever? Heb je me nog iets te zeggen?'

Ik haal diep adem en kijk haar aan. Ja, natuurlijk, ik heb genoeg te vertellen. Maar niet hier – niet nu. Ik heb andere plannen!

Net als ik zoiets wil zeggen, maar dan vriendelijker en aardiger om haar niet nog kwader te maken dan ze al is, is Munoz me voor. 'Ik weet zeker dat jullie dit morgenochtend kunnen bespreken, want op dit moment moeten we ons toch echt gaan haasten. We willen de reservering niet mislopen; het was al zo lastig om die te krijgen.'

Sabine zucht en legt zich neer bij Munoz' argument, al wil ze me niet zo makkelijk laten gaan. Tussen opeengeklemde kaken bijt ze me toe: 'Morgenochtend, Ever. Ik verwacht je morgenochtend vroeg te zien.' Als ze mijn gezicht ziet, voegt ze toe: 'Geen gemaar.'

Ik knik, al ben ik niet van plan me aan die afspraak te houden. Als het aan mij ligt, ben ik morgenochtend niet in de buurt van onze keukentafel. Nee, dan lig ik languit op een bed in het Montage Hotel met Damen naast me, aangezien we eindelijk kunnen doen wat we al zo lang van plan zijn...

Niet dat ik haar dát ga vertellen. Ik knik alleen maar. 'Eh... goed.' Ik weet dat zij als advocaat altijd een verstaanbaar antwoord wil hebben, dan kan de betekenis ervan nooit verkeerd worden uitgelegd of opgevat. Maar als ik denk dat het ergste nu voorbij is, voorlopig althans, staat ze erop dat ik me verontschuldig tegenover haar vriendin, alsof ik iets verkeerd gedaan heb! Ik krijg hier vast spijt van, maar dat doe ik dus mooi niet.

Ik kijk haar aan en in plaats daarvan zeg ik: 'Dit verandert niet wat ik daarbinnen gezegd heb.' Ik wijs naar het kamertje achterin. 'Uw verleden, Tommy, uw toekomst... U weet dat het de waarheid is. O, en die keuze die u binnenkort moet maken?' Ik kijk van haar naar haar date, die nog steeds bij de deur staat te wachten. 'U kunt nu wel aan me twijfelen, maar het is nog steeds verstandig mijn advies op te volgen.'

Ik zie dat Sabines aura begint te flitsen in een vlaag van woede die maar nauwelijks vermindert als Munoz zijn arm strak om haar middel slaat. Hij geeft me een vette, betekenisvolle knipoog, draait haar om en loopt met haar de deur uit terwijl de andere twee hen volgen.

Zodra ze weg zijn, kijkt Jude me aan. 'Godsamme, was me dat even een slechte *vibe*, zeg. Ik heb het gevoel dat ik de zaak moet behandelen met salie om de lucht te zuiveren.' Hij schudt zijn hoofd. 'Waar ging dat over? Ik dacht dat je het haar zo onderhand wel verteld had.'

Ik kijk op. 'Serieus? Je zag toch hoe ze reageerde? Dat probeerde ik nou al die tijd te vermijden.'

Hij haalt zijn schouders op en telt het geld in de kassala. 'Misschien was het beter verlopen als je haar had gewaarschuwd. Dan had ze zich niet zo ontzettend overrompeld gevoeld toen ze binnenkwam en je hier zag werken – nog wel readings geven, ook.'

Ik frons en zoek in mijn portemonnee naar het geld dat ik hem moet betalen voor de reading die ik net blijkbaar gratis heb gegeven.

'Weet je zeker dat je ervoor wilt betalen?' Hij wil het geld eerst niet aannemen.

'Alsjeblieft.' Ik steek mijn hand naar hem toe, zie hem fronsen en weet dat hij het zal weigeren. 'Het wisselgeld mag je ook houden. Zie het als vergoeding voor alle slechte vibes die ik heb veroorzaakt. Ik meen het.' Ik maak een handgebaar. 'Als dit niet was gebeurd, was ze misschien wel vaker langsgekomen. Dus, zie het als betaling voor gederfde inkomsten.'

'Dat weet ik zo net nog niet.' Hij stopt het geld in een geldzak en duwt de la dicht. 'Als de reading zo goed was als ik denk, dan komt ze wel weer terug. Anders vertelt ze het wel aan vrienden, die dan langskomen uit pure nieuwsgierigheid, op z'n minst. De meesten kunnen die verleiding niet weerstaan. Je weet wel: de kleingeestige advocaat neemt haar nichtje, de oplichtster, in huis, die in haar vrije tijd geld verdient als een verdomd goede helderziende. Dat klinkt als een boek of op z'n minst een film-van-de-week.'

Ik haal mijn schouders op en werk het beetje make-up bij dat ik draag, turend in mijn handspiegeltje. 'Nu we het er toch over hebben...'

Jude kijkt me aan.

'Ik denk dat mijn dagen als Avalon geteld zijn.'

Hij zucht teleurgesteld.

'Begrijp me niet verkeerd, ik vond het ontzettend leuk. Vandaag had ik ook echt het gevoel dat ik er steeds beter in word, nou ja, tot die laatste blunder dan... Ik kan mensen echt bereiken en helpen, maar nu... misschien wordt het tijd Ava weer te vragen. Bovendien begint school binnenkort weer en...'

'Neem je ontslag?' Hij fronst zijn wenkbrauwen en lijkt er niet blij mee.

'Nee.' Ik schud mijn hoofd. 'Nee, maar... ik zal toch in elk geval minder moeten werken, en ik wil je niet nog meer problemen bezorgen dan ik al gedaan heb.'

'Maak je geen zorgen.' Hij haalt zijn schouders op. 'Ava staat alweer op het rooster, omdat ik al verwachtte dat je minder zou gaan werken. Maar Ever, je kunt het altijd weer oppakken. De cliënten zijn dol op je en ik...' Hij bloost. 'Ik ben zeer onder de indruk van je werk. Als medewerker, dus.' Hij knijpt in zijn neusbotje, schudt zijn hoofd en voegt nog toe: 'Wauw, dat kwam er niet echt gladjes uit.'

Ik haal mijn schouders op en weet niet wie van ons zich ongemakkelijker voelt.

'Maar eh... enig idee wat je haar morgen gaat vertellen?' vraagt hij om een ander onderwerp aan te snijden.

'Nee.' Ik laat mijn lipgloss in mijn tas vallen en doe hem dicht. 'Geen flauw idee.'

'Moet je daar niet over nadenken, dan? Een goed plan bedenken? Je wilt toch niet dat ze al begint voor je je eerste kop koffie hebt gehad?'

'Ik drink geen koffie.'

'Elixir dan, wat jij wilt.' Hij lacht. 'Je weet wat ik bedoel.'

Ik hijs mijn tas op mijn schouder en kijk hem aan. 'Luister, begrijp me niet verkeerd, ik hou echt van Sabine. Ze heeft me in huis genomen toen ik alles was kwijtgeraakt en in ruil daarvoor heb ik haar leven alleen maar op z'n kop gezet – en ze wordt nog steeds gek van me. Ik wil haar dolgraag alles vertellen, al is het maar omdat ze het verdient na dit alles de waarheid te horen, of in elk geval iets wat er niet ver vanaf zit, maar niet morgenochtend. Echt niet.' Ik probeer niet als een malloot te grijnzen, maar dat gaat niet. Zodra ik denk aan mijn plan dat nu niet meer kan mislukken, beginnen mijn ogen te stralen.

Op dit moment moet ik mijn energie, mijn licht en al mijn goede vibes, zoals Jude dat noemt, sparen en richten op Roman. Ik moet mijn liefde, gemoedsrust en goede wil op hem loslaten, want dat is de enige benadering waarmee ik kan winnen. De enige manier waarop ik krijg wat ik wil.

Als ik één ding geleerd heb, is het wel dat verzet geen zin heeft. Vechten tegen wat ik absoluut niet wil, zorgt ervoor dat het juist gebeurt, door manifestatie. Daarom verzwakte Romans macht over mij toen ik Hekate aanriep. Mijn obsessie ging even vijf minuten niet over hem en de magie werd minder. Nu ik dat allemaal weet, durf ik ook aan te nemen dat het helpt als ik mijn energie steek in wat ik wél wil bereiken: een soort vrede tussen ons en de rebellen, en natuurlijk het tegengif. Ik kan niet verliezen.

Wanneer ik hem vanavond opzoek, doe ik dat niet als vijand of iemand die zorgvuldig plannen beraamt en trucs gebruikt om te krijgen wat ze wil. Nee, ik zal hem benaderen als de meest pure, heldere versie van mij, als een verlicht wezen.

Zo zal ik hem de kans bieden zichzelf te verheffen naar datzelfde hogere, verlichte niveau.

Ik ga zo op in mijn gedachten en het enthousiasme voor dit plan, dat ik Jude aanvankelijk niet eens hoor als hij vraagt waar ik heen ga. Hij tuurt naar me en zijn paranormale radar geeft alarmsignalen af.

Ik kan de grijns niet van mijn gezicht vegen, dus kijk ik hem zo aan. 'Ik ga iets doen wat ik lang geleden had moeten doen.' Ik wacht als ik zie hoe hij zijn hoofd schuin houdt en zijn wenkbrauwen fronst. Zijn aura vlamt op en flikkert. Als ik tijd had, zou ik blijven om hem gerust te stellen en te zeggen dat het goed komt. Maar dat doe ik niet, ik heb al genoeg kostbare minuten verspild. Ik kijk hem aan. 'Geen zorgen. Dit keer weet ik wat ik doe. Dit keer loopt het anders. Wacht maar af.'

'Ever...' Hij steekt zijn hand uit, maar die grijpt in het luchtledige en hij laat hem weer zakken.

'Maak je nou maar geen zorgen. Ik weet wat ik moet doen. Ik weet hoe ik Roman moet benaderen.' Zijn dikke bos dreadlocks is in de laatste weken vol zomerzon en surfen nog lichter geworden, zongebleekt. 'Ik weet precies hoe ik dit moet aanpakken, hoe ik het kan oplossen,' ga ik verder. Hij leunt achterover in zijn stoel, tilt zijn hoofd op en wrijft bedenkelijk over zijn kin. Zijn ring van malachiet glinstert in bijna dezelfde groene kleur als zijn tropische ogen, die me als twee spleetjes peilend in de gaten houden, meer dan een beetje bezorgd. Ik negeer het, laat het van me afglijden. Voor het eerst in lange tijd voel ik me sterk en zeker en ik sta niet toe dat iemand mij aan het twijfelen brengt. 'Ik ben naar de Paleizen van Kennis en Wijsheid gegaan...' Ik wacht, wetend dat hij meer nodig heeft dan mijn geknik en zelfverzekerde beloftes. 'Laten we zeggen dat ik daar een goede aanwijzing heb gekregen. Een zeer goed advies.' Ik pers mijn lippen op elkaar, til de tas hoger op mijn schouder en weet dat ik het eigenlijk hierbij moet laten.

Hij kijkt me aan en wrijft met een hand over zijn T-shirt. Zijn vingers volgen het zwart-witte yin-yangsymbool. 'Ever... ik denk niet dat dit een goed idee is. Ik bedoel, je herinnert je vast de laatste keer nog wel dat je Roman persoonlijk opzocht en dat is niet bepaald goed afgelopen. Ik ben er niet van overtuigd dat er genoeg tijd tussen zit om het nog eens te proberen. Niet zo snel al.'

Ik recht mijn rug en til mijn schouders hoger. Zijn woorden raken me totaal niet, hebben geen enkel effect. Aan zijn gezicht te zien, baart hem dat nog meer zorgen. 'Het staat genoteerd.' Ik veeg een pluk haar achter mijn oor. 'Maar het zit zo: ik doe het lekker toch. Ik ga ervoor. De allerlaatste keer, zeg maar.'

'Wanneer? Nu? Meen je dat?' Zijn wenkbrauwen vormen één lijn. Hij kijkt me zo indringend aan dat ik me nu zorgen ga maken.

Met mijn armen over elkaar geslagen beantwoord ik die blik. 'Hoezo?' vraag ik. 'Wilde je me volgen en me tegenhouden?'

'Misschien.' Hij haalt zijn schouders op en zegt in één adem: 'Als dat nodig is.'

'Als dat nodig is waarvoor?' Nu houd ik mijn hoofd schuin en ik kijk hem uitdagend aan.

'Om jou te beschermen. Bij hém weg te houden.'

Ik zucht en kijk hem nu echt aandachtig aan. Ik begin bovenaan bij de dreadlocks en eindig bij zijn middel, aangezien de toonbank in de weg zit en ik de rest niet zie. 'Waarom zou je dat doen?' Pas nu kruisen onze blikken elkaar weer. 'Waarom zou je je bemoeien met wat ik van plan ben? Je wilt toch dat ik gelukkig ben, zelfs al is dat met Damen? Dat heb je zelf gezegd.'

Hij wrijft zijn lippen over elkaar en gaat anders zitten. Het is een rare beweging die aangeeft hoe ongemakkelijk hij zich voelt. Ik heb spijt van wat ik zei – dat ging te ver. We hebben elkaar een hoop verteld, misschien meer dan slim was, maar daarom heb ik het recht nog niet hem uit te horen of misbruik te maken van wat ik weet. Ik moet geen antwoord verlangen dat zo pijnlijk voor hem is. Maar toch, er is iets aan die beweging van hem... niet alleen lichamelijk, maar ook de verschuiving in zijn energie, waardoor ik begin te twijfelen en me afvraag... Ik weet het niet helemaal zeker...

Ik draai me om naar de deur en hij loopt achter me aan naar de steeg waar we onze auto's hebben staan.

'Honor komt later vanavond langs. Als je zin hebt om ook te komen... Je kunt Damen meenemen als je wilt, ik zit er niet mee.'

Ik blijf staan en kijk hem aan.

'Ja, oké, misschien vind ik het niet echt leuk, maar ik kan heel goed doen alsof. Erewoord.' Hij houdt zijn rechterhand omhoog.

'Dus jij hebt afgesproken met Honor?' Hij opent het portier van zijn oude, zwarte jeep en stapt in.

'Ja, je weet wel – je vriendin van school, die ook op je verjaardagsfeestje was.'

Ik wil hem verbeteren en zeggen dat ze géén vriendin is. Van wat ik die dag op het strand zag, de energie om haar heen, is ze eerder het tegenovergestelde. Maar dan zie ik de blik op zijn gezicht, de geamuseerde grijns rond zijn ogen en ik zeg niets.

'Ze valt best mee, weet je.' Hij steekt de sleutel in het contact en start de sputterende, pruttelende motor. 'Misschien moet je haar een kans geven.'

Ik herinner me wat ik hem die allereerste dag heb gezegd, voor ik hem echt kende, voor ik onze geschiedenis kende. Dat hij altijd op de verkeerde meisjes valt. Ik vraag me af of dat nu ook zo is. Dan zie ik zijn blik veranderen en zijn aura flikkeren en ik besef dat ik nog steeds dat verkeerde meisje ben. Honor vormt geen enkele bedreiging voor me. Ik weet niet wat ik vervelender vind: dat ik me dat realiseer of de opluchting die ik daardoor voel.

'Ever...'

De manier waarop hij naar me kijkt, doet mijn adem stokken. Hij lijkt in tweestrijd, alsof hij worstelt met wat hij wil zeggen. Na een poosje knijpt hij zijn ogen tot spleetjes, wrijft zijn lippen over elkaar en haalt diep adem voor hij wat zegt. 'Red je het wel? Weet je echt waar je aan begint?'

Ik knik, stap in mijn auto en voel me zelfverzekerder en sterker dan ooit. De duisternis in mij is weg, het licht heeft gewonnen. Dit kan niet meer verkeerd gaan. Met mijn ogen dicht laat ik de motor ronken voor ik Jude een laatste keer aankijk. 'Maar je niet druk. Dit keer weet ik echt wat ik doe. Dit keer loopt het anders. Wacht maar af.'

Drieëndertig

Als ik bij Roman aankom, is het stil.

Dat hoopte ik al.

Ik had erop gerekend.

Toen Haven me vertelde dat ze naar een concert ging met Misa, Marco en Rafe, wist ik dat dit het perfecte moment zou zijn om Roman alleen aan te treffen, ongestoord. Zo kan ik hem benaderen op een vreedzame, rationele manier en rustig uitleggen wat ik van hem wil.

Ik sta stil bij de voordeur, sluit mijn ogen en concentreer me in stilte. Ik richt me op mezelf en kan nergens nog een spoor vinden van het monster. Door al mijn woede en haat voor Roman los te laten, heb ik de duistere vlam weten te doven, hem beroofd van de nodige zuurstof. Wat overblijft, ben ik – weer helemaal de oude.

Ik klop een paar keer netjes op de deur, zonder reactie. Pas dan laat ik mezelf binnen. Ik weet dat hij thuis is en niet alleen vanwege de kersenrode Aston Martin op de oprit, maar ook omdat ik zijn aanwezigheid voel. Gek genoeg schijnt hij mij nog niet te hebben opgemerkt, anders had hij al wel voor me gestaan.

Ik loop de gang in en kijk in de zitkamer, de keuken en door het raam naar de garage achter het huis. Ook daar is het donker en ik zie hem nergens. Dus ga ik verder naar zijn slaapkamer terwijl ik zijn naam roep en veel meer herrie maak dan nodig. Ik wil hem niet verrassen of betrappen op iets gênants.

Hij ligt in het midden van een groot, breed hemelbed. Er hangen zoveel gordijnen met kwastjes dat het me doet denken aan het bed waarin Damen en ik hebben gelegen in onze Zomerlandversie van Versailles. Hij is gekleed in een open, witlinnen shirt met een verkleurde spijkerbroek en ligt met zijn ogen dicht en een koptelefoon op zijn hoofd. In zijn armen klemt hij een ingelijste foto van Drina tegen zijn borst. Ik blijf staan en vraag me af of ik maar beter weg kan gaan en het een andere keer proberen.

Dan zegt hij: 'O, godsamme, Ever. Zeg me niet dat je de deur weer ingetrapt hebt.' Hij komt overeind, gooit de koptelefoon opzij en legt de foto van Drina voorzichtig terug in de la van zijn nachtkastje. Toch lijkt hij zich totaal niet te schamen betrapt te zijn tijdens zo'n sentimenteel privémoment. 'Ik ben dat karaktertrekje van je wel een beetje zat, zo langzamerhand.' Hij schudt zijn hoofd en laat zijn vingers door zijn golvende, goudblonde haar glijden om het weer in model te brengen. 'Serieus, *darling*. Kan ik nou niet eens even van mijn privacy genieten hierzo? Met jou en Haven in de buurt...' Hij zucht en zwaait zijn voeten in een vloeiende beweging naar de grond, alsof hij wil opstaan. Dat doet hij niet; hij blijft zo zitten. 'Nou ja, ik ben zo ondertussen doodop, als je begrijpt wat ik bedoel...'

Ik kijk hem aan, wetend dat ik dit niet moet zeggen, maar ik ben te nieuwsgierig om mijn mond te houden. 'Was je... was je nou aan het mediteren?' Ik tuur naar hem. Ik had nooit gedacht dat hij het type was om in zichzelf te kijken en contact te leggen met de krachten van het universum.

'En wat dan nog, *mate*? Wat zou dat?' Hij wrijft met zijn handen over zijn wenkbrauwen en voorhoofd en draait zich naar me toe. 'Als je het zo nodig moet weten, ik probeerde Drina te vinden. Je weet toch wel dat je niet de enige bent met speciale gaven?'

Ja, dat had ik al door. Daarom kan ik het antwoord ook wel raden als ik vraag: 'En, heb je haar gezien?' Ik durf te wedden dat hij nee zegt, vooral na alles wat ik te weten ben gekomen over Schaduwland.

Hij kijkt me aan en een vlugge uitdrukking van pijn glijdt over zijn gezicht. 'Nee, dat heb ik niet. Oké? Tevreden? Maar dat komt nog wel een keer. Je kunt ons niet eeuwig uit elkaar houden, weet je. Wat je ook gedaan hebt, ik ben vastberaden haar terug te vinden.'

Ik haal diep adem en denk: o, dat hoop ik niet. Je zult het daar vast niet leuk vinden. Ik voel me schuldig voor die keren dat ik hem heb laten geloven dat ik Drina was – ook al deed ik hem dat niet expres aan.

Toch zeg ik dat niet. Ik houd mijn mond en blijf staan, terwijl ik mijn gedachten, mijn woorden en mezelf in evenwicht breng en wacht op het juiste moment.

'Roman, luister...' Ik schud mijn hoofd. Ik kan dit heus wel. Vanuit het diepst van mijn ziel verzamel ik mijn krachten voor ik hem weer aankijk en opnieuw begin. 'Dit is niet wat je denkt. Ik ben hier niet om je te verleiden of spelletjes met je te spelen. Ik kom niet om je te pesten of iets gedaan te krijgen. Althans, niet zoals jij denkt. Ik wil...'

'Het tegengif hebben.' Hij tilt zijn voeten van de vloer en legt ze weer op het onopgemaakte bed. Met zijn armen over elkaar voor zijn borst geslagen, leunt hij naar achteren tegen het met zijde beklede hoofdeinde en hij knijpt zijn ogen half dicht. 'Ik moet toegeven, Ever, je houdt het lang vol. Hoe vaak wil je dit nog proberen? Elke keer als je hier bent, heb je een nieuw plan van aanpak, een nieuwe manier. Toch mislukt het elke keer weer, ook al heb ik je genoeg kansen gegeven. Ik zou me bijna afvragen of je het wel echt zo graag wilt. Misschien denk je dat alleen maar en staat je onderbewustzijn in de weg, omdat dat de waarheid kent. De diepere, duistere waarheid.' Zijn ogen glinsteren als hij me aankijkt. Hij weet alles van het monster en laat dat graag merken. Vooral ook hoe amusant hij het vindt. 'Sorry, *love*, maar ik moet het gewoon vragen: wat vindt Damen van al die bezoekjes van jou aan mij? Daar kan hij toch niet erg blij mee zijn? Of dat Miles binnenkort achter een van zijn diepste geheimen komt? Hij heeft er tenslotte nog genoeg. Geheimen waar zelfs jij nog geen weet van hebt... die je je niet eens kunt voorstellen...'

Ik knik rustig en oprecht, maar laat me niet op de kast jagen. Zo ben ik niet meer.

'Zeg eens, weet hij dat je nu hier bent?'

'Nee.' Ik haal mijn schouders op. 'Dat weet hij niet.' Dan denk ik aan de sms die ik hem gestuurd heb voor ik uit mijn auto stapte en naar binnen ging. Het duurt niet lang voor hij het wel weet. Zodra hij met Ava en de tweeling uit de bioscoop komt, controleert hij zijn berichten en dan ziet hij mijn voorstel om af te spreken bij het Montage Hotel. Dan weet hij het. Maar op dit moment? Nee, nu nog niet.

'Ah.' Hij knikt en laat zijn blik over me heen gaan. 'Ach ja, je hebt je dit keer in elk geval eerst opgefrist. Sterker nog, je ziet er beter uit dan ooit. Stralend. Het lijkt wel alsof je glimt. Wat is je grote geheim, Ever?'

'Meditatie.' Ik grijns. 'Je weet wel: zuiveren, je centreren, je concentreren op positieve dingen en zo meer.' Ik haal mijn schouders op en blijf onbewogen staan terwijl hij het uitproest van het lachen, inclusief schokkende schouders en dichtgeknepen ogen.

Als de hysterie is gezakt, zegt hij: 'Dus die ouwe Damen heeft je aangestoken. Ga je nou ook het Himalayagebergte in?' Hij houdt zijn hoofd schuin. 'Die ouwe sukkel leert het ook nooit. En het heeft hem ook al zoveel geholpen,' eindigt hij sarcastisch.

'Niet om het een of ander, maar lag jij net niet ook te mediteren?'

'Niet op die manier, *love*. Niet op die manier, nee.' Hij schudt zijn hoofd. 'Mijn manier is heel anders, zie je. Ik probeer een specifiek persoon te bereiken – niet een of ander universeel alles-is-één verzinsel. Snap je het nog steeds niet, Ever? Dit is alles. Het hier en nu.' Hij klopt op de gekreukte deken naast hem. 'Dit is ons paradijs, onze hemel, ons nirwana, ons shangri-la – hoe je het ook wilt noemen.' Hij likt zijn lippen en fronst zijn voorhoofd. 'Dit is alles, zowel letterlijk als figuurlijk. Alles wat er is. Je verdoet je tijd door te zoeken naar meer. Oké, je hebt genoeg tijd om te verdoen, dat geef ik toe. Maar toch is het zo zonde om te moeten toezien hoe je ermee omgaat. Ik zeg het je, Damen heeft een slechte invloed op je.' Hij wacht alsof hij ergens over nadenkt. 'Hoe zit het? Zullen we het nog eens proberen? Ik bedoel, nu je hier toch bent en er zo aantrekkelijk uitziet... Ik genees gelukkig vlug, dus ik kan je best vergeven voor die laatste keer. Oude koeien, en zo. Als je maar geen stunts uithaalt dit keer en me niet laat geloven dat je Drina bent, dan kunnen we beginnen. De vorige keren heb je een paar harteloze trucs uitgehaald, maar gek genoeg vind ik je alleen maar interessanter. Dus, wat zeg je ervan?' Hij grijnst, gooit een kussen opzij om plaats te maken voor mij en houdt zijn hoofd schuin. De tatoeage is zichtbaar en hij staart me hypnotiserend aan.

Dit keer heeft het echter geen effect. Ik loop naar hem toe en zie de afwachtende blik in zijn ogen, maar dit is niet wat hij denkt.

'Daar kwam ik niet voor.' Hij haalt zijn schouders op alsof het hem weinig kan schelen.

Met voorovergebogen hoofd inspecteert hij zijn perfect gepolijste en gemanicuurde nagels. 'Wat kom je dan wel doen? Kom op, schiet een beetje op. Straks komt Haven langs, zodra het concert voorbij is, en ik denk dat geen van ons die scène wil herhalen.'

'Ik ben niet van plan Haven iets aan te doen. Jou ook niet, trouwens. Ik wil een beroep doen op je goedaardigheid.'

Hij staart me aan en wacht op de clou van wat een geintje moet zijn.

'Ik weet dat je die kant ook hebt. Een goedaardige. Ik weet alles over jou. Je hele geschiedenis, hoe je moeder overleed in het kraambed en je vader je geslagen en verlaten heeft. Ik weet alles...'

'Kolere.' Zijn blauwe ogen staan wijd open en zijn toon is zo zacht en verbijsterd dat ik hem bijna niet versta. 'Dat weet niemand. Hoe ben je...'

Ik haal mijn schouders op; het hoe doet er niet toe. 'Nu ik dat allemaal weet, kan ik geen hekel meer aan je hebben. Dat gaat niet. Zo ben ik niet.'

Sceptisch tuurt hij naar me. Zijn gebruikelijke machogedrag is weer terug als hij zegt: 'Natuurlijk wel, *love*. Je vindt het heerlijk om een hekel aan me te hebben, daar ben je juist zo goed in. Je haat voor mij is zelfs zo belangrijk voor je dat je aan niets anders meer kunt denken.' Hij grijnst en knikt alsof hij me doorheeft en het al die tijd al wist.

Hoofdschuddend ga ik op de rand van zijn bed zitten. 'Dat was inderdaad zo, maar dat is voorbij. Ik kwam alleen maar hiernaartoe om je te zeggen dat het me spijt wat je allemaal hebt moeten meemaken. Echt, ik vind het heel erg.'

Hij kijkt een andere kant op en zijn kaak verstrakt. Hij schopt tegen zijn deken. 'Nou, dat hoef je anders niet te vinden, verdomme! Het enige waar jij spijt van moet hebben is wat je met Drina hebt gedaan. De rest kun je me besparen. Jouw misleide handreiking aan de armen, berooiden en onderdrukten interesseert me geen moer. Ik heb jouw medelijden niet nodig, *darling*. Mocht je het nog niet gemerkt hebben, ik ben die kleine jongen niet meer. Dat kun je met eigen ogen zien, Ever. Kijk maar goed.' Hij glimlacht en spreidt zijn armen wijd, zodat ik goed en lang kan kijken naar hem, blakend van zelfvertrouwen. 'Het gaat beter met mij dan ooit. En dat is al eeuwen zo.'

'Dat is het 'm juist.' Ik buig naar hem toe. 'Jij ziet alles als een spelletje. Het leven is een groot bord en jij bent die pion die alle andere altijd drie stappen voor moet blijven. Je laat je nooit van je kwetsbare kant zien, je gaat nooit een betekenisvolle relatie aan. Je hebt geen idee wat het is om liefde te geven of te krijgen, want die heb je nooit gekend. Ik bedoel, je had natuurlijk andere keuzes kunnen maken en dat was misschien ook beter geweest, maar toch... Het blijft lastig iemand iets te geven wat je zelf nooit gehad hebt en nooit hebt meegemaakt. Dus daarom vergeef ik je.'

'Godallemachtig.' Hij kijkt kwaad. 'Wat is dit voor amateuristisch gezeur? Krijg ik straks ook nog een rekening voor die belachelijke psychopraat van je?'

'Welnee.' Ik kijk hem strak aan en praat rustig. 'Ik wil je alleen laten weten dat het voorbij is. Ik verzet me niet langer. Ik kies ervoor van je te houden en je te accepteren zoals je bent. Of jij dat nou leuk vindt of niet.'

'Laat maar zien.' Hij klopt op de plek naast zich. 'Kruip maar lekker naast me en laat me zien hoeveel je van me houdt, Ever.'

'Zo bedoel ik het niet. Ik bedoel het algemener – een onvoorwaardelijk soort liefde, zonder oordeel. Niet lichamelijk. Ik hou van je als van ieder medemens. Als een medeonsterfelijke. Ik hou van je omdat ik het zat ben je te haten en dat niet meer wil doen.

Ik hou van je omdat ik eindelijk begrijp hoe je zo geworden bent. Als ik daar iets aan kon veranderen, zou ik het doen. Maar dat gaat niet – dus kies ik hiervoor. Ik hoop dat mijn houding jou inspireert om ook iets goeds te doen, maar zo niet...' Ik haal mijn schouders op. 'Dan heb ik het in elk geval geprobeerd.'

'Kolere,' zegt hij weer, nu rollend met zijn ogen alsof mijn woorden zeer doen. 'Zit je lekker te trippen?' Hij schudt zijn hoofd en lacht, kalmeert dan en kijkt me aan. 'Oké, Ever. Dus je houdt van me en je vergeeft me. Bravo. Goed zo. Maar dit is het laatste nieuws: dat tegengif krijg je nog steeds niet. Hou je nu nog van me? Of begint die haat toch weer op te komen? *How deep is your love*, om een liedje uit de jaren zeventig te citeren – ook al ken je het vast niet?' Hij laat zijn handen in zijn schoot vallen, palmen geopend en ontspannen. 'Ik heb medelijden met jouw generatie. Die jeugd van tegenwoordig en al die shitmuziek waar jullie naar luisteren. Je zou die band moeten horen waar Haven vanavond naartoe is, The Mighty Hooligans. Wat een achterlijke naam!'

Ik merk ook wel dat hij probeert van onderwerp te veranderen, maar hoe hard hij dat ook probeert, ik laat me niet zo snel afleiden. 'Wat jij wilt,' antwoord ik. 'Ik kwam hier niet om iets gedaan te krijgen.'

'Waarvoor dan wel? Wat wil je bereiken met dit bezoekje? Als ik jou moet geloven, gaat het je dus niet om het tegengif en niet om een goeie beurt – al lijkt het mij duidelijk dat je die best kunt gebruiken. Maar jij komt hier binnenvallen en mijn privacy verstoren om mij te zeggen dat je van me houdt? Meen je dat nou, Ever? Sorry dat ik zo onbeleefd ben dan, maar ik geloof er geen snars van.'

'Nee, natuurlijk niet,' zeg ik onbewogen. Alles loopt precies zoals ik verwachtte en gepland heb. 'Dat komt doordat je dit nooit eerder hebt meegemaakt. Zeshonderd jaar en je hebt nooit een moment van echte liefde gekend. Wat sneu. Tragisch, zelfs. Maar het is niet jouw schuld. Dus, voor alle duidelijkheid: zo voelt het nou, Roman. Zo ziet het eruit. Ik wil dat je weet dat ik je vergeef, ondanks alles wat je op je geweten hebt. En omdat ik je vergeef, omdat ik je loslaat, kun je mij niets meer doen. Het werkt niet meer. Als je me het tegengif niet geeft, dan vinden Damen en ik wel een manier om daarmee om te gaan, want zo gaat dat met zielsverwanten. Zo werkt ware liefde. Die kan niet worden verstoord of onderbroken – het is eeuwig, oneindig en bestand tegen alle tegenslagen. Als jij zo wilt doorgaan, dan moet je weten dat ik je niet tegenhou. Ik ben er klaar mee. Ik heb mijn eigen leven. En jij?'

Hij kijkt me aan en heel eventjes kan ik zien dat het is gelukt. Ik zie de glimp in zijn ogen, dat korte moment waarop hij doorheeft dat het voorbij is. Elk spel heeft minimaal twee spelers nodig, en eentje valt nu af. Maar even vlug is de oude Roman weer terug. 'Ah, kom op, *darling* – doe even normaal. Wil je me vertellen dat je de rest van je onsterfelijke leven genoegen neemt met een beetje handje vasthouden? Ha, zelfs dat lukt je niet eens – ondanks dat condoom van energie van jullie. Het is net niet echt genoeg, hè? Het haalt het niet hierbij.'

Voor ik het weet, zit hij naast me. Zijn hand ligt op mijn been en hij kijkt me indringend aan zonder mijn blik los te laten. 'Misschien ken ik die liefde niet waar je de hele tijd over doorzaagt, maar ik heb meer dan genoeg ervaring met die andere soort – deze liefde.' Zijn vingers kruipen omhoog. 'En ik zal je zeggen, *darling*, het is zonder twijfel goed genoeg, misschien zelfs beter. Het spijt me zeer dat je er nog steeds niet over mee kunt praten.'

'Geef me dan het tegengif, dan kom ik er wel achter.' Ik glimlach liefjes en doe geen enkele poging zijn vingers van me af te duwen. Dat hoopt hij juist. Hij wil dat ik door het lint ga en tegenstribbel. Dat ik hem tegen de muur smijt en hem bedreig. Net als al die andere keren. Daarom doe ik het niet. Dit keer niet. Dit keer wil ik iets bewijzen en er staat te veel op het spel. Bovendien wil ik hem laten merken hoe saai zijn spelletje is als de tegenstander niet meer meedoet.

'Dat zou je wel willen, zeker? Dit spelletje winnen?' vraagt hij.

'Het lijkt mij een win-winsituatie. Je doet iets aardigs en je krijgt er iets aardigs voor terug. Dat is karma. Een boemerangeffect. Kan niet missen.'

'O, begin je daar weer mee?' Hij rolt met zijn ogen. 'Damen heeft je heel grondig gehersenspoeld.'

'Misschien.' Ik trap niet in zijn val. 'Misschien ook niet. Je zult het niet weten tot je het zelf probeert.'

'Wat? Denk je dat ik nooit iets aardigs heb gedaan?'

'Dat moet dan lang geleden zijn. Je bent het vast verleerd.'

Hij lacht met zijn hoofd achterover, maar trekt zijn hand niet weg. Nee, die blijft liggen en streelt zacht over mijn dij.

'Vooruit dan, Ever. Stel dat ik je dit kleine plezier doe. Stel dat ik je het tegengif geef, waardoor jij en Damen eindelijk eens flink tekeer kunnen gaan. Wat dan? Hoe lang moet ik dan wachten voordat dat zogenaamde goede karma iets voor mij doet? Heb je enig idee?'

'Voor zover ik weet, kun je karma niet dwingen. Het werkt volgens zijn eigen regels. Maar ik weet wel dat het werkt.'

'Ah. Dus ik moet jou iets geven wat je wanhopig graag wilt hebben, met het risico dat ik er niets voor terugkrijg? Dat klinkt nogal oneerlijk, *darling*. Denk er nog eens over na. Is er niets wat je mij te bieden hebt?' Hij grijnst breed en zijn hand glijdt opeens omhoog, een heel stuk hoger – te hoog. Hij staart in mijn ogen en probeert me te hypnotiseren en in zijn gedachten te laten verdwijnen, zoals die eerdere keren. Het mislukt. Ik blijf waar ik ben en heb nergens last van.

Maar die onbeholpen poging brengt me op een idee, waarmee ik alles misschien nog sneller gedaan kan krijgen en op weg kan naar het Montage, waar ik met Damen heb afgesproken.

'Hmm...' Ik doe mijn best het gevoel van zijn vingers op mijn dij te negeren. 'Als je karma niet vertrouwt, vertrouw je mij dan wel?'

Met zijn hoofd scheef en de flikkerende ouroborostatoeage in zijn nek, kijkt hij naar me.

'Want nu ik erover nadenk, is er inderdaad iets wat ik voor je kan doen. Ik weet vrij zeker dat je interesse hebt. Ik weet ook dat ik de enige ben die je dit kan geven.'

'Kijk eens aan!' Hij glimlacht. 'Zo komen we ergens. Ik wist wel dat je je zou bedenken en het licht zou zien.' Hij kruipt dichter naar me toe en verstevigt zijn greep op mijn been.

Ik blijf stil zitten, rustig ademend en in evenwicht. Het licht straalt nog steeds door mijn lichaam. 'Nee, dat is het niet. Het is nog veel beter.'

Roman knijpt zijn ogen half dicht. 'Wees niet te streng voor jezelf. De eerste keer valt altijd tegen. Maar ik beloof je dat we het zo vaak kunnen doen dat je vanzelf beter wordt en leert hoe het moet.'

Hij lacht als hij dit zegt en wil dat ik meedoe, maar dat gebeurt niet. In gedachten ben ik nog bezig met wat ik net zei en het nieuwe idee dat vorm begint te krijgen. Het is niet helemaal wat hij verwacht. Misschien haat hij me na afloop nog meer, maar het is de enige manier die ik kan bedenken waarop hij contact kan zoeken... Als dat al mogelijk is met een verloren ziel.

'Laat mijn been los.' Ik kijk hem streng aan.

'Hè, verdomme!' Hij schudt zijn hoofd. 'Ik wist wel dat het onzin was! Je bent een vreselijke flirt, Ever, weet je dat? Je bent alleen maar...'

'Laat mijn been los en pak mijn handen vast.' Het klinkt kalm en vastberaden. 'Vertrouw me, je hebt niets te verliezen. Dat beloof ik je.'

Even aarzelt hij, maar dan doet hij wat ik zeg. We zitten allebei in kleermakerszit op zijn bed, mijn blote knieën tegen de zijne aan en hij houdt mijn handen stevig vast. Het tafereel doet me denken aan die verbindingsspreuk waardoor alle ellende ooit begonnen is.

Maar dit is anders.

Heel anders.

Dit wordt een enorme gok. Ik wil iets delen met Roman waardoor hij me zonder twijfel het tegengif zal geven. Daarom kijk ik hem recht in de ogen. 'Je theorie klopt niet.'

Hij kijkt niet-begrijpend.

'Je theorie. Dat er niets is behalve het hier en nu. Als je dat gelooft, waarom probeer je dan contact te maken met Drina? Als je al zeker weet dat er verder niets is dan deze aarde, waar we ons nu bevinden, waarmee probeer je dan contact te maken?'

Van zijn stuk gebracht, staart hij naar me. 'Haar levenskracht, haar...' Hij schudt zijn hoofd en wil me loslaten, maar ik houd zijn handen stevig vast. '*What the hell?*' Hij voelt zich niet op zijn gemak.

'Er is wel degelijk meer, Roman. Heel veel meer, zelfs. Meer dan je je kunt voorstellen. Dit, wat je hier om je heen ziet – is een klein stipje op een heel groot scherm. Al heb ik het vermoeden dat je dat al wist, wat je ook beweert. En omdat je het al wist, sta je ervoor open. Daarom denk ik dat we misschien wel iets kunnen regelen.'

'Zie je nou wel!' Hij lacht en schudt zijn hoofd. 'Ik wist dat je het nog niet had opgegeven. Zeg nooit nooit, hè, Ever?'

Weer negeer ik hem en ik ga gewoon verder. 'Als ik je bij Drina breng, als ik je laat zien waar ze is... geef je me dan het tegengif?'

Hij laat mijn handen zakken en wordt lijkbleek. Geschokt moet hij moeite doen om zich in te houden. 'Hou je me soms voor de gek?'

'Nee.' Ik schud mijn hoofd. 'Nee, echt niet. Ik zweer het je.'

'Waarom doe je dit dan?'

'Het lijkt mij wel zo eerlijk. Jij geeft me wat ik het allerliefst wil en ik doe jou hetzelfde plezier. Waarschijnlijk ben je niet blij met wat je te zien krijgt en misschien krijg je wel een bloedhekel aan me, maar dat risico neem ik. Ik beloof je dat ik je alles laat zien, ik hou niets achter.'

'En wat als je dit voor mij doet en ik geef je nog steeds het tegengif niet? Wat dan?'

'Dan heb ik me in je vergist. Dan vertrek ik weer met lege handen. Maar ik zal je niet haten en je niet meer lastigvallen. Al ben ik ervan overtuigd dat je in karma gelooft zodra je de gevolgen ondervindt van die beslissing. Ben je er klaar voor?'

Lang kijkt hij me aan zonder iets te zeggen. Hij overweegt zijn opties, denkt na en knikt uiteindelijk. 'Wil je weten waar ik het bewaar?'

Ik slik en mijn ademhaling versnelt.

'Het ligt hier.' Hij steekt een arm uit naar zijn nachtkastje, trekt een la open en pakt daar een klein doosje uit dat is ingelegd met edelstenen en gevoerd met fluweel. Daaruit haalt hij een dun, glazen flesje tevoorschijn met een glinsterende vloeistof. Het lijkt op het elixir, maar is groen van kleur.

Ik zie hoe hij het flesje heen en weer zwaait voor mijn neus. De vloeistof sprankelt en glimt. Wat vreemd dat de oplossing voor al mijn problemen zo klein is en zo dichtbij.

'Ik dacht dat je het niet in huis bewaarde.' Mijn mond wordt droog als ik blijf kijken naar het flesje, de glinsterende oplossing voor alles – binnen handbereik.

'Deed ik ook niet. Tot na die vorige avond. Daarvoor bewaarde ik het in de winkel. Maar dit is het, *love*. Een enkele dosis, nergens een recept op papier. De lijst van ingrediënten bevindt zich uitsluitend in mijn hoofd.' Hij tikt tegen zijn slaap en bestudeert me aandachtig. 'Dus dat is de afspraak? Jij laat de jouwe zien en ik geef je de mijne.' Hij grijnst en stopt het flesje tegengif in het borstzakje van zijn shirt. Dan kijkt hij me weer aan. 'Jij eerst. Hou je aan je belofte. Laat me zien waar ze is – en je wens gaat in vervulling.'

Vierendertig

'Doe je ogen dicht,' fluister ik als ik Romans koude handen vast-pak. Onze knieën drukken tegen elkaar en zijn gezicht is zo dicht bij het mijne dat ik zijn koele ademhaling op mijn wang voel. 'Stel je hiervoor open. Zet alle onbelangrijke gedachten uit je hoofd. Maak je gedachten leeg, zet het op zwart en laat alles los. Lukt dat?'

Hij knikt en knijpt harder in mijn vingers. Hij is zo geconcen-treerd en wil zo graag zien waar Drina nu is, het is haast hartver-scheurend.

'Dan moet je nu in mijn gedachten kijken. Ik zal mijn bescher-ming weghalen en je toegang geven, maar ik waarschuw je vast, Roman. Je zult het niet leuk vinden wat je ziet. Misschien word je zelfs kwaad op me. Als je maar weet dat ik me aan mijn woord hou. Ik heb nooit beloofd dat je iets prettigs te zien krijgt, alleen dat ik je zou laten zien waar ze is.' Ik open één oog en zie hem knikken. 'Goed dan. Ga mijn gedachten binnen... rustig aan... Zie je al iets?'

'Ja,' fluistert hij. 'Ja, maar het is zo... donker, zo... Ik zie helemaal niets. Ik val heel hard naar beneden... Maar waar...'

'Het is zo voorbij, nog even geduld,' moedig ik hem aan.

Hij haalt sneller adem en de koele lucht slaat tegen mijn wang als een wolk koude mist. 'Het... het is gestopt... ik val niet meer, maar het is zo donker. Ik... hang? Ik ben alleen... heel erg alleen...

maar niet... Er is nog iemand anders... zíj is hier ook en... o, mijn god... Drina, waar bén je?' Nog steviger knijpt hij in mijn handen zodat ze bijna gevoelloos worden. Hij haalt onregelmatig adem en het zweet breekt hem uit van de inspanning. Zijn lichaam zakt voorover tegen mij aan nu hij wordt meegevoerd door de gebeurtenissen in mijn gedachten – zijn gedachten. Een ademloze tour door Schaduwland, de oneindige leegte, de laatste rustplaats voor alle onsterfelijke zielen... ook die van ons.

Heel zachtjes mompelt hij iets, maar ik versta hem niet. Uit de toon kan ik opmaken dat hij onrustig is, geïrriteerd en verward, hangend in die duisternis, om zich heen slaand en schoppend, wanhopig op zoek naar haar. Zijn voorhoofd rust tegen het mijne, zijn neus drukt tegen mijn wang en zijn lippen zijn zo dichtbij terwijl hij al zijn energie gebruikt om haar te vinden.

Zo treft Jude ons aan.

Dat is wat hij ziet.

Roman en mij – samen – zwetend op zijn bed, onze lichamen dicht tegen elkaar aan. We houden elkaar stevig vast, zozeer gaan we op in het visioen dat we hem niet horen binnenkomen. We zien hem niet tot het te laat is.

Te laat om hem tegen te houden.

Te laat om de schade te beperken.

Te laat om terug te gaan naar enkele momenten eerder, toen ik er zo dichtbij was te krijgen wat ik wilde hebben.

Voor ik er erg in heb, word ik losgerukt uit Romans handen. Jude springt boven op hem en mikt zijn gebalde vuist precies op het midden van Romans bovenlichaam. Mijn geschreeuw negeert hij.

Mijn gekwelde: 'Neeeeee!'

Het geluid vult de kamer en echoot enige tijd rond.

Ik krabbel overeind, ik moet hem wegtrekken, ik moet hem tegenhouden voor het te ver gaat... maar dat is het al. Ik ben snel, maar niet zo snel als hij. Ik reageerde te laat, ik zag het niet aankomen en nu is Jude al bezig.

Hij zit boven op Roman.

En ramt zijn vuist hard tegen zijn sacrale chakra.

Zijn zwakste plek.

Zijn achilleshiel.

Het centrum van jaloezie, afgunst en het irrationele verlangen dingen te bezitten.

De verzameling driften die Roman de afgelopen zeshonderd jaar op de been heeft gehouden.

Vrijwel direct verandert de knappe rebel in een hoopje stof.

Ik spring op het bed en grijp Jude bij zijn schouders. Met een zet gooi ik hem dwars door de kamer en ik hoor een dof gekraak als hij tegen een kast terechtkomt. Ik kijk niet eens naar hem om. Mijn ogen zien maar één ding: Romans witte linnen shirt dat glimt van de glassplinters terwijl er een donkergroene vlek op de voorkant verschijnt.

Het tegengif.

Het flesje met tegengif is gebroken tijdens de worsteling en ik voel de hoop vervliegen.

Nu Roman dood is en zijn ziel op weg is naar Schaduwland, kan ik het vergeten.

'Hoe kún je?' Mijn ogen schieten vuur als ik Jude aankijk. 'Hoe kun je zoiets nou doen?' Ik zie hoe hij moeizaam met een wit gezicht overeind komt. Hij wrijft over zijn rug. 'Je hebt alles verpest. Alles! Ik was er zo dichtbij! Bijna had ik het tegengif en nu heb je het verpest! Voor altijd en eeuwig verpest!'

Jude kijkt me aan met zijn handen op zijn knieën. Hij fronst en hapt naar lucht. Hijgend zegt hij: 'Ever... ik... ik wilde niet...' Hij schudt zijn hoofd. 'Je moet me geloven. Ik dacht dat je in moeilijkheden was. Zo zag het er wel uit! Je zag niet wat ik zag – jullie... hij hing helemaal over je heen...' Hij haalt adem. 'Je leek ergens mee te worstelen, diep vanbinnen, alsof je het niet meer aankon, alsof de aantrekkingskracht te sterk was geworden. Daarom ben ik hier. Dat is de enige reden dat ik hier ben. Ik wist waar je heen ging vanuit de winkel en ik geloofde niet dat je sterk genoeg was om het aan te kunnen. Toen ik binnenkwam... en jullie zo zag zitten... ik wilde niet dat het zo zou lopen als de laatste keer. Dus ik... ik...'

'Dus vermoord je hem?' Mijn keel is droog en ik kijk hem met grote ogen aan. 'Je hebt álles wat ik je verteld heb tegen me gebruikt. Nu heb je hem vermoord!'

Hij schudt zijn hoofd en komt voor me staan, zijn T-shirt gescheurd doordat ik het vastpakte en hem door de kamer smeet. Zijn aura vlamt op in paniek en hij draait aan de malachietring aan de hand waarmee hij Roman gedood heeft. 'Je klaagt altijd maar dat hij zo gemeen is, zo slecht. Dat hij de leider is van een kwaadaardige groep rebellen. En dat je hem onweerstaanbaar vindt sinds je een spreuk hebt gebruikt die mislukte. Jij klopte bij míj aan voor hulp, hoor. Je nam míj in vertrouwen – niet Damen. Je koos voor míj, Ever, of je dat nou wilt toegeven of niet! Ik wilde je alleen maar beschermen – tegen Roman, tegen jezelf. Dat was mijn bedoeling! Ik wilde je redden en voor je zorgen!'

'O ja?' Ik knijp mijn ogen tot spleetjes nu er een lampje begint te branden. 'Was dat echt je enige bedoeling?'

'Waar heb je het over?' Hij tuurt me aan en wrijft zijn lippen over elkaar, zich afvragend waar ik naar zit te vissen.

'Je weet precies waar ik het over heb!' Mijn lichaam trilt van woede, verontwaardiging en verslagenheid terwijl ik Romans shirt met de groene vlek vasthoud. 'Je deed dit expres.' Ik kijk kwaad naar hem. Ik heb geen enkel bewijs, maar zodra ik het hardop zeg, begin ik het steeds meer te geloven. Ik herhaal het en doe er nog een schepje bovenop. 'Je deed dit expres. Het is geen vergissing. Je wist wat je deed toen je hierheen kwam. Is dit het nou? Denk je zo de wedstrijd na vierhonderd jaar te kunnen winnen? Is dit je briljante plan? Om mij – het meisje van wie je zogenaamd houdt – te ontnemen waarnaar ze al die tijd verlangt? Door ervoor te zorgen dat ik nu nooit meer samen kan zijn met Damen? Wil je het echt zo spelen? Denk je nou echt dat ik hierom mijn zielsverwant in de steek laat en voor jou kies?'

Ik schud mijn hoofd en staar naar het shirt. De moed zinkt me in de schoenen als ik kijk naar de groene vlek en denk aan Romans sneue, zielige leven en het lot dat zijn ziel te wachten staat. Ik was er zo dichtbij – ik was bijna tot hem doorgedrongen, ik had iets kunnen veranderen... Bijna had ik gekregen wat ik zo graag wilde hebben. En nu dit.

Alles is in één klap voorbij.

'Ever...' smeekt Jude, de pijn die mijn woorden veroorzaken duidelijk hoorbaar en te zien in zijn ogen. Hij komt naar me toe met uitgestrekte armen, maar ik wil hem niet in de buurt hebben. Ik wil niet dat hij me aanraakt. 'Hoe kun je dat nou zeggen?' Hij blijft staan en geeft zich gewonnen. 'Ik hou echt van je. Dat weet je. Dat is al eeuwen zo en het is de waarheid. Dit was echt niet mijn bedoeling – om je op deze manier bij Damen vandaan te houden. Je betekent te veel voor me, dat zou ik nooit doen. Ik heb je al gezegd: ik wil dat je gelukkig bent. Als je uiteindelijk kiest tussen ons, dan moet dat wel eerlijk gaan. Dit keer wil ik dat het eerlijk verloopt.'

'Ik heb mijn keuze al gemaakt,' fluister ik. Ik heb geen fut meer om te vechten. Ik kom overeind van het bed met het shirt nog in mijn handen. Zo ziet Haven me staan als ze binnenkomt.

Venijnig kijkt ze de kamer rond. Ze trekt haar conclusie zonder iets te vragen en de puzzel is voor haar compleet als ze Romans shirt ontdekt in mijn handen.

'Wat heb je gedáán?' zegt ze op lage toon en zo dreigend dat ik een koude rilling over mijn rug voel glijden. 'Wat heb je in godsnaam gedaan?'

Ze grist het shirt uit mijn handen en drukt het tegen haar borst, tegen het kanten topje van haar jurk. Haar versmalde ogen glijden over me heen en ze neemt automatisch aan dat het mijn schuld is. Ze negeert Jude als hij tussenbeide komt om het recht te zetten.

'Ik had het kunnen weten.' Ze schudt haar hoofd en knijpt haar ogen verder toe. 'Ik had al die tijd al beter moeten weten. Toen je bij mij thuis langskwam en o zo aardig deed. Je meende er geen woord van, hè? Je gebruikte me, je hield me voor de gek, je wilde me alleen maar uithoren – weten wanneer ik weg was, zodat je hem voor jezelf had en je hem kon vermoorden.'

'Dat is niet waar!' roep ik uit. 'Zo is het niet gegaan, helemaal niet!' Ik kan het herhalen tot ik een ons weeg, maar het dringt niet door. Haar besluit staat vast, over mij, over Jude en over wat zich hier heeft afgespeeld.

'O, jawel, hoor. Dat is het wel.' Vol woede kijkt ze me aan met haar handen op haar glimmende, in zwart leer gestoken heupen. 'Ja, dat is het wel. Geloof me, Ever, hier kom je niet mee weg. Dit keer niet. Je hebt je genoeg bemoeid met mijn leven. Je ruimt niemand meer uit de weg om wie ik geef. Het is oorlog. Complete oorlog. Ik maak je leven tot een hel. Je zult nog wensen dat Damen niet kunnen aanraken je grootste zorg is. Vergis je niet – je hebt geen flauw idee wat je te wachten staat.' Ze trekt een wenkbrauw op en schenkt me een gemene grijns vol tanden. 'En Jude?' Ze draait zich om op haar hak en acht hem voor het eerst sinds ze er is een blik waardig. 'Jij zult nog willen dat je onsterfelijk bent. Want na vanavond zul je niet overleven wat er op je afkomt.'

Vijfendertig

'Dus het werkte.' Damens stem klinkt zacht en ver weg. 'Het bestond echt.'

Ik haal diep adem en staar naar mijn knieën. Mijn voeten rusten op de leren bekleding van mijn stoel. Net toen ik Romans huis verliet, met Jude op mijn hielen, kwam Damen aan. Haven schreeuwde ons nog een hele verzameling dreigementen na. Een paar tellen nadat de film was afgelopen, verscheen Damen daar, zonder eerst te checken in het Montage Hotel waar ik van plan was hem te zien. Zodra hij mijn sms-bericht zag, rook hij onraad.

Ik knik en staar naar de voorgevel van mijn huis terwijl ik me het triomfantelijke moment voor de geest haal waarop het plan leek te slagen. Ik had het tegengif binnen handbereik. Toen ging alles mis.

In dat ene, verschrikkelijke moment, is onze droom ons afgepakt.

Ik schud mijn hoofd en zucht diep. Morgenochtend volgt ook nog de confrontatie met Sabine. Ik moet haar alles vertellen, over mijn baantje, mijn gaven en de readings van Avalon. En dan te bedenken dat dit een paar uur geleden nog mijn grootste probleem was.

'Ja, het werkte echt.' Ik kijk Damen aan. Het is belangrijk dat hij me gelooft. 'Hij had het tegengif, hij liet het me zelfs zien. Het was zo... zo klein. Een klein, glazen flesje met een sprankelende, groene vloeistof. Hij stopte het in zijn borstzakje en...' Ik slik. Ik wil het niet opnieuw beleven. Niet hardop, in elk geval. Het speelt zich toch al de hele tijd als een filmpje in mijn hoofd af.

Damen fronst. Hij heeft het al bijna net zo vaak gezien als ik. 'Maar toen kwam Jude binnen.' Hij zucht en schudt zijn hoofd. Zijn blik is grimmig en zijn kaak strak, zoals ik hem nooit eerder heb gezien. 'Waarom vertrouwde je hem? Waarom heb je hem verteld van onze zwakke plekken – de chakra's – en wat die betekenen? Waarom zou je zoiets doen?' Hij kijkt me wanhopig aan; hij wil het zo graag begrijpen.

Ik slik, ondanks de grote, dikke, droge brok in mijn keel. Daar is het dan eindelijk, denk ik. De schuld die ik al die tijd al dacht te krijgen. Eindelijk een oordeel. Al is het dit keer meer om wat Jude gedaan heeft, niet ikzelf.

Maar als ik hem aankijk, besef ik dat ik ernaast zit. Hij wil het alleen maar begrijpen. Ik haal mijn schouders op. 'Het is het vijfde chakra. Mijn zwakke plek. Ik heb een gebrekkig inzicht en maak verkeerd gebruik van informatie. Blijkbaar vertrouw ik ook de verkeerde mensen. Niet degenen die me al die tijd al steunen.' Damen heeft meer uitleg nodig en verdient ook meer. Ik laat mijn hoofd hangen. 'Om eerlijk te zijn, zat ik op dat moment niet goed in mijn vel...' Ik denk terug aan hoe rot ik me voelde. Bijna was ik die brug overgestoken naar het hiernamaals. Ik heb Damen alles al verteld over de magie en dat ik Jude eerder in vertrouwen nam dan hem, maar dit stuk heb ik overgeslagen. Ik schaamde me te diep. 'Ik was er erg aan toe.' Ik zucht. 'Wat kan ik nog meer zeggen?'

De leren bekleding kraakt wanneer Damen zich omdraait. 'En ik maar hopen dat je mij genoeg kon vertrouwen om tijdens die momenten bij mij te komen, en niet naar Jude te gaan.' Het breekt mijn hart om het hem te horen zeggen, zo zachtjes en plechtig.

Ik sluit mijn ogen en leun tegen de hoofdsteun. Mijn ogen prikken. 'Ik weet het. Ik had het je moeten vertellen. Maar, ondanks al je geruststellingen en alles wat je zei... Ik kon het gewoon niet geloven, ik durfde niet. Ik verdiende het niet. Damen, als je denkt dat je het ergste al gehoord hebt, hou je dan maar goed vast. Ik vrees dat er nog meer is...'

Ik draai me om tot ik hem recht aankijk en druk mijn handpalmen tegen zijn wangen. Het laagje energie pulseert zachtjes tussen ons in, waardoor ik zijn huid alleen maar bijna voel. Zo zal het voortaan zijn – iets beters is er niet. Ik heb alles geprobeerd – wij hebben alles geprobeerd. Roman is dood en hij nam het tegengif mee in zijn graf. Ik haal diep adem, sluit mijn ogen en laat Damen alles zien. Elk vreselijk moment en gênant detail vloeit van mijn gedachten naar hem. Het is de ongecensureerde versie van de avond waarop ik bijna ontmaagd werd door Roman. Gevolgd door het moment bij de Brug der Zielen. Hij krijgt elk moment te zien in volle, afschrikwekkende glorie. Hij verdient het om de waarheid te kennen over wie ik was, wat ik heb gedaan en wie ik nu ben. De hele ellendige reis tot nu toe.

Als ik klaar ben, haalt hij zijn schouders op en hij legt zijn handen over de mijne heen. 'Ik heb niets gezien waardoor ik anders over je denk. Helemaal niets.'

Ik knik en weet dat het waar is. Dat is namelijk ware, onvoorwaardelijke liefde.

'Ever,' zegt hij dan ernstig. 'Je moet anders leren kijken naar jezelf en de keuzes die je gemaakt hebt.'

Dat kan ik even niet volgen.

'Wat jij ziet als enorme, onoverkomelijke fouten – zijn helemaal geen fouten. Wat jij ziet, komt niet overeen met de werkelijkheid. Je weet zo zeker dat je iets vreselijks gedaan hebt door mij Romans elixir toe te dienen – maar daarmee heb je wel mijn leven gered! Je hebt me uit het Schaduwland weten te houden. Ik had het niet volgehouden tot Romy terugkwam, zelfs niet binnen Raynes magische cirkel. Ik raakte het bewustzijn al kwijt, ik was niet meer hier, maar ook nog niet daar. Als je niet had gedaan wat je deed toen je het deed – als je me niet had laten drinken – dan was ik gestorven. Dan was mijn ziel verloren, verdwenen, veroordeeld om in duisternis en eenzaamheid rond te dolen...'

Ik kijk hem aan met grote ogen. Daar had ik nog niet bij stilgestaan. Ik nam het mezelf liever kwalijk en richtte me alleen op wat we niet meer konden doen. Ik heb me nooit gerealiseerd dat ik zijn ziel die oneindige leegte heb bespaard.

'En er is meer.' Hij pakt mijn kin vast en de bijna-aanraking bezorgt me warme tintelingen. 'Het is je gelukt tot Roman door te dringen! Zonder trucs, spelletjes of bedrog. Je wist een beroep te doen op zijn menselijkheid – hoe diep weggestopt ook. Niemand van ons zag dat in hem of geloofde dat die kant van hem bestond. Het lukte jou dieper te graven, te zien wat wij niet zagen. Je zag iets goeds in iemand die wij al hadden afgeschreven. Heb je enig idee hoe fantastisch dat is? Hoe trots ik op je ben?'

'Maar ik heb Haven onsterfelijk gemaakt...' fluister ik, terugdenkend aan haar dreigementen en er zeker van dat ze die zal uitvoeren.

'Ik heb toch dezelfde keuze gemaakt toen ik jou redde?' antwoordt hij met zijn lippen tegen mijn oor.

'Jij wist nog niets van Schaduwland. Ik wel en ik heb haar lot bezegeld.' Ik maak me los om zijn gezicht beter te zien.

Hij schudt zijn hoofd en trekt me tegen zich aan. 'Ik weet dat ik het niet aanmoedigde, maar ik zou precies hetzelfde hebben gedaan als ik jou was. Zolang ze leeft, is er nog hoop, toch? Dat was in elk geval mijn motto de afgelopen eeuwen.'

Ik leun tegen hem aan en leg mijn hoofd op zijn schouder. In huis zie ik het licht in Sabines slaapkamer uitgaan en ik knijp in Damens hand. 'Romy en Rayne hadden gelijk. Wat die magie betreft. Als je magie gebruikt voor egoïstische, kwade bedoelingen, dan achterhaalt karma je vanzelf, in drievoud.'

We gaan anders zitten en de stilte hangt zwaar om ons heen.

'Nummer één was de situatie met Haven. Ik heb haar onsterfelijk gemaakt, maar haar ook veranderd in een tegenstander die me het liefst dood ziet. Nummer twee was Romans aantrekkingskracht – die duistere vlam in mij. En nu... nu dit... Roman, de dood van zijn ziel en het verlies van het tegengif.' Ik kijk naar Damen. 'Ik bedoel, dat is toch drievoud? Of was die aantrekkingskracht mijn eigen schuld? Een monster dat ik zelf heb gecreëerd, een schaduw van mij die al bestond? Want dan ligt er dus nog steeds iets op de loer – ergens – tot het juiste moment aanbreekt om wraak te nemen... Straks zien we het niet op tijd aankomen en is het te laat!'

Ik hap naar adem nu ik een golf van paniek voel opkomen. Zo'n angstig voorgevoel dat het nog niet voorbij is, dat er meer is dat ons nog te wachten staat.

De sterke armen die stevig om me heen zijn geslagen, stellen me gerust. Net als de hitte en tintelingen die ik voel. Ik weet dat het stralend witte licht nog in me zit. Daardoor, en door alles wat ik al heb meegemaakt, ben ik sterk genoeg om de confrontatie aan te gaan met mijn karma, mijn lot. Welke vorm het ook aanneemt...

Ik voel Damens warme adem bij mijn oor en zijn woorden sluiten precies aan bij mijn gedachten. 'Wat er ook gebeurt, we doen dit samen. Zo werkt dat. Dat is wat zielsverwanten doen.'

Dankwoord

Zoals altijd gaat mijn enorme, sprankelende dank – met een hele hoop confetti – uit naar:

Bill Contardi – wat kan ik zeggen? Je bent de ALLERBESTE! Dank je voor al het harde werk!

Marianne Merola – dank je wel dat je hebt geholpen De onsterfelijken over de hele wereld bekend te maken!

Het team bij St. Martin's – onder anderen Matthew Shear, Rose Hilliard, Anne Marie Tallberg, Katy Hershberger, Brittney Kleinfelter, Angela Goddard en nog vele anderen...

Mijn familie en vrienden – jullie weten wie ik bedoel! Dank jullie wel voor alle liefde en ondersteuning en dat jullie mij bij de computer vandaan trokken wanneer ik dat net even nodig had – ik waardeer jullie meer dan jullie weten!

Sandy – beschermheilige van blauwe nijlpaarden – *you rock my world*!

En uiteraard mijn lezers – niet alleen maken jullie dit alles mogelijk – maar jullie maken het ook leuk, de moeite waard en een spannend avontuur – ik kan jullie niet genoeg bedanken!

Ben je benieuwd hoe het Ever en Damen zal vergaan, lees op de volgende pagina dan alvast het eerste hoofdstuk uit boek 5, *Nachtster*.

'Je kunt mij niet verslaan. Dit keer zul je verliezen, Ever. Het is onmogelijk. Je kunt het gewoon niet. Waarom zou je het nog proberen?'

Ik kijk haar aan met toegeknepen ogen en bestudeer haar gezicht – de fijne, bleke gelaatstrekken, haar donkere haar en de duistere, met haat gevulde blik waarin elk lichtpuntje ontbreekt.

Met opeengeklemde kaken antwoord ik beheerst en op lage toon: 'Wees daar maar niet te zeker van. Je bent veel te overtuigd van je eigen kunnen. Sterker nog, volgens mij overschat je jezelf. Dat weet ik wel honderd procent zeker.'

Ze lacht, hard, spottend en het geluid echoot door de grote, lege ruimte. Het weerkaatst tegen de houten planken van de vloer en de kale, witte muren. De leegte moet me bang maken, of op zijn minst intimideren en me van mijn stuk brengen.

Dat is niet zo.

Dat gaat ook niet gebeuren.

Ik ben veel te geconcentreerd.

Al mijn energie richt ik op een enkel punt tot er verder niets overblijft behalve ik, mijn opgeheven, gebalde vuist en Havens derde chakra. Het chakra van de zonnevlecht, het centrum van woede, angst, haat en de neiging te veel waarde te hechten aan macht, erkenning en wraak.

Mijn blik is gefocust alsof ik door het vizier van een geweer kijk – naar die plek midden op haar in leer gehulde lichaam.

Ik weet dat één vlugge, goed gemikte stoot voldoende is. Dan is Haven verleden tijd.

Niet meer dan een waarschuwend verhaal over wat macht met iemand kan doen.

Verdwenen.

In een ogenblik.

Er zal niets van haar overblijven behalve een paar zwarte stilettolaarzen en een klein hoopje stof – het enige bewijs dat ze hier ooit was.

Ik heb nooit gewild dat het zover zou komen. Ik heb geprobeerd met haar te praten, het uit te leggen, haar over te halen helder na te denken en samen tot een oplossing te komen. We hadden een deal kunnen sluiten, maar ze weigerde en wilde niet opgeven.

Ze weigerde toe te geven.

Ze weigerde haar misplaatste wraakzucht naast zich neer te leggen.

Nu heb ik geen keuze meer: het is doden of gedood worden.

Ik weet nu al hoe dit afloopt.

'Je bent veel te zwak.' Ze draait om me heen en beweegt langzaam, behoedzaam en haar blik laat me geen moment los. De stilettohakken van haar laarzen klikken luid op de vloer. 'Je kunt me niet aan. Dat was altijd al zo en dat zal altijd zo blijven.' Ze blijft staan, zet haar handen in haar zij en houdt haar hoofd schuin. Een paar strengen van haar golvende, donkere haren vallen over haar schouder naar voren en reiken tot aan haar middel. 'Je had me maanden geleden kunnen laten sterven. Die kans heb je gehad. Maar jij besloot me de onsterfelijkheidsdrank te geven. En nu heb je daar spijt van? Omdat je het niet eens bent met hoe ik me gedraag?' Ze wacht even en rolt geërgerd met haar ogen. 'Dat is dan pech. Het is je eigen schuld. Jij hebt me zo gemaakt. Ik bedoel, wat voor iemand maakt nou haar eigen creatie dood?'

'Ik heb je onsterfelijk gemaakt, maar de rest heb je zelf gedaan.' Het klinkt vastberaden, feitelijk en geforceerd tussen opeengeklemde kaken door, ook al heeft Damen me nog zo gewaarschuwd mijn mond te houden, geconcentreerd te blijven en hier snel en netjes mee af te rekenen. Ik moet geen onnodige discussies met haar aangaan.

Bewaar je spijt voor later, zei hij.

Maar het feit dat we nu tegenover elkaar staan, bewijst dat er wat Haven betreft geen 'later' is. Het is veel te ver gegaan, maar toch wil ik tot haar doordringen, haar bereiken, voor het echt te laat is.

'We hoeven dit niet te doen.' Ik kijk haar strak aan en hoop haar te overtuigen. 'We kunnen dit afblazen en ermee stoppen. Het hoeft niet verder te gaan dan dit.'

'Ha, dat zou je wel willen!' zingt ze vrolijk en spottend. 'Ik zie het in je ogen. Je kunt het gewoon niet. Ook al geloof je er nog zo heilig in dat ik niet beter verdien en probeer je jezelf dat in te peren – je bent gewoon een watje. Waarom zou het dit keer anders zijn?'

Omdat je nu levensgevaarlijk bent – niet alleen voor jezelf, maar voor iedereen om je heen, denk ik. Dit keer is het anders – alles is anders. Daar kom je zo achter...

Ik bal mijn vuisten zo hard dat mijn knokkels wit worden. Zo vlug als ik kan centreer ik mezelf, probeer ik mijn evenwicht te vinden en het licht in mij aan te vullen, zoals Ava me geleerd heeft. Ondertussen houd ik mijn hand laag en gevechtsklaar, mijn blik op haar gericht en mijn hoofd leeg van alle gedachten, mijn gezicht onleesbaar. Dat heeft Damen me aangeraden.

Het belangrijkste is dat je niets laat merken, legde hij me uit. Je moet vlug bewegen, doelbewust. Doe wat je moet doen voor ze het ziet aankomen – zodat ze zich niet realiseert wat er gebeurt tot het ruimschoots te laat is. Tegen die tijd is haar lichaam niet meer dan een hoopje stof en is haar ziel al onderweg naar die kille, eenzame plek. Zorg dat ze geen kans krijgt om iets te doen of zich te verzetten.

Die les heeft hij lang geleden geleerd tijdens gevechten waarvan ik nooit had gedacht dat die symbool zouden staan voor mijn leven.

Damen heeft me nog zo gewaarschuwd, maar ik kan mijn verontschuldigingen niet voor me houden. De woorden 'vergeef me' stralen rechtstreeks uit mijn gedachten naar haar toe. Ik zie haar reageren in een flits van medelijden. Heel eventjes verzacht haar blik, maar dan verschijnt de gebruikelijke combinatie van haat en afkeuring weer.

Ze heft haar vuist op en mikt – maar ze is te laat. Mijn hand zwaait al door de lucht naar voren, vol kracht. Ik ram mijn vuist tegen haar navel en smijt haar naar achteren. Ze tolt en zakt in elkaar, op weg naar die oneindige leegte.

Schaduwland.

De eeuwige rustplaats voor verloren zielen.

Ik hoor mezelf naar adem snakken als ik zie hoe snel ze vergaat tot stof. Ze stort zo snel in dat het moeilijk te geloven is dat ze ooit uit tastbare materie bestond.

Mijn maag draait zich om, mijn hart bonst als een razende en mijn keel is zo droog dat ik niets kan uitbrengen. Mijn lijf reageert alsof deze gebeurtenis – de gruweldaad die ik zojuist heb gepleegd – niet alleen maar nagespeeld is, maar de afschuwelijke waarheid.

'Je hebt het goed gedaan. In één keer raak, precies in de roos,' zegt Damen, die in een oogwenk vanaf de andere kant van de kamer bij me komt staan. Hij slaat zijn armen om me heen en houdt me stevig vast. Zachtjes fluistert hij verder in mijn oor. 'Toch moet je er serieus over nadenken die verontschuldiging achterwege te laten tot ze is verdwenen. Geloof me, ik weet dat je je schuldig voelt, Ever, en dat kan ik je niet kwalijk nemen. Maar we hebben het hierover gehad. In dit scenario is het eenvoudig: jij of zij. Een van jullie overleeft dit. En als het jou niet uitmaakt, dan heb ik liever dat jij dat bent.' Hij laat zijn vingertopje langs mijn wang gaan en stopt een losgeraakte pluk van mijn lange, blonde haar achter mijn oor. 'Je kunt het je niet veroorloven haar op die manier te waarschuwen. Dus alsjeblieft, bewaar je schuldgevoelens tot na afloop, oké?'

Nog steeds buiten adem knik ik en ik maak me los. Over mijn schouder zie ik het hoopje zwart leer en kant nog op de grond liggen. Dat is alles wat er rest van de Haven die ik heb gemanifesteerd. Ik knipper en laat alles verdwijnen.

Ik beweeg mijn hoofd opzij om mijn spieren te rekken en schud mijn armen, handen en benen. Dat kan zijn om stoom af te blazen, of als voorbereiding. Damen interpreteert het als die laatste optie en glimlacht. 'Klaar voor een tweede ronde?'

Ik kijk hem aan en schud mijn hoofd. Vandaag heb ik wel genoeg gehad. Zo leuk is het niet, om te doen alsof je de zieloze, spookachtige incarnatie van je voormalig beste vriendin vermoordt.

Het is de laatste dag van de zomer en dus ook de laatste dag vol vrijheid. Die kunnen we wel op een betere manier doorbrengen.

Ik staar naar de halflange, golvende donkere haren die over Damens voorhoofd vallen en voor zijn stralende, bruine ogen hangen. Vervolgens naar het botje van zijn neus, de lijnen van zijn jukbeenderen en de zachte rondingen van zijn lippen, waar ik lang genoeg naar kijk om me te herinneren hoe fijn ze aanvoelen, op de mijne gedrukt.

'Kom, we gaan naar het paviljoen.' Ik kijk hem hoopvol aan en laat mijn ogen dan gaan over zijn eenvoudig zwarte T-shirt, het zijden koord met daaraan de verzameling kristallen die hij onder zijn shirt verbergt, en verder omlaag naar de verschoten spijkerbroek en de bruine, rubberen sandalen aan zijn voeten. 'Tijd voor wat plezier,' zeg ik met nadruk voor ik mijn ogen sluit en een nieuwe outfit laat verschijnen voor mezelf. Mijn T-shirt, korte broek en sportschoenen voor de training maken plaats voor een kopie van een van de mooiste, laag uitgesneden jurken met korsetlijfje die ik soms droeg als mijn Parijse incarnatie.

Aan Damens dromerige blik kan ik zien dat ik mijn zin krijg. De aantrekkingskracht van het paviljoen is zelfs voor hem te sterk.

Het is namelijk de enige plek waar we elkaar kunnen aanraken zonder tussenkomst van het beschermende laagje energie. Op die plek mogen onze huid en ons DNA elkaar wel raken, zonder dat Damens ziel meteen gevaar loopt.

Het is de enige plek waarnaar we kunnen ontsnappen, een dimensie zonder alle gevaren van deze wereld.

Ik zit er niet meer zo mee dat we met die beperking moeten leven. Ik stoor me er niet meer zo aan nu ik weet dat het een gevolg is van de juiste keuze – de enige keuze die ik had. Doordat ik Damen heb laten drinken van Romans elixir, is hij nu nog steeds bij me. Dat heeft hem gered van een eeuwig bestaan in Schaduwland. Daarom ben ik al tevreden met elke vorm die zijn aanraking toevallig aanneemt.

Maar ja, nu we een plek hebben waar het nog beter aanvoelt dan hier, wil ik daar dolgraag naartoe. Als het kan nu meteen.

'Moet je niet nog extra trainen? Morgen begint het nieuwe schooljaar en ik wil niet dat ze je overvalt,' brengt hij naar voren – duidelijk in tweestrijd tussen doen wat juist en verstandig is en meegaan naar het paviljoen, ook al zie ik dat de laatste optie het wint. 'We weten niet wat zij van plan is, dus moeten we op het ergste voorbereid zijn. Bovendien zijn we nog niet eens toegekomen aan tai chi en dat lijkt me wel belangrijk. Het zal je verbazen hoe het je helpt je energie in evenwicht te brengen en die weer op te laden...'

'Weet je wat ook helpt mijn energie weer op te laden?' Ik grijns en geef hem een dikke kus, waardoor hij geen antwoord kan geven. Hij hoeft het maar te zeggen en we gaan naar de plek waar we echt kunnen zoenen.

De warmte van zijn blik bezorgt me heerlijke tintelingen – een gevoel dat alleen hij me kan geven. Hij maakt zich los en zegt: 'Oké, jij wint. Maar dat is ook niks nieuws meer, hè?' Hij glimlacht en onze blikken ontmoeten elkaar.

Hij pakt mijn hand vast en sluit zijn ogen. Zo stappen we samen door de glinsterende poort van zacht, goud licht.